소설로
찾아가는
그날들

책만드는 작업실 비온후

소설로
찾아가는
그날들

펴낸곳 동래여자중학교
부산광역시 금정구 체육공원로 20
051-516-5783

비온후 등록 제2011-000004호 www.beonwhobook.com

펴낸날 2018년 2월 8일

기획·엮은이 김성현, 김정수

글 귀를 기울이면 아이들 (cafe.daum.net/bomnal2015)

편집 및 녹취
귀를 기울이면 아이들
2학년 김지현, 박나현, 이송학, 신현주, 전지현, 지해인, 황혜성
3학년 김서현, 김수련, 나예조 , 박세향, 이유진, 장주연, 전영진, 정재은

본문 그림
1학년 이원정, 조가은, 김보경, 정다인 • 2학년 김지현, 지해인 • 3학년 김서현

표지 그림 2학년 지해인

사진 김정수, 이진훈

교정
귀를 기울이면 아이들, 권혜경, 김성현, 김정수

책값 12,000원

ISBN 978-89-90969-66-8 03800

소설로
찾아가는
그날들

일러두기
본문의 내용 중 강연 속 한 구절은 강사의 창작물이므로 강사의 허락 없이 무단 인용이나 사용을 금합니다.

차례

8 프롤로그

첫 번째 그날들

갑신년 세 젊은이들의 열정과 좌절을 만나다

14 소개글

16 시대읽기

20 작품읽기
한줄평
줄거리
인물 소개
인상 깊은 장면과 그 이유
질문 있어요

36 작가 읽기
강연 속 한 구절
작가 소개
질의응답
강연소감문

48 독자 읽기
서평
모의재판 대본
짧은 장면 쓰기

길 위에서 역사를 배우다 1

70 항일독립운동의 길을 걷다

두 번째 그날들

'푸른 늑대의 파수꾼'과 떠나는 시간여행,
일본의 전쟁범죄를 만나다

78   소개글

80   시대읽기

84   작품읽기
      한 줄평
      줄거리
      인물 소개
      인상 깊은 장면과 그 이유
      질문 있어요

102 작가 읽기
      강연 속 한 구절
      작가 소개
      질의응답
      강연소감문

118 독자 읽기
      정지동작
      서평
      소설 속 인물에게 편지 쓰기
      소설 대화
      소설 뒷이야기 쓰기
      낭독극 대본
      짧은 장면 쓰기

길 위에서 역사를 배우다 2

168 부산의 민주주의 현장을 엿보다

세 번째 그날들

1950, 그 여름의 한반도를 기억하다

178   소개글

181   시대읽기

184   작품읽기
         한줄평
         줄거리
         인물 소개
         인상 깊은 장면과 그 이유
         질문 있어요

204   작가 읽기
         강연 속 한 구절
         작가 소개
         질의응답
         강연소감문

220   독자 읽기
         서평
         라운드 테이블 방식의 소설수다
         짧은 장면 쓰기

길 위에서 역사를 배우다 3

240   피란 수도 부산을 걷다

네 번째 그날들

5월의 당신을 기억하다

252 소개글

254 시대읽기

258 작품읽기
한줄평
줄거리
인물 소개
인상 깊은 장면과 그 이유
질문 있어요

282 작가 읽기
강연 속 한 구절
작가 소개
질의응답
강연소감문
작가 가상 인터뷰

304 독자 읽기
서평
짧은 장면 쓰기

길 위에서 역사를 배우다 4

316 5월의 그 날, 그 곳 그리고 소년

328 에필로그

프롤로그

1
5회 청소년 희망의 인문학 교실
마지막 5강의 강의가 끝났다.
그동안 참여한 학생들에게 설문조사를 했다.
4회 여행, 5회 시로 이어진
주제가 있는 인문학 강의, 인문학 동아리 활동
다음 주제로 무엇이 좋을까요?
1위는 소설, 2위는 역사, 3위는 페미니즘……
올해의 주제는
소설과 역사를 더하여
'소설, 역사를 품다'

소설은
시대 상황을 이해하는 중요한 통로
한 줄의 역사가
구체적 인물의 숨결로 다시 살아난다.
소설은 역사를 품고
역사는 소설로 녹아든다.

갑신정변
일본군 강제 '위안부'
한국전쟁
5·18 광주민주화 운동
소설 속 '그날들'을 만난다.

역사, 문학, 철학
……
인문학은
사람이 사람답게 살기 위해
나(성찰)
나와 너(관계)
삶과 세계(실천)
……
묻고 답을 찾는다.

오늘도 우리는
질문을 던진다.
왜?

2

어느덧 6년째 매주 목요일 오후 3시 45분 도서실에 인문학 동아리 '귀를 기울이면' 친구들이 모입니다. 올해는 '소설, 역사를 품다'라는 주제로 '역사' 관련 소설책을 읽었습니다. '갑신년의 세 친구, 푸른 늑대의 파수꾼, 그 여름의 서울, 소년이 온다'까지 총 네 권의 책을 읽고 토론하고 경험을 공유하고 서로 소통하였습니다. 서로의 생각을 나누는 활동뿐만 아니라 지역의 역사와 문화를 이해하기 위해 독서문화체험을 가고, 소설의 배경이 된 장소를 찾아나서는 활동도 함께 진행했습니다. 동아리 친구들은 네 번의 독서문화체험인 '길 위에서 역사를 배우다'를 통해 현재 살고 있는 지역의 역사에 대해 더 깊이 있게 이해할 수 있었습니다. 또한 문학 작품의 배경이 되었던 장소를 찾아 떠나는 문학기행을 통해 작품이 현실과 어떤 연관이 있는지, 작가는 어떤 경험과 과정을 거쳐 작품을 쓰게 되는 지를 직접 체험하였습니다. 문학 작품이 결코 막연한 '가공의 이야기'가 아니라 우리 사회에서 충분히 일어날 수 있는 이야기이자, 어쩌면 자신을 있게 한 현재의 일부임을 깨달을 수 있을 때, 문학 작품과 더욱 친해지게 될 것입니다. 좋은 경험과 생각들이 인문학 동아리 친구들뿐만 아니라 독서를 벗 삼는 모든 친구들에게 널리 전해지기를 바랍니다.

2018년 옥샘의 봄날
김성현, 김정수

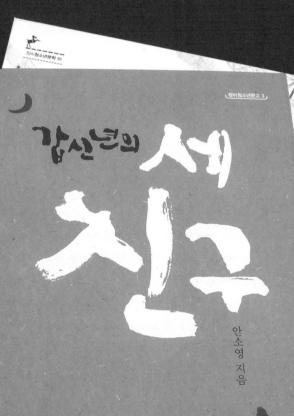

창비청소년문고 3

갑신년의 세 친구

안소영 지음

창비
Changbi Publishers

갑신년
세 젊은이들의 열정과
좌절을 만나다

첫 번째 그날들

갑신년
세 청년들의 꿈과 좌절을
만나다

빠삐코를 좋아하는 **황선주**(1학년)

고종 때, 조선은 변화의 바람을 맞고 있었습니다. 물밀 듯이 들어오는 서양 문물에다, 끊임없이 간섭하려 달려드는 조선 밖의 나라들. 〈갑신년의 세 친구〉는 이렇게 혼란스러웠던 조선 후기에 조선을 자주독립 국가로 만들기 위해 애썼던 김옥균과 박영효, 홍영식을 중심으로 의견이 다른 여러 인물들 간의 대립과 '갑신정변'이라는 역사적 사건을 그려내고 있습니다. 꼼꼼한 역사적 고증을 바탕으로 쓰인 〈갑신년의 세 친구〉는 지루하다고 생각될 수 있는 '역사 소설'에 대한 편견을 깨버릴 수 있는 책입니다.

세 인물들이 박규수 대감의 사랑방에서 신식 문물에 관심을 가질 때부터 갑신정변을 일으키고 결국 실패해 각자의 길을 걷게 되었던 이야기까지, 정변의 실패라는 같은 상황에서도 김옥균과 박영효, 홍영식이 선택한 길은 각각 달랐습니다. 김옥균은 일본으로 망명하고 나서도 끊임없이 조선의 개혁을 위해 애쓰다 살해당합니다. 박영효가 갑신정변의 실패에 대한 책임을 김옥균에게 돌리고 흔히 말하는 '친일파'로서의 삶을 선택한 반면 홍영식은 끝까지 고종을 따르다 죽음을 맞이했습니다. 이렇듯 처음에는 같은 뜻으로 개혁을 위해 노력했지만, 정변이 실패한 후 취한 자세는 모두 달랐습니다.

우리는 인상 깊은 부분과 내 생각 덧붙이기, 인물 뇌구조도 그리기, 사건 정리하기, 서평쓰기, 모의재판, 짧은 장면 쓰기 등의 다양한 활동을 통해 〈갑신년의 세 친구〉의 내용을 깊이 있게 파악해 보려고 했습니다. 작가와의 만남도 가지며 직접 질의응답도 할 수 있어 더욱 뜻 깊은 시간이었습니다.

안소영 작가님께서 〈갑신년의 세 친구〉를 통해 우리에게 전하고 싶은 말은 무엇이었을까요? 갑신년의 세 친구 김옥균, 박영효, 홍영식을 따라 혼란스러웠던 조선 말기로 떠나 볼까요?

시대
읽기

갑신정변과 개화사상

신식 군대와의 차별 대우에 분노한 구식 군인들이 봉기를 일으켰고 도시 하층민들도 가담하였다. (임오군란,1882) 위기에 처한 민씨 정권은 청나라에 군대를 요청하였다. 이에 따라 청나라 군대가 조선에 들어와 군란을 진압하고 고문을 파견하여 조선의 내정을 간섭하였다. 민씨 정권은 청나라 군대에 의존하면서 그동안 추진해 온 개화정책을 크게 후퇴시켰다. 또 급진 개화파의 주요 인물을 지방 또는 해외로 보내는 등 이들이 설 땅을 잃게 했다. 김옥균 등 급진 개화파가 위기에 처한 것이다.

이런 가운데 민씨 정권과 개화파는 바닥난 국가재정을 해결하는 방법을 둘러싸고 날카롭게 맞섰다. 친청파를 대변한 독일인 재정고문 묄렌도르프 등은 무리한 화폐 발행을 주장했고, 김옥균 등은 외채를 끌어와 국가재정을 해결하려 했다. 이것은 단순한 재정문제를 해결하는 것이 아니라 정책 결정의 주도권을 다투는 중대한 문제였다. 차관을 교섭하려고 일본에 건너갔던 김옥균이 1884년 3월에 빈손으로 돌아오면서 개화파는 더욱 곤경에 빠지게 되었다. 개혁을 추구하던 개화파는 난국을 벗어나려고 새로운 방법을 찾기 시작했다.

1884년 봄 안남(베트남) 문제를 두고 청과 프랑스가 대립했다. 그해 7월에 청불전쟁이 일어나, 청나라는 조선에 주둔하고 있던 3천 명의 청군 가운데 절반을 철수시켰다. 개화파는 이를 청나라에 의탁한 민씨 정권을 무너뜨릴 기회로 삼았다.

1884년 9월 17일, 김옥균을 비롯한 개화파는 정변을 일으켜 민씨 정권을 몰아내고 권력을 장악하기로 결의했다. 홍영식이 총관으로 있던 우정국 개설일을 거사하는 날로 잡고, 일본사관학교의 유학생과 개화사상을 지지하던 조선 군인을 동원하기로 하는 등 준비를 서둘렀다.

개화파는 거사에 성공한 뒤 이어질 청군의 반격과 개혁정책을 위한 재정 문제를 해결하기 위해 일본을 이용하려 했다. 일본은 조선 진출에 걸림돌이던 청나라와 민씨 정권을 몰아내고 조선에서 우위를 차지할 속셈으로, 군대 동원과 차관을 약속했다. 1884년 10월 17일 오후 6시 무렵, 마침내 개화파는 우정국 개설 피로연에서 민씨 정권을 제거하는 '일대 정변'을 일으켰다. 개화파는 민태호·민영목·조영하 등 수구파 세력을 처단하고 창덕궁에 있던 고종을 경우궁으로 옮겼다. 정변에 성공한 개화파는 이튿날인 18일, 새 정부를 구성했다. 그리고 청에 대한 사대정책 폐지, 문벌 폐지, 인민 평등과 조세 제도 개혁 등을 담은 개혁 정강을 발표하였다. 그러나 청군이 공격하자 지원을 약속한 일본군이 철수하였고, 개혁은 실패로 끝났다. 홍영식·박영교와 7명의 사관학생이 청군에게 살해되었고, 김옥균·박영효·서광범·서재필 등 9명이 일본으로 망명했

갑신년의 세 친구

다. 이로써 정변은 '3일 천하'로 막을 내렸다.

갑신정변 이후의 조선

갑신정변 이후 급진 개화파는 몰락하고 청의 내정 간섭은 더욱 심해졌다. 이후 고종은 러시아를 끌어들여 청을 견제하고자 하였다. 조선 정부가 러시아와 밀약을 추진한다는 소문이 퍼지자 영국은 거문도를 불법으로 점령하고 해군 기지를 건설했다. 러시아의 남진을 견제하려는 것이었다. 당시 조선은 청과 일본, 러시아와 영국 등 열강의 침략 위협에 바람 앞에 등불처럼 위태로운 상황에 처해 있었다.

작품 읽기

'갑신정변'이라는 역사적 사실을 더 쉽게 알 수 있어서 좋았다.
그리고 다른 역사소설보다 훨씬 쉽게 읽었다.
– 전영진 (3학년)

역사를 소설로 만들었지만 갑신년에 일어난 사건들이 사실과 유사해
헷갈리지 않아 좋았다. 하지만 조금 지루하거나 이해하기 어렵기도 했다.
– 정재은 (3학년)

역사책에 한 줄로 기록되어 있는 갑신정변의 내용을 이렇게 자세히
볼 수 있어 좋았다. 혼란한 시기에 세 젊은이들의 도전과 좌절이
생생하게 전달되었다.
– 김수련 (3학년)

세 청년들의 가슴 뜨거운 열정이 내게 온전히 전해지는 의미 깊은 책이다.
– 나예조 (3학년)

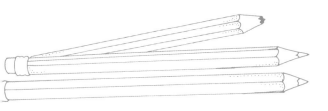

멀게만 느껴졌던 역사적 인물들을 생생하게 표현하여 책을 재미있게 읽었다.
갑신정변이라는 역사적 사실에 관심이 더 생겼다.
– 이유진 (3학년)

김옥균, 박영효, 홍영식 이 세 젊은이들이 갑신정변 전후에 어떤 활동과
생각을 했는지 잘 알 수 있었다.
– 조윤정 (2학년)

갑신정변이라는 역사적 사실을 간접적으로 느낄 수 있어 좋았다.
김옥균은 자신의 꿈을 이루기 위해 싸운 몽상가가 아니라 우리나라가
일제로부터 벗어나길 바랐던 개혁가라는 생각도 들었다.
– 김서진 (1학년)

교과서에서 한 줄로 배웠던 갑신정변의 그날을 생생하게 만날 수 있는 책이다.
이 책을 읽으면 나라를 걱정했던 청년들의 꿈과 열정이 잘 느껴질 것이다.
– 주정은 (1학년)

중학생이 읽기에는 다소 어려웠던 책이지만, 19세기 말 청년들의 열정과
고뇌를 생생히 만날 수 있었던 좋은 시간이 되었다.
– 조가은 (1학년)

　　　　　　　　　　　　　　　　　갑신년의 세 친구

19세기 후반, 세상을 바꾸고 조선을 근대화하려는 열망에 들뜬 청년들. 그들은 조선의 개혁을 위해 갑신정변을 일으킨다. 하지만 정변은 실패로 끝나고, 세 사람의 삶은 극적인 변화를 맞이한다. 소설은 갑신정변의 실패로 죽음의 위기에 처한 홍영식의 이야기로 시작된다. 홍영식의 죽음으로 시작하는 책은 과거로 돌아가 훗날 정변을 일으키는 세 젊은이들의 첫 만남을 보여준다.

연암 박지원이 지어 놓은 백송 옆 사랑채. 백여 년 뒤 그곳의 주인이 된 연암의 손자 박규수는 자신의 사랑방에 드나들던 북촌 세도가의 젊은 청년들과 함께 많은 이야기를 나눈다. 북촌 세도가의 젊은 청년 중에는 조선의 개혁을 위해 갑신정변을 주도한 김옥균, 박영효, 홍영식도 포함돼 있었다. 그리고 박규수의 사랑방에는 드나들지 못했지만, 그들과 뜻을 함께하며 조선의 개혁을 누구보다도 바랐던 한 청년이 있었다. 대궐에서 박규수의 가르침을 받으며 새로운 문물을 받아들여 조선의 힘을 기르고자 했던 고종이다. 조선의 젊은 세 청년 김옥균, 박영효, 홍영식은 박규수 대감의 사랑에 모여 위기에 처한 조선의 앞날을 걱정하고 논하는 양반가의 자제들이다. 그들은 시찰단을 구성해 가까운 일본뿐 아니라 서양까지 직접 여행도 다녀오며 그 발전된 모습에 감탄한다. 그리고 조선 또한 그렇게 되기를 원한다.

김옥균은 세 친구 중 가장 진취적이고 행동력 있는 인물이다. 고종의 신임을 받으며 진심으로 조선의 앞날에 대해 걱정하고 근심한다. 김옥균은 꺼져 가던 조선의 명운을 걱정하며, 시대의 새로운 흐름에 맞게 개화를 이루어야 나라의 부흥과 발전을 꾀할 수 있다고 주장한다. 서양 열강과 일본의 틈 속에서 조선이 스스로의 힘을 길러 그들의 침략을 물리칠 수 있을 만큼의 능력을 갖추기 위해서는 적극적으로 외국의 장점을 배워야 한다고 역설한다. 그러나 청나라와 결탁한 민씨 일파의 벽에 부딪치자 결국 일본의 힘을 빌려 무리한 정변을 일으키게 된다. 정변이 실패하자마자 일본으로 망명해 유배와 힘든 삶을 견디다 새로운 재기를 꿈꾸며 1894년 상해로 건너오지만 결국 암살당하고 만다.

박영효는 고종의 부마로 젊은 시절엔 패기와 열정으로 조선의 앞날을 걱정하는 청년이었다. 김옥균, 박영효와 함께 갑신정변의 주역으로 활약했지만 정변이 실패로 돌아가자 일본으로 망명했다가 다시 미국으로 건너갔지만 부마로서 도저히 견딜 수 없는 험난한 삶을 뒤로하고 다시 일본으로 돌아온다. 갑오개혁과 함께 이루어진 조선의 변화 덕분에 다시 고국 땅을 밟게 된다. 급변하는 조선의 상황에 대응하며 완전한 친일로 무장하여 젊은 시절과는 정 반대의 삶을 살게된다.

홍영식은 통리기무아문에서 일을 하며 조선을 개혁할 생각에 들떠있고 그의 아버지는 그 모습을 못마땅해 한다. 서로를 이해하지 못하고 이해하려하지도 않으며 만나면 언성을 높인다. 임오군란이 일어났을 때 그저 군졸들의 소란이라고 생각했던 홍영식은 처절한 백성들의 모습을 보고 자신의 이상과 현실의 괴리감을 느낀다. 그리고 갑신정변을 일으키지만 삼 일만에 실패로 돌아가고 그는 동료들과 함께 망명하지 않고 홀로 남아 죽음을 맞이한다.

그들은 젊은 왕 고종과 함께 조선의 개혁과 미래를 꿈꾸고 그것을 실행에 옮기려 정변을 일으키지만 성급함과 경험부족에서 나오는 행동으로 실패한다. 마지막까지 왕을 따르다 살해된 홍영식, 일본으로 망명해 떠돌다 암살당한 김옥균, 식민지가 된 조선에서 영화롭게 살다간 박영효. 이 소설은 더 나은 조선을 꿈꿨던 세 젊은이의 삶과 조선 말기의 역사적인 사건을 생생하게 그리고 있다.

김옥균

급진 개화파이다. 과거에서 장원 급제하고 홍문관 교리로 임명받았다. 박규수 대감의 사랑을 드나들었다. 자신감이 있다. 얼굴이 희다. 호리호리하게 큰 키에 갸름한 얼굴이다. 추진력이 있다. 홍영식보다 4살 많다. 북촌 영감 사이에서 수재라 소문났다. 단호하다. 눈매가 길다. 고종의 사랑을 받았고 고종을 도왔다. 냉정하고 차분하다. 목소리가 카랑카랑하고 시원시원하다. 6살 된 딸이 있다. 묄렌도르프에게 싸늘하게 대한다. 조선에 돌아오자마자 '동남제도개척사 겸 관포경사'로 임명된다. 일본에서 차관을 들이려 했다. 해사하고 날카로운 첫인상이다. 사람을 끄는 소탈한 매력이 있다. 독립 자주, 개혁을 외친다. 추진력이 있다. 성격이 급하다. 다혈질이다. 끈질기다. 경망하다. 갑신정변 후 일본에 가 실의에 젖어 방탕한 생활을 하기도 했다. 삼화주의를 외친다. 조선에서 보낸 자객(홍종우)에게 살해당한다.

박영효

급진 개화파이다. 철종의 딸 영혜공주와 혼인하여 부마(정일품)가 되었지만, 혼인한 지 3달 만에 옹주가 세상을 떠나 평생 홀로 살아야만 했다. 박영교의 동생이다. 당차다. 호기심이 많다. 표정이 없다. 임금이 내린 으리으리한 기와집에서 살았다. 고집이 세다. '부마'라 불리며 어렸을 때부터 똑똑했다. 금릉위이다. 가난했지만 부마가 되어 부자가 되었다. 한성부 판윤(한성부 으뜸벼슬)에 임명되었다. 일본에 우호적이다. 최초로 태극기를 사용했다. 일본의 대접에 흡족해 했다. 일본에서 들은 바를 망설임 없이 전했다. 후에 친일파가 된다. 갑오개혁에 참여한다. 일본 귀족의 작위와 은사금을 받는다. 갑신정변 실패의 모든 책임을 김옥균에게 돌린다.

홍영식

급진개화파이다. 김옥균의 벗이다. 다정다감하다. 영의정을 지낸 홍순목 대감의 아들이다. 체구는 작으나 활발하다. 20대이다. 정이 많다. 시찰단 중 한 명이었다. 쾌활하다. 어릴 때 호기심이 많았다. 조정 일에 흥미를 느끼지 못한다. 홍순목이 불혹에 얻은 자식이다. 젊은 개화파와 어울린다. 아버지와 사이가 좋지 않다. 스물도 안 되어 장원급제를 했다. 박규수 대감의 사랑을 드나들었다. 낯선 나라에 관한 이야기를 좋아했다. 부유하게 자라. 막다른 상황에 몰린 백성들의 절망과 분노가 어떻게 폭발하는지 짐작하기 어렵다. 충성심이 강하다. 비장하다. 절개가 있다. 갑신정변 실패 후 마지막까지 왕의 곁을 지키다 죽음을 맞는다.

고종

대감들의 꾸지람을 받으며 공부했다. 12살의 어린 나이에 왕이 되었다. 순하다. 22세에 친정을 선포했다. 박규수 대감을 따르고 의지했다. 여리고 다정하다. 명성황후와 결혼했다. 천성이 온화하다. 김옥균을 아꼈다. 부끄러움이 많다. 아무런 준비 없이 정치를 시작한 고종은 흥선 대원군의 간섭과 신하들의 질타를 받았다. 개혁을 꿈꿨다. 서양과 관계를 맺는 것을 긍정적으로 생각했다. 처음에는 명성황후를 싫어했다. 온화하다. 임오군란 당시 왕비의 죽음을 믿지 않았다. 홀쭉해지고 주름이 늘어났다. 백성을 아끼고 위했다. 임오군란 이후 갈등을 일으켰다. 성미가 급해서 자주 화를 내게 되었다. 나랏일을 잘하려고 노력한다. 때로 쓸쓸하다. 청에 우호적이지 않다. 사람 다치는 것을 싫어한다. 정변을 보고 실망한다. 대신들의 죽음을 원하지 않는다. 개혁파들에 대한 믿음이 없어진다.

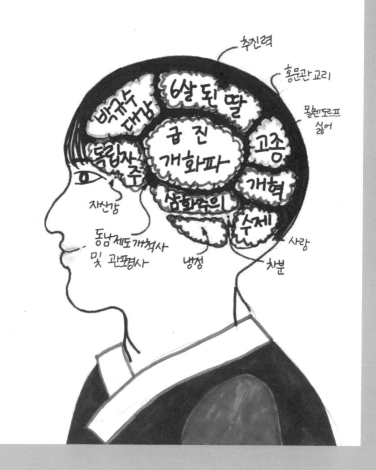

갑신년의 세 친구

홍영식의 뇌구조 그리기

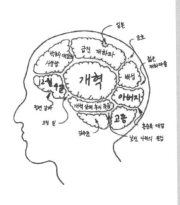

박영효의 뇌구조 그리기

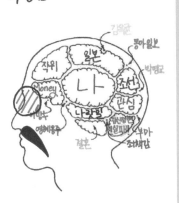

고종의 뇌구조 그리기

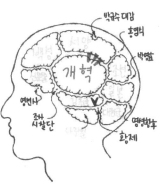

이렇게 끊임없이 낮과 밤이 바뀌며 돌아가는 둥근 지구 위에서라면, 과연 어느 곳이 움직이지 않는 가운데이고 어느 나라가 변하지 않는 세상의 중심이겠습니까? (21쪽)

> 세상이 아주 넓다는 것을 알고 서로 질문을 하는 것이, 그 전의 조선과는 다르게 꽉 막히지 않고 조금은 생각의 폭이 넓어진 느낌이 들었기 때문이다. – 지해인 (2학년)

나라의 발전을 위해 왕이 먼저 생각하고 연구하건만, 번번이 완고한 신하들에게 무시당하거나 반대에 부딪히고 있었다. 마주 보는 왕과 신하의 얼굴에 웃음이 어렸다. 서로의 안타까운 마음을 잘 아는 듯 친근하면서 쓸쓸하기도 한 미소였다.(65쪽)

> 나라 발전을 위해 왕이 늘 먼저 생각하고 행동했지만 신하들이 무시하고 반대한다. 왕과 눈이 딱 마주치고 서로 웃는데, 그 웃음에서 안타까움이 묻어나는 것 같았기 때문이다.
> – 전지현 (2학년)

갑신년의 세 친구

후쿠자와가 일본을 먼저 생각한다면, 나는 조선에 이로운 것을 먼저 찾아 취할 밖에.(81쪽)

　　후쿠자와를 대단하다고 생각하면서 한편으로는 일본에게 뒤처지기 싫은 마음까지, 김옥균의 열정이 보인 구절이어서 인상 깊었기 때문이다.
　　－ 이송학 (2학년)

"지금 네가 가는 길은 살러 가는 길이 아닐 게다. 허나 말리지는 않으마. 그저 그 길을 같이 가겠다는 게야. 가서, 네 앞에 오는 칼을, 할 수 있으면 내가 받겠다는 것뿐이야. 너 간 꼴을 남아 보는 것도 싫은데, 너 죽은 뒤 저놈들이 짓밟는 꼴까지 보고 싶지는 않구나. 어미한테는 삼돌이 데리고 외가로 가 있으라 일렀다. 우리 부자 목숨 값을 어린 삼돌이라도 누렸으면 좋겠구나."
(113쪽~114쪽)

　　아들에 대한 아버지의 사랑과 희생정신이 느껴져서 뭉클했다.
　　－ 전영진 (3학년)

대궐에서 밤을 지새우며 수없이 이야기해온 백성은 저들과 다른 존재였던가. 지금 분노하고 고함지르며 앞으로 나아가고 있는 저들이 바로 이 나라의 백성 아니던가. 뜨거운 피가 도는 청년 홍영식의 걸음은 자신도 모르게 군중들에게로 향하고 있었다. (114쪽~115쪽)

> 나까지 몰입해 집중해서 읽은 부분이었다. 홍영식이 서민의 삶에 대해 아무것도 몰랐는데 이번에 알고 도우려 했던 모습이 인상 깊었다.
> – 김수련 (3학년)

살아 있는 왕비 대신, 왕비 옷이 죽은 몸이 되어 무덤 속으로 들어간다. 왕 역시, 살아도 죽은 몸이 되어 앞으로의 시간을 보내게 되리라. (128쪽)

> 살아도 죽은 몸이 되어, 힘없이 여생을 보내게 된다는 것이 우리나라의 국력이 많이 약해졌다는 것을 의미하여 씁쓸하기도 하고, 슬펐다.
> – 박세향(3학년)

"가만있다 당하나 일을 벌였다 당하나, 어차피 당하기는 마찬가지 아니겠습니까? 차라리 우리의 뜻을 후회 없이 한번 펼쳐 보는 게 낫지요." (192쪽)

> 도전적이고 모험적인 모습이 멋있었다.
> – 김효원(1학년)

그러나 홍영식은 흐트러짐 없는 표정으로 조용히 말했다.

"자네들 이야기가 맞네. 훗날을 위해 다들 떠나야 하네……. 그러나 누군가 한 사람은 남아서, 우리가 무엇을 위해 일어났으며 무엇을 하려 했는가를 알려야 하네. 비록 우리들의 일은 성공하지 못했지만, 우리 뜻만큼은 훗날까지 전해질 수 있도록 해야 할 것이네. 전하를 두고 다 떠나 버린다면 우리의 진심을 누가 믿어 주겠는가? 나는 끝까지 전하를 따르겠네." (249쪽)

흐트러짐 없이 스스로 죽음의 길을 가겠다고 나선 홍영식이 대단하다고 느껴졌기 때문이다.
– 이현지 (1학년)

김옥균과 젊은이들은 차가운 방바닥에 엎드려 왕에게 절을 올렸다. 고개를 숙이니 눈물도 흘러내렸다. 왕의 마음도 착잡했다. 정변을 보고 겪으며 실망한 것도 사실이지만 조선의 독립과 개혁을 바라는 젊은 그들의 뜨거운 마음을 왕은 잘 알고 있었다. 왕의 눈에서도 눈물이 흘러내렸다. (252쪽)

왕과 급진 개혁파들의 헤어짐이 담담하면서도 슬퍼서 기억에 남았다.
– 황혜성 (2학년)

Q1. 김옥균이 갑신정변을 통해 이루고자 한 나라는 어떤 모습일까요?

Q2. 젊은 시절 패기 있고 야망에 찼던 박영효는 왜 나이가 들면서 현실에
안주하고 친일을 택했을까요?

Q3. 홍영식은 갑신정변 실패 후, 일본으로 피하지 않고 왜 왕을
따르겠다고 했을까요?

Q4. 계속되는 주변국들의 간섭 속에서 고종은 어떤 심정으로 조선을
바라보았을까요?

Q5. 갑신정변은 실패로 끝났습니다. 만약 갑신정변이 성공했다면
우리나라는 지금보다 더 강성하고 부강해졌을까요?

Q6. 우리는 흔히 정변은 혼란스러운 정치상의 큰 변동이라고 생각합니다.
그렇다면 갑신정변은 혁명인가요, 쿠테타인가요?

Q7. 소설의 형식을 갖추고 있지만, 이 작품은 역사적 사실을 배경으로
하고 있고 고증도 꼼꼼히 하셨습니다. 어디까지가 사실이고,
어디까지가 허구인가요?

Q8. 작품을 쓰기 위해 많은 자료를 검토하셨는데, 소위 요즘말로
'득템'한 자료가 있다면 무엇인가요?

Q9. 이 소설을 집필하시며 힘들었거나 안타까웠던 점이 있다면
말씀해 주세요.

Q10. 갑신정변의 주역인 김옥균, 박영효, 홍영식 중 작가가 더 관심이 가고
지지하는 인물은 누구인가요? 그 이유는 무엇인가요?

Q11. 작가님께서 앞으로 꼭 다루어 보고 싶은 역사적 사실이나
인물이 있나요?

작가
읽기

역사적 인물을 소재로 해서 책을 쓰는 사람은 역사 속 인물들이 과거의 인물이
나 활자 속, 역사책에서만 나오는 인물이 아니에요. 지금 현재를 살아가는 사람
들도 그 사람들을 생생히 느끼면서, 그 사람들이 살았던 삶에 공감하면서 다가
가기를 바라며 글을 쓰지요.

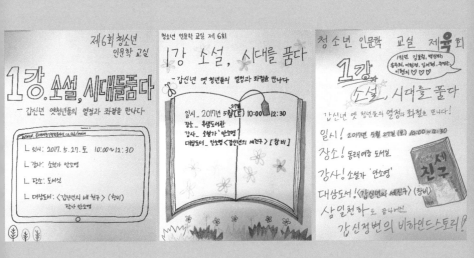

우리들이 역사를 배우면서 역사 속 인물들의 삶 따로, 우리, 그러니까 저나 여러
분들의 삶이 따로 있지 않다고 생각하면 좋겠어요. 우리들을 거슬러 올라가, 역
사 속 인물들과 동시대를 살아간 할아버지, 할머니들이 계시니까요. 그러니 역
사 속의 유명한 사람들이라고 특별하게 생각하지 말고 우리처럼 평범한 삶을
살아갔던 똑같은 사람이라고 생각해줬으면 좋겠네요. 같은 시공간 안에서 살아
가던 사람들의 삶이 계속 이어져 오는 것이 역사라고 생각합니다.

1967년 대구에서 태어나 서울에서 자랐다. 서강대학교 철학과를 졸업했다. 지은 책으로 아버지인 수학자 안재구 박사와 어린 시절부터 주고 받은 옥중 서신을 묶은 『우리가 함께 부르는 노래』와 조선시대 이덕무와 실학자 벗들을 그린 『책만 보는 바보』, 아들 정학유의 눈으로 아버지 다산 정약용을 그린 『다산의 아버님께』, 시인 윤동주의 청년 시절을 그린 『시인 동주』가 있다.

"
작가소개
"

안
소
영

김옥균에 대하여

갑신정변을 통해 이루고자 한 나라는 어떤 모습인가요?

갑신정변 14개조 개혁정강에 보면 '고른 인재 등용, 가혹한 세금을 탕감 또는 없앰' 등이 적혀있어요. 사실 시대나 제도에 관계없이 과거에도 불평등한 시대마다 현실을 고쳐 나가려하는 움직임은 끊임없이 있었어요. 지금도 민주주의라고는 하지만 실질적으로 평등은 이루어지지 않죠. 그들은 태어나 살아가면서, 능력이나 소질에 따라 그것을 적절하게 발휘하는 나라를, 그런 세상을 꿈꾸었을 것 같네요.

박영효에 대하여

그는 왜 현실에 안주하고 친일을 하였을까요?

가장 오래 살다보니 다양한 모습을 보여준 것 같아요.(웃음) 실제로 조선이 식
민지가 되면서 일본에 적극적으로 협력한 사람이죠. 그리고 협력의 대가로 여
러 지위를 누리기도 하였고요. 하지만 안타까운 사람이라고 생각해요. 그는 스
무 살 때만 해도 안정된 직업—임금의 사위였죠. 굳이 이런 혁명이나 정변을 하
지 않아도 안락하게 살 수는 있었어요. 그래도 개혁이나 더 나은 세상을 꿈꾸며
살아간 것은 굉장히 긍정적인 점이 많았다고 볼 수 있겠네요. 하지만 이것이 그
의 평생에 걸쳐 이루어지지는 않았죠. 그는 대접받기 익숙한 사람이라고 생각해
요. 그러니 그가 꿈꾸었던 개혁은, 모든 사람에게 평등한 세상이기 보다는 자신
이 먼저 인정받고 그 다음에 베풀어주는, 그런 것을 꿈꾸었겠죠. 실제로 갑신정
변 실패 후 미국으로 가서 아무런 대접을 받지 못하자 충격을 받았어요. 즉, 자
신이 개혁을 한다고 하더라도 그 과정과 결과에서 어느 정도의 지위를 누리는
그런 것을 원했기 때문이라고 생각해요. 이런 사람은 옛날부터 있어왔어요. 처

음엔 열정을 가지고 있어도 점점 나이가 들어가면서 생각이 바뀌는 경우가 많죠. 어렸을 적 사상은 자라면서 변하기도 하고 때로는 정반대로 돌아서기도 하지요. 현대에 이르러서도 많이 봅니다.

홍영식에 대하여

갑신정변 실패 후 왕을 따라가 죽은 이유는 무엇인가요?

개혁 실패 후, 그들은 살아남기 위해 일본으로 망명을 가야 했어요. 하지만 전부 다 가 버린다면 후대에게 왜 우리가 개혁을 했는지, 무엇을 하고자 했는지를 알릴 수 없었죠. 그렇다고 다 남을 수도 없는 게, 남은 자는 죽으니까, 그것도 안 되겠고……. 후일을 도모하는 자들도 필요하고 남아서 후대에게 알리는 자도 필요한데, 남으면 죽을 것이 분명하고. 하지만 그때 홍영식은 남겠다고 결정했어요. 체포되어 죽더라도 심문을 받고 기록은 남길 수 있으리라 생각했을 거예요. 앞에서 본 모의재판 때 서기가 재판 내용을 기록하는 것처럼. 하지만 그 뜻도 이루지 못한 채 허무하게 바로 베어져 버렸죠.

고종에 대하여

주변국의 간섭에 대한 심정은 어떠하였나요?

어린 나이에 왕이 되고 대원군이 대신 정치를 하면서 고종은 국내보단 국외의
정세에 관심이 많았어요. 대원군 집권 당시 병인양요(1866)와 신미양요(1871)
가 일어났는데, 조선은 이들을 물리치고 쇄국정치를 시작했죠. 조선이 승리하
자 대원군은 서양을 얕보기 시작했지만 고종은 강화도에 온 군함 몇 척이 서양
세력의 다가 아닐 것이라 생각했을 거예요. 서양 세력을 무시하고서는 변화해
가는 국제 사회에서 조선이 독립적이고 자주적인 위치에 있기엔 어렵다고 생각
했죠. 고종은 대원군의 쇄국정치를 갑갑해 하는 한편, 외교에 관심이 많았어요.
여러 나라 사이에서 어떻게 해야 조선이 변화하는 정세 속에서 자리 잡을 수 있
을까를 고민했죠. 우여곡절 끝에 1897년에 대한제국을 세우고, 중립국을 지향
한다고 드러내었습니다.

만약 갑신정변이 성공했다면 어떻게 되었을까요?

국가가 중심이 되어 적극적으로 개혁을 해나가면서 여러 정책을 세웠다면 우리가 일본의 식민지가 되지 않았을 수도 있을 거예요. 하지만 이미 실패한 일이기 때문에 돌이켜볼수록 안타까운 마음만 들죠. 대신 실패에서 무엇을 찾아낼 수 있나, 그런 것을 생각해 보아야 한다고 생각해요. 아쉬운 것은 더 많은 사람들과 공유하지 못 한 것, 그리고 급진 개화파와 온건 개화파 이런 식으로 나누긴 했지만 일단 서로 이해하려 노력하던 사람들이 있긴 했는데 그들과 결합하지 못한 것, 그리고 너무 조급했던 것, 이런 것들이 안타깝네요.

갑신정변은 혁명인가요? 쿠데타인가요?

혁명이란 있었던 체제를 바꾸는 것인데 갑신정변은 그렇게까지는 가지 못했죠. 정강을 보면 왕이 군림하는, 미약하게나마 입헌 군주제를 띄고 있어요. 법에 따라서, 왕이 마음대로가 아닌 법을 통해서 정치하는 것을 지향했죠. 성공했다면 혁명이라고 말할 수 있으나, 그들은 성공하지 못했어요. 쿠데타는 무력을 이용해서 권력이 바뀌는 건데, 권력도 완전히 바뀌진 않았죠. 3일 만에 실패했고. 권력도 바뀌지 않았고……. 어느 것에도 속하지 않은, 실패한 정변으로 볼 수 있겠네요. 하지만 그간의 노력이 너무 안타까워서 '잃어버린 혁명', '실패한 혁명'이라고 부르기도 합니다.

역사를 품은
소설을
만나다

폭신폭신한 구름 위로
다이빙하고 싶은 **정재은**(3학년)

역사를 품은 소설

역사는 길다. 단군 이래의 한반도 역사만 4,000년이 넘는다. 대한민국 대부분의 중 · 고등학생들은 역사를 어렵게 받아들인다. 길고 복잡하게 느껴지니 처음부터 질리는 것이다. 하지만 우리는 소설은 잘 읽는다. 로맨스, 판타지, 추리 등 장르도 많고 재미도 있는 소설을 우리는 별 거부감 없이 받아들인다. 나는 책을 읽을 때 장르를 불문하고 재미있어 보이면 일단 읽어보기 때문에 더 거부감이 없었다. 거부감 없이 받아들이는 소설과 거부감을 느끼는 역사를 접목시켜보면 어떨까? 역사를 바탕으로 한 사극 드라마도 있는 마당에 소설이라고 역사를 받아들이지 못하겠는가?

그렇게 우리는 역사를 품은 소설, 그중 갑신정변을 바탕으로 한 〈**갑신년의 세 친구**〉를 읽고 그에 대한 여러 이야기를 나누었다. 그리고 드디어 책의 저자인 안소영 작가님을 만났다.

갑신년의 세 친구들

갑신정변을 일으킨 조선말의 세 친구 김옥균, 박영효, 홍영식은 조선의 개혁을 꿈꾸던 개혁가들이었다. 그들은 조선의 앞날을 도모하기 위해 열심히 일본과 미국 등을 돌아다녔고 그 당시의 왕이었던 고종의 신뢰도 받던 애국심이 넘치던 청년들이었다. 하지만 그들의 개혁은 일본의 약속 불이행, 민씨 정권에 의한 청나라 개입, 백성들의 민심을 하나로 모으지 못한 위로부터의 개혁이라는 점으로 인해 결국 삼일천하로 끝나고 만다. 그 후 김옥균은 끝까지 조선을 위해 청나라에도 찾아갔지만 암살 당했고, 박영효는 친일파가 되었으며, 홍영식은 마지막까지 고종 곁에 남아 있다가 결국 죽고 만다. 그리고 조선은 청의 내정 간섭, 청ㆍ일 전쟁을 겪는 등 국내외의 극심한 혼란에 당면한다.

그래서 '이런 갑신정변이 과연 옳은 일이었는가', '그들은 개혁가가 아닌 헛된 망상을 꿈꾸던 몽상가인가'에 대해 모의재판을 했다. 피고인 김옥균, 박영효, 홍영식과 변호사, 검사 2명씩, 증인인 고종과 민영익 그리고 판사와 원고, 서기까지. 우리는 맡은 배역의 대본을 외우기 위해 시험기간 임에도 불구하고 방과 후에 학교에 남아 많은 연습을 했다. 그리고 드디어 당일에 그간의 노력들을 뽐내었다. (나는 증인인 고종역을 맡았다.) 많은 사람들 앞에서 공연해야 했기에 많이 떨리고 긴장되었지만 그래도 무사히 모의재판을 마칠 수 있었다. 모의재판은 원고가 발언한 후 검사의 심문, 증인 소환, 변호사 심문, 증인 소환의 순서로 진행되었다. 판사의 판결 전 배심원들의 의견을 듣기 위해 잠깐의 휴정 시간을 가졌다. 우리는 신호등 카드라고 불리는 빨강, 노랑, 초록색의 카드를 배심원들에게 나누어주어 그것으로 죄의 유무를 판단해 달라고 하였다. 휴정이 끝나고 변호사, 검사 그리고 피고인의 대표인 김옥균의 최후변론을 마지막으로 배심원들은 카드를 들었다. 유죄 17명, 무죄 6명으로 재판의 결과는 유죄였다. 그들이 아무리 조선을 위해 한 일이었다고는 하지만 그들은 결국 조선과 조선의 백성들에게 많은 피해를 주었기에, 그리고 그들 중 박영효는 친일 행위까지 저질렀기에 배심원들은 유죄를 선고했다. 갑신정변이라는 역사적 주제로 직접 재판에 참여해 볼 수 있어 좋았다. 모의재판이라고는 하나 실제 재판과 비슷한 절차를 거쳤기에 우리들에게 좋은 경험이 된 것 같다.

그들 또한 한 명의 사람이었다

모의재판이 끝난 후 우리는 약간의 휴식을 취하고 곧 2부에 들어갔다. 본격적인 강의로 들어가기 전에 우리는 1학년들이 만든 동영상을 보았다. 책 내용과 작가 소개, 그리고 우리가 지금까지 동아리 시간을 통해서 토론한 내용들이었다. 많은 학생들과 부모님, 선생님들 앞에서 동영상을 상영하니 쑥스럽기도 하고 뿌듯하기도 하였다. 그리고 동영상이 끝난 후 본격적으로 작가님과의 만남이 시작되었다.

작가님께선 본 강의가 그리 거창한 것이 아니라고 하셨지만, 그래도 많은 말들이 기억에 남았다. 우리는 역사 속으로 들어가 그 시대를 직접 체험할 수 없기에 책이나 영화를 통해 간접적으로 체험한다. 하지만 간접적이기에 무의식적으로 나오는 전혀 관계가 없는 일이라 생각하는 일이 많다. 우리와 접점이 없기에 그들과 우리는 평행선이라고 생각한다. 하지만 우리는 우리의 조상이 있기에 존재한다. 그리고 우리의 조상들 중 몇몇은 역사에 나오는 그들과 동시대에 살기도 했다. 동시대에 살아갔던 우리 조상들은 알게 모르게 그들에게 영향을 받았을 것이다. 그리고 우리 또한 책을 통해 그들과 소통한다. 어찌 보면 그들과 우리는 꼭 평행선이라고 단정 지을 수는 없다. 그들은 우리와는 다른 어떤 '특별한' 사람이 아닌, 그저 조금 더 용기 있었던, 그래서 다른 이들에게 조금 더 영향을 줄 수 있었던 보통의 한 사람이었다.

질의응답

짧고 굵은 강의가 끝나고 우리는 PPT를 통해 작가님께 우리가 그동안 궁금했던 내용에 대해 질문을 했다. 책의 중심사건인 갑신정변과 주인공 김옥균, 박영효, 홍영식, 고종 그리고 작가님에 대한 질문이었다. 선생님과 학생 두 명이 질문을 하고 그에 대해 작가님께서 답변을 하시면 가끔 다른 학생 한 명이 질문과 답변에 대한 책 내용을 낭독해 주는 식이었다. 우리가 선정한 질문은 총 11개였는데, 가장 흥미 있는 질문은 '갑신정변이 혁명인가, 쿠데타인가'였다. 혁명과 쿠데타는 성공이냐 실패냐에 따라 나누어진다. 그렇다면 갑신정변은 작가님 말씀대로 혁명이라기보다는 쿠데타 쪽에 더 가깝다. 그러나 개인적으로는 갑신정변을 혁명에 가깝다고 생각한다. 비록 성공하지는 못했지만 갑신정변의 정신과 젊은이들의 열정 속에 우리가 충분히 본받을만한 가치 있는 것들이 존재하기 때문이다.

강의가 끝난 후 작가님에게 사인을 받았다. 작년의 〈시인 동주〉에 이은 두 번째 사인이었다. 작가님의 강의를 통해 역사와 시간의 흐름에 대해 다시 생각해 보게 되었다. 〈갑신년의 세 친구〉는 단순히 역사적 사건을 이야기로 서술한 책이 아니라 그 안에 담긴 인물들의 생각과 감정까지 고스란히 느끼게 해준 소중한 책이다.

독자
읽기

갑신정변
교과서를 읽다

열정적인 젊은이, 김옥균을 닮고 싶은 **백진하**(1학년)

〈갑신년의 세 친구〉는 변화하는 세계 속에서 조선의 앞날을 뜨겁게 고민한 젊은 개혁가들의 꿈과 도전을 그린 작품이다. 이 책은 더 나은 세상을 꿈꿨던 갑신정변의 주역들인 김옥균, 홍영식, 박영효의 삶과 조선 말기의 핵심적인 역사적 사건을 생동감 있게 보여 준다.

줄거리

책의 줄거리를 간략하게 요약하면 이렇다. 개혁 의지를 가진 조선의 젊은이들은 박규수 대감의 사랑방에 모여 세상일에 대해 이야기를 주고받으며 정변을 계획한다. 젊은 왕 고종의 지원 덕분에 일본에 시찰단으로 가 도움을 요청한다. 조선에 비해 급격히 변화하고 있는 세계에 적응하고자 노력하였다. 그리고 마침내 갑신년에 정변을 일으키게 된다. 하지만 정변은 3일천하로 실패하고, 홍영식은 왕을 따라 죽음의 길을 택했다.

홍영식 나무 아래 쓰러지다

책 속에서 내 마음속을 찌르듯이 강한 인상과 깊은 감동을 주었던 부분은 신기하게도 책의 처음과 끝이었다. 〈갑신년의 세 친구〉는 젊은이들이 박규수 대감의 사랑방에 모이는 1장이 나오기 전, 홍영식이 나무 아래 쓰러지는 이야기로 시작된다. 사실, 맨 처음 부분에서 홍영식이 전하를 애타게 부르짖는 장면이 나오자 당황스러웠다. 하지만 책을 끝까지 읽고 나서 다시 그 부분을 읽어보니 그제서야 이해가 되었다. 죽음을 앞둔 홍영식이 스승의 사랑방 흰 소나무 아래에서부터 과거를 회상하는 전개 방식이었던 것이다. 그래서인지 첫 번째 책을 봤을 때와 두 번째 봤을 때의 느낌이 사뭇 달랐다.

정변의 실패

책의 마지막 장에서는 정변의 실패와 관련된 내용이 나온다. '청나라에 분노하는 백성들의 마음이 정변을 준비하는 젊은이들에게는 왜 가닿지 않았을까. 끼리끼리 찾아다니는 걸음은 분주했지만 정작 백성들에게 진심을 알리고 설득하는 데는 소홀했던 게 아닐까.' (237쪽) '일본의 병력을 무턱대고 믿은 것도, 청나라 군사가 움직이지 않으리라 낙관한 것도 가슴을 칠 만큼 어리석은 일이었다. 정변을 준비하면서 모든 정황을 엄격하게 헤아리고 대처하려 했으나, 어느 순간부터 강렬한 소망이 이성을 압도해 버렸다.' (257쪽) 라는 책의 구절에서 갑신정변이 실패한 근본적인 원인이 설명되어있다. 백성들의 민심을 하나로 모으지 못한 점과, 일본에 지나치게 의존했다는 점, 성급하게 일을 추진했다는 점이 그 원인이었다. 삼일천하로 끝날 수밖에 없었던 이유를 책 속에 자연스럽게 묻어놓고, 그 후에 홍영식의 죽음까지 흥미를 더한 것이 인상 깊었다.

둥근 지표면 위에 당당히 자리하고 있다

책을 읽으면서 감명 받았던 구절이 정말 많다. '젊은 자네들이 할 일이 많네. 특히 그간 우리가 알지 못했던 다른 세상에 대해서도 잘 알아야 할 것이네. 우리 조선도 이처럼 둥근 지표면 위에 다른 여러 나라처럼 당당히 자리하고 있다는 것을 명심하게나.' (22쪽) 이 구절이 그 중에서도 특히 마음에 와 닿았는데, 그 이유는 지표면 위에 우리나라가 당당히 자리하고 있다는 말에 자부심과 함께 꽉 찬 열정과 의지가 느껴졌기 때문이다.

끝까지 전하를 따르겠네

'자네들 이야기가 맞네. 훗날을 위해 다들 떠나야 하네……. 그러나 누군가 한 사람은 남아서, 우리가 무엇을 위해 일어났으며 무엇을 하려 했는가를 알려야 하네. 전하를 두고 다 떠나 버린다면 우리의 진심을 누가 믿어 주겠는가? 나는 끝까지 전하를 따르겠네.' (249쪽) 이 구절도 감동적인 구절이었다. 홍영식이 남 긴 이 말이 구슬펐다. 죽어야 하는 그 누군가가 되겠다고 나서는 그가 정말 대단 하고 존경스러웠다. 비록 목숨을 잃지만 용기와 열정만은 영원히 꺼지지 않을 것 같다고 느껴졌다.

갑신정변이라는 소재

〈갑신년의 세 친구〉는 갑신정변이라는 소재와 배경이 아주 독보적이면서 특 별한 것 같다. 초등학교 때 조선 말기의 역사를 배우면서 갑신정변은 가장 의아 했던 사건이었다. 박영효라는 인물이 왜 일본의 도움을 받고 친일파가 된 것인 지 당시에는 이해하지 못했다. 교과서에도 갑신정변에 관한 내용은 한 두 줄 밖 에 없었으니, 갑신정변은 별로 중요하지 않은 사건이었고 김옥균도 존경할만한 인물이 아니라고 생각했다. 하지만 그들의 행동과 생각을 따라가며 이 책을 읽 은 뒤, 생각이 바뀌었다. 청과 서양에서 벗어나려는 것을 최우선으로 하다 보니 일본에 도움을 청하게 되었다는 것, 그들이 얼마나 절실하고 절박한 마음으로 개혁을 추진했는지와 교과서에서 배우지 못했던 역사적 사실을 이 소설을 통해 알게 되었다. 〈갑신년의 세 친구〉는 갑신정변이라는 역사를 배우기 위해 아주

적절한 교과서가 아닐까 싶다.

조금 아쉬웠던 점

하지만 책에서 아쉬웠던 점도 있다. '갑신정변은 그저 정변에 불과하다' 또는 '진정한 개혁의 발판이다'라는 작가의 생각이 두드러지게 나타나지 않은 것이 조금 아쉬웠다. 책을 읽은 뒤 젊은이들의 행동이 옳았는지 잘못되었는지 판단하는 것은 우리 독자의 몫이었다. 물론 글을 읽고 이러한 평가를 직접 내리는 것을 좋아하는 사람들도 있겠지만 작가의 생각과 입장이 글에 선명하게 드러났다면 글의 방향이나 주제 같은 것들이 더 명확해지지 않았을까?

책에서 얻은 것 그리고 느낀 것

책을 읽고 얻은 교훈이라면 도전정신이 아닐까 싶다. 변화하는 세상에 뒤처지지 않으려고 뜨겁게 생각하고, 노력하고, 고민하여 행동에 옮긴 젊은이들을 보고 꿈과 도전정신을 기를 수 있었다. 아무리 무모하고 힘들어 보여도 도전해보지 않는 것은 옳지 않다는 것을 알게 되었다. 특히 일본에 시찰단으로 파견되어 일본의 도움을 받기 위해 필사적으로 노력하는 젊은이들과 아버지 흥선대원군의 반대를 무릅쓰고 나라를 위해 의욕적으로 나선 고종을 본받아야겠다고 생각하였다. 내 생각에 갑신정변은 변화하는 세계에 뒤처진 조선을 발전시킬 발판이 되어준 것 같다. 정변과 개혁을 바라보며 일생을 마친 젊은이들의 노력을 많은 사람들이 알아줬으면 한다. 그런 의미에서 더 많은 사람들이 안소영 작가의 〈갑신년의 세 친구〉를 읽고 홍영식의 죽음과 갑신정변의 의의를 인정해주었으면 하는 것이 이 책의 한 독자로서의 바람이다.

가슴 뜨거운
세 청년들의 삼일천하

한 줄기의 빛조차 없던 암흑시대의 탐정들을 동경하는 **나예조**(3학년)

요즘 학생들은 갑신정변이라는 사건에 대해 얼마나 많이 알고 있을까? 우리는 역사를 알아야 한다는 필요성을 늘 뼈저리게 느끼고 있으면서도, 바쁘거나 흥미와 관심이 부족하다는 이유만으로 소중한 역사를 등한시하고 무시하기 일쑤이다. 과거의 일은 단지 과거에 불과하다고 생각하는 사람들에게 안소영 작가의 〈갑신년의 세 친구〉라는 책을 소개해 주고 싶다. 이 책은 과거와 현재를 이어주는 훌륭한 징검다리 역할을 해 줄 것이다.

젊음과 열정의 결과물, 갑신정변

정신없이 빠르게 변화하는 세계의 흐름에 좀처럼 잘 적응하지 못하는 조선. 조선은 개혁의 필요성을 느끼면서도 그 변화의 발걸음을 망설이는 과도기에 놓여 있었다. 급진 개혁을 원하는 이들과 그에 반발하는 온건개화파로 나라의 고위 관리가 분열되어 있을 무렵, 김옥균과 홍영식 그리고 박영효는 나라를 바꾸어 보고자 개혁을 꿈꾸게 된다. 그들은 일본의 메이지유신을 본받아 개혁을 계획하고 실행했지만 아쉽게도 갑신정변은 청의 군사적 진압으로 인해 실패의 좌절을 맛보게 된다.

밤하늘은 낮게 가라앉아 있었고 스산한 겨울바람에 오싹 몸이 떨려 왔다. 정변의 열기에 젖어 있을 때는 느껴 보지 못했던 추위였다. 가슴에서 타오르던 불길이 잦아들고 나니 한기는 더 심했다. 그늘진 북산, 비탈진 눈길을 걷는 걸음들이 휘청거렸다. 채 눈 녹을 사이도 버티지 못한, 젊은 그들의 짧은 사흘이었다.

책의 252쪽에 나오는 구절이다. 이는 정변이 실패에 그치고 말자 외국으로의 망명을 준비하는 쓸쓸한 김옥균 일행의 모습을 보여준다. 나는 이 부분이 가장 인상 깊었다. 늘 개혁의 설렘으로 한껏 뜨겁게 부풀어있던 그들이 차가운 현실에 부딪혀 좌절하는 모습이 참 안타까웠기 때문이다. 자신이 애써 세운 계획들이 모두 백지로 돌아갔을 때의 기분이란 참담하기 그지없을 것이다.
이 외에도 내 기억에 남는 구절이 하나 더 있었다.

젊은 시절 자주 어루만지곤 하던 흰 소나무 줄기의 꺼칠한 감촉이 등 뒤에서 되살아나고 있었다. 점점 창백해지는 홍영식의 얼굴에 옅은 웃음이 떠올랐다. 어쩌면 그는 이 세상의 삶에서 떠나가는 것이 아니라, 그토록 그리던 시간 속으로 되돌아가 거기서 삶을 멈춰 버린 듯 했다.

바로 책의 12쪽에 나오는 부분이다. 이 구절이 인상 깊었던 이유는 책의 서두에서부터 등장인물인 홍영식의 죽음을 보여주었기 때문이다. 처음엔 그저 갑작스럽고 황당하게만 느껴졌던 그의 죽음이 책의 결말을 보고 난 후에야 이해가 되었다. 독특하면서도 색다른 전개방식이라 새롭고 신선했다.
갑신정변은 조선이 낡고 폐쇄적인 과거에서 벗어나 새로운 미래로 나아가길 원한 김옥균, 홍영식, 박영효가 중심이 되어 일으켰던 사건이다. 조정의 다른 관리들이 전통만을 고집할 때 젊음과 패기를 중심으로 똘똘 뭉쳐 신문물을 받아들이고자 했던 그들이었고, 그 누구보다 왕을 따르던 것도 그들이었다. 그러나 그들은 무력으로 다른 이들을 스스럼없이 해치고, 왕을 거짓으로 속이는 개혁은 진정한 개혁이 될 수 없다는 사실을 간과한 모양이다. 정변은 백성들의 마음을 하나로 뭉치지 못하여 나라 안에 분쟁을 일으켰고 난데없는 피바람을 불러왔다. 조선에 대한 청과 일본의 심한 간섭을 초래하기까지 했다. 상황을 낙관하고 감정에 치우쳐 계획을 서둘러 진행한 것이 정변의 큰 실패 원인이었다. 갑신정변은 이후 일어난 개혁들의 발판이 되었다는 측면에서 역사적 의의를 가지는 반면 그에 대한 한계도 많은 허점투성이었다.

세 친구들의 흔적을 뒤쫓아 가면서

〈갑신년의 세 친구〉는 역사적 사실을 토대로 안소영 작가의 상상과 허구가 덧붙여져 만들어진 빈틈없는 소설이다. 수없이 많은 책들을 읽으며 알게 된 사실을 토대로 튼튼한 문살을 만들고, 풍부한 상상력으로 만들어진 창호지를 그 위에 덧발라서 비로소 완성된 소설. 이는 자칫 지루할 수도 있는 과거의 이야기를 보다 더 재미있고 입체적으로 표현해 준다. 오직 사건들만을 중심으로 묶어낸 지루한 연대기나, 엉터리 역사배경을 토대로 만들어진 반쪽짜리 사극드라마와는 달랐다. 나는 그런 점에서 이 책이 참 좋았다.

그리고 이 책에는 두드러지는 주인공이 없다. 정해진 한 인물의 시점에서 보여지는 것이 아닌 전체적인 눈으로 보는 갑신정변의 이야기는 읽는 이들로 하여금 상상의 나래를 펼칠 수 있도록 한다. 언제나 주저하는 법이 없는 열정의 김옥균, 왕을 아끼는 애틋한 희생정신의 홍영식, 나라를 강하게 만들고자하는 욕심이 컸던 박영효. 각자의 특징을 다 살리면서도 하나의 무리로 묶어내어 통일감을 주었던 것도 이 책의 좋은 점이라고 할 수 있다.

하지만 책을 읽으면서 조금은 아쉬운 점도 있었다. 아무래도 책을 읽으며 인물들에 대해 좀 더 깊이 생각하게 하는 요소들이 적었던 것 같다. 책의 내용에 갑신정변에 대한 작가님의 개인적인 의견이나 생각이 더 첨가되어 있었더라면 어땠을까, 하는 생각을 해보았다. 기존의 다른 평전이나 역사를 다룬 책과는 확연히 다른 부분이라 좋으면서도 약간 부족한 면으로 작용한 것 같다.

책을 읽다가 작가님의 설명이 부족하였다기보다 책의 주제 자체가 무거워서 이해하기 어려웠던 부분도 있었다. 이 책은 단 한 번만 읽고 마는 다른 책과는 다르게 두세 번씩 곱씹으며 다시 읽어보아야 더 재미있는 것 같다. 표현이 참 아름다운 문장이 정말 많기도 했다. 가볍게 전체적인 내용을 훑어보고 난 뒤 다시 한 번 꼼꼼히 내용을 읽어 보는 것이 이 책을 읽는 가장 좋은 방법이라고 생각한다.

나와 갑신년의 세 친구

보통 역사교과서를 보면 이해하기 어려운 내용들이 참 많다. 여러 가지 제도와 사건, 문화들이 국가와 시대에 따라서 우수수 나오는데 어떻게 그것들을 전부 다 외우라는 것인지 나로서는 도무지 어른들의 생각을 알 수가 없었다. 그 이름도 생소한 여러 단어들을 억지로 외우려고 하니 머리는 저려오고 역사와는 저절로 멀어질 수밖에 없는 것이 현재의 교육현실이라고 나는 생각한다. 내게 있어 갑신정변이란, 시험에 나오니 외워야 할 일개의 단어에 불과했다.

〈갑신년의 세 친구〉라는 책을 읽기 전까지는 말이다.

나는 이 책에서 홍영식이라는 인물이 가장 내 마음에 와 닿았다. 홍영식은 세 청년들 가운데 유일하게 정변의 실패 이후 자신의 목숨을 바쳐 이 일을 후대에 알리고자 한 인물이었다. 다들 일본으로 망명해 후일을 도모하기 바쁠 때, 오직 홍영식만이 정변의 책임을 오롯이 전부 뒤집어썼다. 나는 그가 슬프고 고달프게만 느껴졌다. 비록 정변은 실패했지만 그가 쏟아 부은 열정과 노력에 큰 박수를 보낸다. 다른 조정의 신하들이 안 된다며 반대를 표할 때 열심히 개혁을 위해 발로 뛰던 그를 향해 격려의 한 마디를 건네고 싶다.

겨우 몇 백 년 전까지만 해도 생생하게 살아 숨 쉬던 세 명의 젊은이들. 비록 책을 통해서였지만 나는 그들의 뜨거운 노력정신과 개혁정신을 또렷이 본받을 수 있었다. 그들의 흔적을 쫓아가는 그 모든 시간이 내게 있어 뿌듯하고 자랑스러웠으며 대견했다.

꼭 갑신정변이 아니더라도 우리나라의 근현대사에서 중요한 사건들은 훨씬 더 많이 있을 것이다. 밤하늘의 별을 헤듯이 수많은 인물들의 혼이 담긴 역사를 모두 알아가는 것이 앞으로 내가 이루어야 할 과제라고 생각한다. 문학과 역사는 떼려야 뗄 수 없는 사이라는 것을 또 다시 깨닫게 되는 계기가 되었다.

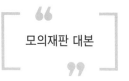

(서기가 무대 중앙으로 나오며)

서기 일동 기립! (재판장 등장) 신성한 법정이 되도록 조용히 하시고 잘 들어 주시기 바랍니다. 일동 착석. (서기가 자리에 앉는다)

재판장 박 전 대통령 탄핵 후, 새로운 대통령을 맞이하고 새 출발을 기대하고 있는 이 시점에서 1884년 청년들의 대개혁사건인 갑신정변의 재판에 참여하게 된 것을 매우 영광스럽게 생각합니다. 1884년에 김옥균, 박영효, 홍영식은 당시 조선의 낡고 폐쇄적인 정책 등을 비판하고 청의 간섭에서 벗어나 자주 국가를 실현하기 위해 갑신정변을 일으켰습니다. 갑신정변은 역사에 길이 남을 사건이자 지금의 우리들에게 많은 교훈을 줍니다. 그러나 그들의 개혁은 외세 의존적이며 백성들의 민심을 하나로 묶지 못한 위로부터의 개혁이라는 점에서 여러 비판을 받는 것도 사실입니다. 그럼 지금부터 '갑신정변의 주역들은 조선의 자주독립을 꿈꾸었던 개혁가인가, 실패한 몽상가인가?'에 대한 재판을 시작하겠습니다. (땅·땅·땅) 원고, 피고의 잘못이 무엇인지 자세히 말씀하시오.

원고 존경하는 재판장님! 그리고 친애하는 배심원 여러분들! 본 원고는 오늘 이 자리에서 조선의 자주독립을 위한다는 명목으로 무모하게 갑신정변을 일으켜 나라를 혼란에 빠뜨린 김옥균, 박영효, 홍영식을 고소하고자 합니다. 갑신정변의 주역들은 조선의 자주독립을 꿈꾸었던 개혁가들이 아닌 외세 의존적인 실패한 몽상가에 불과합니다. 이에 본 원고는 재판장님의 올바른 판단을 부탁드립니다.

재판장 그럼 순서에 따라 검사 측에서 피고에 대한 신문을 시작하시오.

검사 피고 김옥균, 박영효, 홍영식은 무리한 개혁을 추진한 몽상가입니다. 정변이란 정치상의 큰 변동을 뜻합니다. 이러한 정변을 일으키려면 왕과 백성들의 민심을 하나로 모으는 것이 무엇보다 중요합니다. 하지만 피고 김옥균을 비롯한 박영효와 홍영식은 백성들의 민심을 하나로 모으기는 커녕 왕조차 갑신정변에 대해 잘 알지 못하였습니다. 그리고 갑신정변의 무대는 국가 단위인 만큼 실패 시

피해규모가 커질 것을 염두에 두어 더 책임감 있게 행동하는 것이 바람직하다고 생각합니다. 이에 대해 피고 김옥균은 어떻게 생각하십니까?

피고(김옥균) 저는 일본의 메이지 유신을 토대로 하루라도 빨리 조선의 자주독립이 이루어지길 바랐습니다. 하지만 정변의 내용을 왕에게 알린다면 조정의 신하들 귀에 흘러 들어가 그들이 극구 반대했을 것이고, 민심을 모으는 시간이 오래 걸릴 뿐만 아니라 실패 시 백성들 사이에 내분이 일어나 피해규모도 커지고 오히려 실패할 확률이 높아졌을 것입니다.

검사 국가란 것은 원래 왕과 백성으로 구성되어 있는데 신하들의 반발과 백성들의 내분이 두렵다고 해서 왕과 의견을 나누지도 백성의 민심을 모으지도 않고 독단적으로 행동한 것은 무모하게만 느껴집니다.

피고(김옥균) 저는 왕에게 일본의 선진문물을 받아들이자고 계속해서 주장했고, 왕 또한 시찰단을 파견하는 등 조선의 자주 독립을 실현하기 위한 개혁적 행동에 동료들과 함께 앞장섰습니다. 저는 독단적으로 행동하지 않았습니다.

검사 왕이 개혁에 동의하였다 하더라도 왕은 개혁에 동의를 한 것이지 무력을 행사하여 개혁을 하는 것에는 동의하지 않았습니다. 피고 박영효는 갑신정변이 실패한 후 왜 일본으로 망명하였습니까?

피고(박영효) 갑신정변의 근본 목적 중 하나가 청의 내정 간섭에서 벗어나기 위함이었기 때문에 청으로는 갈 수 없었고, 청과 계속적인 협력 관계를 유지하려는 민씨 정권에 대한 반감으로 조선 땅에는 남아있기 싫었습니다. 급진개화파의 개혁 방법 자체가 일본에 의지한 것이기 때문에 제가 갈 수 있는 곳은 일본밖에 없었습니다. 그것은 제가 살아남기 위한 방법이었습니다.

검사 피고 박영효는 청·일 전쟁에서 승리한 일본의 힘으로 조선으로 돌아가게 됩니다. 조선으로 돌아간 뒤 선왕의 부마이자 일본 통치에 협조해 온 피고에게 후작 지위와 수십만 엔의 상금이 내려지고 풍요로운 생활이 보장되었습니다. 살아남기 위한 방법이라고 하셨는데 살아남기 위한 것이었다면 왜 일본이 내린 작위와 은사금을 받았나요?

피고(박영효) 제가 일본으로 망명한 뒤 그곳에서 살아남을 수 있는 방법은 일본에게 최대한 신뢰를 받는 수밖에 없었습니다. 그리고 조선으로 돌아온 뒤 일본으로부터 작위와 은사금을 받았습니다. 조선에서 일정한 지위와 경제적 능력이 바탕이 되어야 조선의 개혁을 이끌어 갈 수 있으리라 생각했습니다.

검사 그렇다면 갑신정변에 대한 책임은 왜 김옥균에게 돌렸습니까?

피고(박영효) 갑신정변의 주역이 김옥균이기도 하였고, 저 또한 정변의 주요 인물 중 한명이기 때문에 갑신정변의 실패가 제 탓이라고 생각하고 싶지 않습니다. 또한, 김옥균이 무모하게 정변을 일으킨 것이 실패의 원인이라고 생각했기 때문입니다.

검사 그 말은 자신의 행동에 대한 책임을 회피하려는 것 입니까?

피고(박영효) 그렇게 보실 수도 있지만, 저도 나라를 잃은 사람들 중 한 명인 만큼 저 또한 상심이 컸습니다.

검사 피고 홍영식에게 묻겠습니다. 왕을 보필하고 싶었던 마음은 이해하지만, 그렇게 책임 없이 죽어갈 것이 아니라 뒷일을 도모했어야 했다고 생각합니다.

피고(홍영식) 저마저 일본으로 망명하였다면 이 갑신정변은 역사에 기록되지 못하고 기억에서

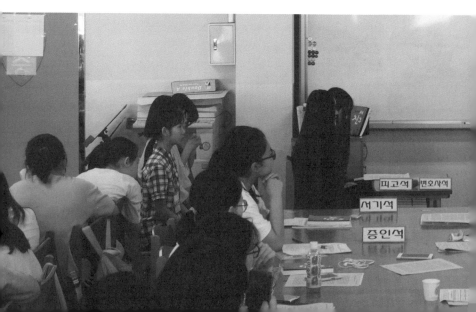

지워졌을 것입니다. 저는 이 갑신정변을 위해 피 흘리며 죽어갔던 동료들의 뜻과 정신을 일반 민중과 역사에 남기기 위해 죽음을 택할 수밖에 없었습니다.

검사 재판장님! 증인을 신청하고자 합니다. 본 검사는 민영익을 증인으로 신청합니다.

재판장 증인 나오시오. (증인, 걸어 나온다.)

서기 선서하시오.

민영익 나 민영익은 진실 그 자체만 말할 것을 스스로 약속하고 만약 이 선서내용을 어길 시에는 그에 맞는 처벌을 받을 것을 선서합니다.

검사 증인이 미국에서 돌아온 후, 개혁에 대한 생각이 바뀐 이유가 무엇입니까?

민영익 제가 둘러본 세상은 너무나 서양인 중심이었습니다. 서양인들은 남의 나라를 허락도 없이 제 집처럼 마구 드나들었고, 심지어 아프리카에 있는 이집트에서는 금자탑 모양의 고대 왕의 무덤을 파헤쳐 놓고 구경거리로 삼았습니다. 이러한 모습을 보고 과연 개혁이 옳은 것인지 의문이 들었습니다.

검사 민영익은 개혁만을 생각한 피고와는 달리 세상을 현실적으로 바라 봤다고 생각합니다. 또한 증

인은 갑신정변 당시 피고들로부터 귀에 부상을 입었을 때, 어떠한 잘못이나 말 실수를 한 적이 있었습니까?

민영익 저는 없다고 생각합니다. 아직도 제 귀가 잘린 이유를 이해할 수 없습니다. 개혁방법으로 인해 당파가 나뉘지만 개혁을 위해 서로를 상처 입히며 무력 투쟁을 하는 것은 진정한 개혁이 아니라고 생각합니다.

검사 아무리 개혁이 급했더라도 사람을 다치게 하는 건 범죄 행위입니다. 이상으로 증인 심문을 마치겠습니다.

재판장 반대 측, 신문하세요.

변호사 피고 김옥균은 시찰단으로 파견되고, 자금을 얻기 위해 일본으로부터 차관 도입을 시도하는 등 여러 가지 노력을 하였으나 많은 어려움을 겪었습니다. 구체적으로 어떤 노력을 하였고, 어떤 점에서 어려움을 겪었는지 말씀해주십시오.

피고(김옥균) 대궐 안팎에서 뜻을 같이할 사람들을 모으고, 일본에 시찰단으로 파견되어 차관 도입에 앞장섰으며, 선진문물을 받아들여 활용하는 등 여러 가지 노력을 하였으나, 일본은 항상 소극적인 자세만을 취했고, 조선에서는 일본을 부정적으로 생각하여 적극적인 개혁에 큰 어려움을 느꼈습니다.

변호사 이를 보시면 김옥균은 최선을 다했으나 일본이 차관 도입에 소극적이었고 기존의 약속과는 다른 행동을 보였기 때문에 개혁이 어려웠던 것으로 보입니다. 피고 김옥균은 일본이 배신하였을 때 어떤 심정이었습니까?

피고(김옥균) 저는 일본이 배신할 것이라고는 생각하지 않고 있었기 때문에 일본을 신뢰했던 만큼 실망도 컸습니다. 정변에 실패했다는 생각에 죄책감과 뒷일을 도모해야 한다는 심리적 압박감도 커졌습니다.

변호사 네, 잘 들었습니다.

갑신년의 세 친구

변호사 피고 박영효에게 묻겠습니다. 피고는 조선을 위하여 어떤 일들을 하였나요?

피고(박영효) 저는 일본에 시찰단으로 가 일본에서 들은 바를 조선에 전해 개혁에 큰 도움을 주고 최초로 태극기를 사용하기도 하였습니다. 또한, 일본의 세력을 이용하여 청나라의 간섭과 러시아의 침투를 억제하는데 주력하였습니다.

변호사 피고 박영효는 마지막에 변절했다는 이유만으로 많은 비난을 받고 있습니다. 하지만 앞서 피고가 말했듯이 비난을 받기에는 조선을 위해 너무나도 많은 노력을 하고, 많은 성과를 냈습니다. 피고는 일본으로 망명한 후 어떤 심정이었습니까?

피고(박영효) 저는 나라를 버렸다는 비판을 받고 있지만, 저 역시 나라를 잃은 사람들 중 한 명일 뿐입니다. 저라고 해서 일본이 내린 작위와 상금을 받으며 생활하는 것이 편치만은 않았습니다. 하지만, 앞서 계속 말했듯이 모든 게 저에겐 살아남기 위한 방법이었습니다. 그 당시 조선은 일본의 속국으로 다시는 회복될 수 없는 암울한 상황이었습니다.

변호사 인간이 살아남으려고 하는 것은 지극히 당연한 욕구입니다. 피고는 갑신정변에서 자신이 맡은 바를 적극적으로 수행하였음에도 불구하고 마지막에 변절했다는 이유만으로 이를 비판하는 것은 옳지 않다고 생각합니다. 피고 홍영식은 조정 일에 무관심 했다는 비판을 받고 있는데, 이에 대해 자세히 말씀해주시기 바랍니다.

피고(홍영식) 저는 늘 시찰단 일이 마치면 입궐하여 왕에게 일본의 교육법 등 개혁에 도움이 될 만한 내용들을 아뢰었고, 저의 벗들 그리고 저와 뜻을 함께하는 분들과 함께 이야기를 나누며 개혁에 대해 치밀한 준비를 하고 그에 관련된 다양한 이야기들을 나누었습니다.

변호사 피고 홍영식은 왕과 벗들과 함께 개혁을 준비하는 등의 노력을 한 것을 보아 조정 일에 관심이 없었다고 볼 수 없습니다. 많은 사람들이 갑신정변이 실패했다는 이유만으로 비난하지만 만약 개혁을 일으키려는 시도조차 없었다면 조선은 어떻게 되었을까요? 청의 간섭이 날로 심해져 청의 지배를 받게 되었을 것입니다. 재판장님! 증인을 신청하고자 합니다. 본 변호사는 고종을 증인으로 신청합니다.

재판장 증인 나오시오 (증인 걸어 나온다)

서기 선서하시오.

고종 나 고종은 진실 그 자체만 말할 것을 스스로 약속하고 만약 이 선서 내용을 어길 시에는 그에 맞는 처벌을 받을 것을 선서합니다.

변호사 증인, 증인은 평소 김옥균, 박영효, 홍영식을 어떻게 생각하였습니까?

고종 세 사람은 모두 조선의 개혁을 꿈꾸는 청년들이었습니다. 이들은 시찰단으로 가 일본의 선진 문물을 들여오고 차관 도입을 시도하는 등 조선을 위해 많은 노력을 해주었습니다. 청이 세상의 중심이라고 외치며 계속적으로 청과의 사대 관계만을 주장하는 조정의 신하들 사이에서 저와 의견이 맞는 그들은 저에게 한 줄기 빛과 같았습니다.

변호사 이처럼 피고는 조선을 생각하고 조선을 위해 일하는 개혁가들이었음을 다시 한 번 알 수 있습니다. 증인, 증인은 아버지인 흥선대원군의 반대를 무릅쓰고 개혁에 동의한 이유가 무엇입니까?

고종 당시의 조선은 청과 일본 뿐 아니라 서구 열강의 위협에도 노출되어 있었습니다. 마치 바람 앞의 촛불과 같은 상황이었습니다. 이에 저는 조선에 대한 사대를 주장하는 청이 아닌 메이지 유신의 성공으로 서구 열강과 어깨를 나란히 한 일본과의 교류를 통해 조선의 국력을 강화하고 나아가서는 자주독립국가로 거듭나기를 바랐기 때문에 아버지의 반대에도 개혁을 이끌어 갔습니다.

변호사 이상으로 증인 심문을 마치겠습니다.

재판장 변호인 측, 최후 변론하시오.

변호사 존경하는 재판장님, 그리고 친애하는 배심원 여러분들, 저희는 지금 엄숙한 자리에 서 있습니다. 변화의 바람을 맞이한 현재의 우리나라처럼, 바람 앞에 촛불 같은 조선을 구하고 자주국을 실현하기 위해 목숨을 걸었던 피고들을 잊지 않길 바랍니다. 그들의 용기는 후에 일어난 여러 개혁들의 발판이 되었고, 그들의 개혁이 있었기에 많은 변화가 가능했습니다. 그러므로 재판장에 선 피고들은 터

무늬없는 꿈을 꾼 몽상가가 아닌 조선의 자주 독립을 위해 목숨을 바친 개혁자들입니다. 이상으로 최후 변론을 마치겠습니다.

재판장 검사 구형하시오.

검사 존경하는 재판장님, 그리고 친애하는 배심원 여러분들, 피고들은 개혁에 눈이 멀어 무모한 도전을 한 몽상가에 불과합니다. 그들은 그들의 목표를 이루기 위해 조선 스스로의 힘보다는 외세에 지나치게 의지하였고, 절차도 제대로 밟지 못해, 오히려 국가를 더 혼란스럽게 만들었습니다. 그리고 어느 누구 하나 갑신정변에 대해 책임을 지지 않았습니다. 아무리 훗날 개혁의 디딤돌이 되었다고 하지만 당시의 상황에서는 청의 간섭이 더욱 심해지는 결과를 초래했고 백성들은 더욱 살기 어려워졌습니다. 이에 본 검사는 피고에게 적절한 처벌을 내려야 한다고 생각하는 바입니다. 이상으로 최후 변론 마치겠습니다.

재판장 피고, 마지막 진술하시오.

피고 우리는 조선이 하루라도 빨리 개혁을 통해 자주국가로 발돋움하기를 원했습니다. 비록 성공하지는 못하였으나, 역사 속에 기억되어 후대에 많은 교훈을 줄 수 있는 사건으로 남기를 바라는 바입니다.

재판장 잠시 휴정한 후에 판결에 들어가겠습니다. 배심원 여러분께서는 각각 피고의 유죄와 무죄를 판단하여 서기에게 밝혀주시기 바랍니다. 휴정을 선언합니다. (땅·땅·땅!) (재판장 잠시 퇴장)

서기 재판장님의 말씀대로 배심원 여러분들은 지금부터 자신의 의견을 밝혀주시기 바랍니다. (청중들은 손을 들어 자신의 소견을 알린다.) (서기는 무죄, 유죄에 대한 인원을 센다.)

재판장 재판을 속개합니다. (땅·땅·땅!) 본 재판부는 배심원들의 의견을 들어 다음과 같이 판결한다. 배심원들의 판정은 유죄 (   )명, 무죄 (   )명입니다. 배심원들의 판결에 따라 피고들에게 유죄/무죄를 선고합니다. 이상으로 갑신정변에 대한 판결을 모두 마치겠습니다.

친구는 소소한 행복

친구의 의미를 생각하는 장면 하나

김유겸 미래 부인 **신현주**(2학년)

"오늘 뭐하냐? 할 일없음 놀자."

친구에게 카톡이 왔다. 초등학교를 다닐 때 6년 중 3년을 같이 보낸 친구이다. 6학년 때 사소한 다툼으로 서로 다른 중학교를 지원하고는 금방 화해를 해 후회를 했었지만 다른 학교면 어떠하랴. 우리는 하교도 같이하고 중2가 된 지금까지도 주말에 한 번은 꼭 만난다.

"나 머리도 안 감았는데"

"괜찮아, 나도 안 감았어. 15분 줄게. 빨랑 와."

그렇게 만난 우리는 편의점을 갔다.

우리는 만날 때마다 부산대나 서면에서 놀만큼 돈이 많은 학생이 아니다. 그냥 자주 가던 편의점에서 같이 과자와 음료수를 사먹으며 수다를 떠는 것도, 아이스크림 하나 사먹으며 놀이터에서 노는 것도 재밌다.

친구가 가족끼리 해외여행을 갔다온다고 요새 만나지 못한 탓에 전에 왔던 택배를 이제야 전해줬다. 웃기게도 그 아이는 같이 산 폰케이스를, 나는 같이 산 지갑을 건넸다.

"물물교환도 아니고 이게 뭐야"

갑신년의 세 친구

편의점에 앉아 별것도 아닌 얘기에 웃으며 수다를 떨다가도 갑자기 노래를 부르고 싶다는 친구의 말에 동전노래방에도 갔다. 자주 노래방에 가도 부르는 곡은 거의 비슷하다. 노래취향도 비슷해 잘 맞는다. 그만큼 고음이 되는 것도 아닌데 아이유에 빙의해 3단 고음을 하다 삑사리가 났다.

헤어질 때는 집에 가면 연락해라는 소리도 없이 쿨하게 헤어졌다. 방학인데도 거창하게 여행 한 번이 없다. 정말 별것도 아닌 소소한 만남이다. 같이 만나는 것만으로도 재미있고 웃음이 난다. 내 친구는 나에겐 소소한 행복이다.

가장 친한 친구

친구와의 관계가 나오는 장면 하나

곧은 사람이 되어 큰일을 하고 싶은 **조윤정**(2학년)

'아이, 짜증나.'

이제 중학생이 된 소민이는 사춘기가 온 건지 매번 계속 짜증을 내고 있다.

설상가상으로 친한 친구와도 떨어져서 더 심한 것 같았다.

"아이 진짜, 컴퓨터는 왜 학교를 그따구로 뽑아서."

소민이는 중학교가 배정되었을 때, 가장 친한 친구인 소현이와 떨어져서 아이들과 선생님이 보는 눈앞에서 펑펑 울었었다.

'같은 학교가 되었으면 같이 다니고, 밥도 같이 먹고, 같이 매점도 가고, 같이 놀려구 했는데……'

사실 소현이는 6학년때 소민이가 처음 사귄 친구였다.

소민이가 6학년때는 마지막이구나, 하고 진짜 얌전히 생활하고 있어서 친구도 별로 없었다, 아니 그냥 없었다.

그런데 소현이와 같은 모둠이 되고나서부터는 소현이와 급격하게 친해졌다.

이상하라는 애가 계속 소민이를 따돌리고 소현이랑만 같이 다니기도 했었지만…….

그래도 그런 일에도 불구하고 소민이는 소현이랑 엄청나게 친해졌다.

마치 쌍둥이같은 느낌으로 말이다.

자고로 친구는 가깝게 오래 사귄 사람이라고 사전에 나오는데, 소민이와 소현이는 그냥 서로 좋아하는 사이까지 간 것 같다.(그렇다고 동성을 좋아하는 건 아니다!!)

소현이와 다른 학교가 된 소민이는 베개에 얼굴을 파 묻고 엉엉 울었다.

'그래도 소현이와 자주 만나서 놀면 되겠지'

소민이는 자기 자신을 스스로 위로하면서 다독였다.

소민이는 '나는 소현이와 연락을 자주할 수 있을까?' 라는 의문이 들었지만 그것은 먼 훗날의 일이니까 아직 신경 쓰지 않고 깊은 잠에 빠져들었다.

여러분의 가장 친한 친구는 누구입니까?

항일독립운동의 길을 걷다

2017년 5월 30일, 여름이라고 하기에는 이르지만 여름처럼 더웠던 날, 우리는 독서문화체험(길 위에서 역사를 배우다)을 갔다. 올해의 역사문화체험 첫 번째 장소는 박차정 의사 생가, 부산진일신여학교 기념관, 국립일제강제동원역사관이다. 함께 기억하고 널리 알리는 길 위의 역사관들이다. 세 곳 모두 우리가 처음 가보는 장소인 만큼 기대되고 설렜다. 장소를 이동할 때 몸이 힘들고 지치긴 했지만 많은 것을 느끼고 배우고 왔던 의미 있는 하루였다.

항일여성독립운동가 박차정 의사 생가

가장 먼저 찾아 간 곳은 동래에 있는 항일여성독립운동가인 박차정 의사의 생가였다. 박차정 의사는 동래여중과 여고의 전신인 동래일신여학교(좌천동에 있었던 부산진일신여학교를 복천동으로 이전하고 학교명을 동래일신여학교로 개

칭)를 졸업한 선배님이라 그분의 생가를 방문한다는 것이 감회가 새로웠다. 영화 〈암살〉에서 전지현이 맡은 역인 안옥윤이라는 인물이 박차정 의사를 모델로 하였다고 한다. 생가는 현재 사람이 거주하지 않고 있으며, 전시실과 관리인 거주실 등으로 사용되고 있었다. 가장 큰 공간을 차지하는 전시실에

는 20여 점의 유물과 사진이 전시되어 있었다. 박물관까지는 아니더라도 그분의 뜻과 정신이 담겨 있는 전시물이 어느 정도 있을 줄 알았는데 20개 밖에 되지 않았다. 나라를 위해 목숨을 바친 박차정 의사가 사람들에게 많이 알려지지 않은 것 같아 마음이 아팠다.

우리는 그곳에서 박차정 의사에 대한 문화 해설가님의 설명을 자세히 들을 수 있었다. 박차정 의사는 1910년에 출생하여 1944년에 사망한 독립운동가이며, 부산 동래출신으로 일제의 침탈에 항거하여 자결한 아버지와 신간회, 의열단 등에서 활동한 큰오빠 박문희, 작은오빠 박문호 등의 영향으로 어릴 적부터 자연스럽게 항일 민족의식을 키워나갔다고 한다. 그 때문에 일신여학교 재학시절, 수차례 항일학생운동을 주도하여 그때마다 거듭해 감옥살이를 하였다. 생가 안에 전시되어 있는 '개구리 소래'라는 시는 이 시기 박차정 의사의 항일의식이 잘 나타나 있는 것 같다. 해설가님께서는 열사와 의사의 차이점을 알아오라는 숙제를 내 주셨다. 국가보훈처에 따르면, 열사는 맨몸으로써 저항하여 자신의 지조를 나타내는 사람이고, 의사는 무력으로써 항거하여 의롭게 죽은 사람이라고 한다. 이렇게 숙제를 내 주신 덕분에 한 번 더 깊이 생각하는 계기가 되었다.

여성 교육과 독립운동의 산실, 부산진일신여학교 기념관

간단히 점심 식사 후 우리가 찾아 간 곳은 부산진일신여학교 기념관이다. 부산진일신여학교는 개항기 부산광역시 동구 좌천동에 건립된 부산, 경남 지역 최초의 근대적 여성교육기관이다. 처음 딱 보자마자 빨간 벽돌집에 독특한 건축형태가 눈길을 끌었다. 이곳 또한 박차정 의사 생가를 방문했을 때처럼 '여기서 우리 학교 선배님들이 공부 하셨구나.' 라는 생각에 존경심과 자부심을 느낄 수 있었다. 그 곳에서 기념관 담당 선생님의 말씀을 들어보니 일신여학교가 얼마나 대단하고 위대한 곳인지 알게 되었다.

부산에서 서양식 건축물이 지어진 첫 번째 장소였으며, 부산 최초로 독립 만세운동을 주도하였다. 일신여학교 학생들이 만세운동을 위해 밤을 세워가며 벽장 안에 숨어서 태극기를 만들어 사람들에게 배부했다는 걸 알게 됐을 땐 놀라움을 감추지 못했다. 그리고 부산광역시 지정 기념물이 되었다는 말을 들었을 때는 왠지 모를 뿌듯함을 느낄 수 있었다. 동영상을 통해 학교가 세워진 배경과 지금까지의 과정을 보니, 여러 명의 호주선교사들과 학생들과 교사들의 희생과 노력이 있었기에 현재까지 그 정신이 이어져 내려올 수 있었다는 것을 알 수 있었다. 선생님들과 학생들의 뜻과 부산진일

길 위에서 역사를 배우다

신여학교의 업적을 더 많은 사람들이 인정해주고 알아줬으면 좋겠다는 생각이 들었다. 오늘 부산진일신여학교 기념관 탐방을 통해 근현대사의 역사와 더불어 우리 학교의 역사와 전통을 알게 되었다.

함께 기억하고 널리 알리는 역사관, 국립일제강제동원역사관

마지막으로 간 곳은 남구 대연동에 있는 국립일제강제동원역사관이다. 강제동원이란 일본이 아시아·태평양 지역에서 자행한 인적, 물적 동원과 자금 통제를 말한다. 구체적인 예로는 노무동원, 군무원동원, 군인동원, 여성동원이 있다고 한다. 역사관은 높은 언덕 위에 있었는데 오르는 길이 공사 중이라 버스에 내려서 걸어올라 가야했다. 더운 날씨에 땀을 흘리며 올랐을 때 엄청난 크기의 건물이 우리를 기다리고 있었다. 건물은 지어진 지 얼마 되지 않았는지 굉장히 넓고 깨끗한 느낌을 주었다. 부산에 이런 곳이 있었다니 부산의 새로운 매력과 역사적 사실들에 흠뻑 빠진 하루였다.

역사관의 내부 전시관은 1관과 2관 2개로 나누어져 있었다. 상설전시실 1관에 들어가면서 처음 볼 수 있는 '기억의 터널'은 참 인상 깊었다. 어두운 터널 속에서 여러 사람의 목소리를 들으니 강제동원의 실태가 실감났다. 문화 해설가님

의 설명을 들으며 일제의 노무동원부
터 군무원동원, 군인동원, 여성동원의
현실을 알게 되었다. 그들은 젊은 조선
인들을 강제로 끌고 와 제대로 된 밥도
주지 않고 무리한 노동을 하게 했다. 여
성들은 '위안소'라는 곳에 감금되어 일
본군의 성노예로 끔찍한 고통을 받아
야만 했다. 20대의 성인 여성뿐만 아니라 우리 또래의 학생들이 강제로 혹은 속
아서 먼 이국땅으로 끌려가 참혹한 생활을 하면서 얼마나 무섭고 고통스러웠을
까? 우리에게 저지른 이런 끔찍한 일들을 현재까지 제대로 된 사과 한마디 없이
무성의한 태도로 일관하는 일본이란 나라가 참 섬뜩하게 느껴졌다.

상설전시관 2관은 여러 가지 모형과 설치물이 많았다. 처음 들어가 보았던 것은
조선인 노무자 숙소였다. 그곳에서는 조선인 노무자들의 하루를 다룬 짧은 영상
이 방송되었는데 가족과 떨어져 고된 노동을 하는 노무자들의 고통을 보여주었
다. 그 곳을 지나고 나서는 일본군 '위안소'를 재현해 놓은 곳에 갈 수 있었다. 1
평 남짓한 좁은 방 속에서 젊은 여성들이 피 흘리고 상처받았을 것을 생각하면
누구나 안타까워할 것이다.

마지막으로 '시대의 거울'을 지났다. 그곳에서는 강제 동원된 사람들의 이름이
모여 사람의 형상을 띠고 있었다. 그 이름들을 보면서 복잡한 생각이 들었다. 80
년만 일찍 태어났더라면 우리의 이름이 적힐 수도 있었다고 생각하니 강제동원
이 실감났다. 인문학 동아리에서 함께 읽은 〈푸른 늑대의 파수꾼〉도 강제동원
된 일본군 강제 '위안부'를 배경으로 한 소설인데, 이야기가 더 잘 이해되고 소
설이 주는 깊은 메시지도 쉽게 알아낼 수 있을 것 같다. 다음 역사문화체험에서
일본 영사관 앞에 있는 평화의 소녀상을 간다고 하니 기대가 되었다.

길 위에서 역사를 배우다

국립일제강제동원역사관을 마지막으로 오늘 역사문화체험의 일정이 마무리 되었다. 중학교에 입학하고 인문학 동아리에 가입한 후 처음 경험한 문화체험이었다. 날씨가 무덥고 빡빡한 일정이었지만 굉장히 알차게 보냈다. 그리고 부산의 숨은 이야기들까지 알게 되어 보람이 있었다. 마지막으로 보고서를 쓰는 과정에서도 다시 공부하면서 더 많이 알게 되고 성장한 기분이 든다. 오늘 느낀 생각과 감정을 잊지 않고 가슴속에 새겨 평생 동안 보관하고 싶다.

글 / 1학년 인문학 동아리 학생들

창비청소년문학 72

푸 른
늑대의
파수꾼

김은진 장편소설

'푸른 늑대의 파수꾼'과 떠나는 시간여행, 일본의 전쟁범죄를 만나다

두 번째 그날들

2

미안합니다,
마음으로부터

열정적인 젊은이, 김옥균을 닮고 싶은 **백진하**(1학년)

여러분은 일본군 강제 '위안부'에 대해 얼마나 알고 계십니까? 일본이 한 행동에 대한 진실, 지금까지도 해결되지 않은 국가 간의 문제, 진심어린 사과조차 하지 않는 일본. 그리고 어린 소녀들의 고통과 눈물. 이 슬픈 역사를 배우기엔 너무 어둡고 침울합니다.

2장에서 소개할 책은 김은진 작가의 〈푸른 늑대의 파수꾼〉입니다. 시간여행이라는 소재와 일본군 강제 '위안부'를 결합시킨 청소년 소설입니다. 현재의 '햇귀'와 일제강점기의 '수인'이 타임머신을 통해 만나면서 이야기가 진행됩니다. '태후'에게 괴롭힘을 당하던 햇귀가 조선의 명가수를 꿈꾸던 10대 소녀 수인을 만나 수인이 일본군 강제 '위안부'가 되지 않도록 고군분투하는 내용입니다. 내용 사이사이에 일본군 강제 '위안부' 소녀들이 겪은 아픔이 나타나있습니다. 다소 밝은 분위기에 옛날 노래의 재치 있는 가사가 더해져 쉽고 재밌게 읽을 수 있습니다. 국립일제강제동원역사관과 초량 일본영사관 앞에 있는 평화의 소녀상을 갔다 온 기록을 함께 읽으면 소설에 반영된 시대적 상황이 한 눈에 잡히며 소설의 의미를 더 깊이 이해할 수 있습니다.

〈푸른 늑대의 파수꾼〉이 오늘날 우리에게 주는 의미는 과연 무엇일까요? '하루코'가 남긴 유언의 의미는 무엇일까요? 그리고 이 소설이 우리에게 내준 수수께끼는 또 무엇일까요? 그 수수께끼를 풀기위해 고민하는 시간들이 정말로 뜻깊은 시간이 될 것입니다.

자, 그럼 두 번째 소설인 〈푸른 늑대의 파수꾼〉의
시간여행 속으로 들어가 봅시다!

시대
읽기

1929년 가을, 미국에서 주가가 폭락하고 기업과 은행이 무너졌다. 공장과 상점에는 팔리지 않는 물건들이 쌓여 있었지만 거리에는 실업자와 굶주린 사람들로 넘쳐났다. 미국에서 시작된 경제 위기는 세계로 확대되었다. 대공황이 일어난 것이다.

영국과 프랑스는 자기 나라에서 너무 많이 생산된 물건을 식민지로 떠넘겨 위기에서 벗어나려 하였다. 그러나 일본, 독일, 이탈리아는 식민지가 많지 않았으므로 전쟁을 통해 식민지를 넓히고 군수산업을 활성화함으로써 이 위기를 극복하려고 하였다. 이 과정에서 군국주의가 대두한다. 군국주의는 전쟁과 전쟁을 할 수 있는 군사력 강화를 중심에 두고 정치와 문화 등 국민의 삶을 여기에 종속시키려고 하는 이데올로기나 체제를 가리킨다.

일본은 1931년 만주사변을 일으켜 만주 전역을 점령하고 이듬해에 만주국을 세웠다. 이때부터 45년까지 일제가 만주를 지배하였다. 37년 8월에는 중일전쟁을 일으키고 12월에는 남경을 점령하였다. 여기서 유명한 난징학살이 일어났다. 전쟁은 중국 내륙 깊숙한 곳까지 확대되어 45년까지 계속된다. 41년 12월에는 진주만을 기습 공격하여 미국과 태평양 전쟁을 시작하였다. 전쟁 시작 6개월 만에 일본은 필리핀, 버마 등 동남아시아와 뉴기니 등 남태평양까지 진출하였다.

이렇게 침략 전쟁을 도발한 이후 일본이 한반도를 식민통치하는 방식은 전쟁에 초점이 맞춰졌다. 전시동원체제였다. 식민지 한반도에서 사람은 물론 전쟁에 필요한 물자를 최대한 동원하는 것이다. 전쟁에 필요한 물건(군수품)을 생산하기 위한 공장을 세우고 철강과 석탄 등 지하자원을 대규모로 약탈하였다. 가을에 수확한 곡식을 강제로 바치게 하고(공출) 모자라는 식량은 만주 등에서 들여

온, 동물용 사료인 콩깻묵 같은 것을 배급하였다. 그밖에 놋그릇, 심지어 교회나 사원의 종까지도 빼앗아갔다.

일제는 전쟁에 필요한 인력을 강제로 동원하였다. 지원병제도와 징병제도, 또 학도지원병제도를 실시하여 젊은 청년들을 일본의 전쟁터로 끌고 갔다. 또 징용이란 이름으로 많은 사람들을 강제 동원하여 사할린과 군함도 등 탄광, 군수공장, 비행장, 철도 공사장에 동원하여 노예처럼 혹사시켰다. 이들 중 비행장 건설에 동원된 경우는 군사기밀이라는 이유로 공사 후 학살당하기도 하였다. 여성들도 강제 동원되었다. '여성정신대근무령'이라고 해서 군수공장에 끌려가 혹사당하였다. 또 나이 어린 여성을 강제로 연행하거나 납치하여 전선으로 끌고 가 군인들을 상대로 한 일본군 강제 '위안부' 생활을 강요하였다. 이들 일본군 강제 '위안부'들은 온갖 비인간적 수모와 고통을 겪었으며, 그 후유증으로 전쟁 후 오랫동안 불행한 삶을 살아야 했다.

일본군 강제 '위안부'의 참혹한 삶은 1945년 해방 이후에도 알려지지 않거나 '자발적 매춘' 등으로 왜곡되었다. 그러나 1991년 역사 왜곡에 분노한 김학순 할머니의 공개 증언으로 세상에 알려지기 시작하였다. 그동안 억울하게 당한 일을 세상에 알리지도 못하고 오히려 왜곡에 가슴앓이를 하던 다른 할머니들도 김학순 할머니의 증언에 용기를 얻어 자신들이 당한 만행을 증언하였다. 이렇게 해서 나온 책이 〈강제로 끌려간 조선인 군위안부들 1,2,3,4〉이다.

하지만 일본 정부는 공식 기록이 없다, 일본 국가 기구나 군대가 한 일이 아니라 민간업자들이 한 일이라거나 자발적인 것이라고 주장하면서 자신들의 책임을 부정하고 있다.

이에 일본군 강제 '위안부'로 끌려가 피해를 당한 할머니들은 한국정신대문제대책협의회 등 시민 단체와 함께 1992년 1월부터 일본 정부의 공식 사과와 배상을 요구하는 수요 집회를 주한 일본 대사관 앞에서 계속해 오고 있다. 2011년 12월 14일 1000회를 맞아 평화의 소녀상을 설치하였다. 2017년 9월 21일 현재 1301회로 계속되고 있다

2015년 12월 28일 우리 정부는 일본 정부의 유감 표명과 10억엔 배상금을 받는 것으로 한일 일본군 강제 '위안부' 협정을 타결하게 되었다고 발표했다. 그러나 이 합의는 피해자 할머니들과는 전혀 무관하게 진행되었고 진상규명과 진정한 사과가 빠져있어 받아들여지지 않고 있다.

2017년 7월 23일 나눔의 집에서 거주하던 김군자 할머니가 별세하였다. 할머니의 별세로 정부에 등록된 일본군 강제 '위안부' 피해자 239명 가운데 생존자는 37명으로 줄었다. 8월 21일 나눔의 집 추모공원에 할머니를 기리는 추모비가 세워졌다. 비문에는 이런 글이 새겨져 있다.

"원하는 것은 단 하나, 돈이 아닌 명예 회복" ●

● 연합뉴스, 2017. 8. 21

작품 읽기

타임슬립(Time slip)을 사용해 '수인'이의 우울한 미래를 바꾸는 부분이 무척 인상 깊었고 흥미로웠다.
–김수련(3학년)

이 책을 읽고 일본군 강제 '위안부'에 대해 더 자세히 알게 되었다. 일본군 강제 '위안부' 피해자 할머니들이 일본에게 진심어린 사과를 받을 수 있도록 모두가 더 노력해야겠다.
–전영진(3학년)

'회중시계'와 '벽장'을 통해 '햇귀'가 시간여행을 할 수 있다는 것이 신선했다. 일본군 강제 '위안부'에 대한 이야기가 시간여행과 더해져 쉽게 다가와서 재미있게 읽었다.
–정재은(3학년)

'햇귀', '수인', '하루코', '유메', 이 네 명의 등장인물들의 행동과 성격이 모두 달라 재미있고 흥미롭게 읽을 수 있는 책이다.
–나예조(3학년)

소설에 그려진 일본군 강제 '위안부' 할머니의 모습이 꽃다운 나이인 십대의 모습으로도 묘사되어 더 생생한 느낌을 받을 수 있었다.
–이유빈(3학년)

일본군 강제 '위안부' 할머니들에게도 앳된 소녀 시절이 있었다. 일본군 강제 '위안부'라는 소재를 시간여행과 결합하여 작품에 흥미를 더하였다. 다만 일본군 강제 '위안부' 문제를 구체적으로 다루기보다 시간여행에 더 초점이 맞추어져 있는 것 같아 조금 아쉬웠다.
-장주연(3학년)

일본군 강제 '위안부' 할머니들에 대해 더 자세히 알 수 있었다. 지금도 아물지 않은 상처는 그대로 남아 있다. -김서현(3학년)

과거와 현재를 오가면서 지루할 틈이 없이 이야기가 진행된다. '시간여행'이라는 소재를 사용하여 이야기를 이끌어나가서 무겁지 않고 재미있게 읽은 책이다. -이유진(3학년)

한 사건을 여러 인물의 입장으로 나누어 서술해 새로웠다. -지해인(2학년)

'시간여행'이라는 소재를 통해 현재 할머니가 된 수인의 모습과 함께, 과거 수인의 10대의 모습을 보여줌으로써 일본군 강제 '위안부' 문제가 더 마음에 와 닿았다. -김서현(1학년)

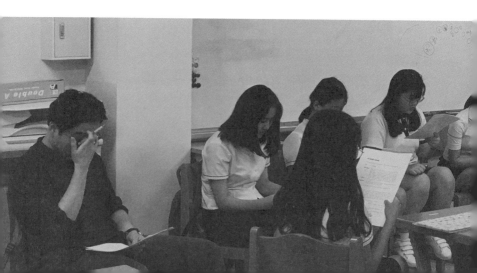

미래를 바꾸려는 햇귀의 노력과 아무리 힘들어도 꿈을 포기하지 않는 수인의 모습이 인상 깊었다. 또한 일본군 강제 '위안부' 문제를 다루다 보면 무겁게 가라앉을 수 있는 작품 분위기를 '시간여행'이라는 장치를 통해 부드럽게 만들어 주어 편하게 읽을 수 있었다.
-황선주(1학년)

현실에서는 소설 속 햇귀처럼 일본군 강제 '위안부' 할머니들의 과거를 바꾸어줄 수는 없다. 그래서 할머니들의 슬픔을 없애주려고 노력한 '햇귀'의 모습이 감동적이다. -조가은(1학년)

햇귀가 타임머신을 타고 수인이를 만나 수인이의 과거에 영향을 주는 이야기가 흥미로웠다. -송주희(1학년)

일본군 강제 '위안부' 이야기를 새롭게 만날 수 있는 소설이다. 과거와 현재를 넘나드는 구성이 흥미로웠다.
-이원정(1학년)

일본군 강제 '위안부'라는 역사적 사실을 소재로 2016년 오늘날의 서울과 1940년대 일제 강점기의 경성 거리를 배경으로 하고 있다. 현재와 과거를 오가는 시간여행으로 사건을 구성하고 있다.

어머니와 단둘이 사는 16세 소년 '오햇귀'는 봉사 활동을 하러 독거 할머니의 집을 방문한다. 할머니의 이름은 '현수인'. 한때는 맑은 노랫소리로 친구들을 행복하게 해 주며 조선 최고의 명가수를 꿈꾸었다. 하지만 지금은 병들고 지친 모습으로 자리에 누워서만 지낸다. 햇귀는 청소 봉사를 하다 2층 미닫이 이불더미에서 낡았지만 아름다운 회중시계를 발견한다. 자신을 괴롭히는 태후를 피해 뛰어 들어간 빵집에서 햇귀는 유메를 만난다. 햇귀는 자신의 인디언식 이름이 '푸른 늑대의 파수꾼'이라는 것을 알게 된다. 햇귀는 태후를 피해 벽장 안으로 들어갔다가 회중시계 태엽을 감게 되고 수인 할머니가 살았던 일제 시대로 시간여행을 가게 된다. 수인은 햇귀가 도둑인지 알고 내쫓다 다시 벽장 안에 숨겨준다. 햇귀는 벽장 안에서 시계의 태엽을 돌리면서 주문을 말하면 시간여행을 할 수 있다는 것을 알게 된다.

수인의 아버지는 독립자금을 댄 것을 눈친 챈 경찰의 음모로 당국의 허락 없이 술을 만들었다는 죄를 뒤집어 쓰고 감옥에 갇힌다. 수인은 아버지가 감옥에서 빨리 나오게 하기 위해 후지모토네 식모살이를 하게 된다. 수인이 주인집 딸 하루코가 다니는 학교로 데리러 갔는데 하루코에게서 조센진이라는 말을 듣는다. 수인이는 친구들의 일까지 떠맡은 하루코가 해진 군복을 기우는 것을 도와준다. 하루코를 도와주다가 후지모토 목욕물을 준비하는 시간이 늦어 보물 1호 삼

단같은 머리카락이 잘린다. 하루코는 자신 때문에 머리카락이 잘린 수인이에게 미안해 한다. 하루코와 수인은 점점 가까워지며 수인은 하루코에게 조선의 노래를 들려준다.

태엽을 돌려 현재로 돌아온 햇귀는 유메에게 시간여행에 관한 이야기를 한다. 유메는 할머니가 유언으로 경성에서 함께 살던 언니에게 전해달라는 말이 있다고 한다. '미안해요, 마음으로부터.' 햇귀는 뻬야의 의미에 대해 알아보다가 수인 할머니가 일본군 강제 '위안부'였다는 사실을 알게 된다. 수인 할머니는 열여섯 살에 일본군에게 끌려 가 고통을 당했던 이야기를 한다.

유메와 햇귀가 빨간 벽돌집 할머니 집에 함께 찾아 간다. 햇귀는 유메에게 벽장과 회중시계와 노래로 시간여행을 할 수 있다는 것을 말한다. 햇귀는 자신의 아이디로 태후가 일본군 강제 '위안부' 할머니에 대한 부정적 이야기를 인터넷에 올렸다는 것을 알게 된다. 햇귀는 회중시계를 빼앗으려하는 태후를 피해 시간여행을 한다.

밤늦게 후지모토를 찾아온 사람이 일본군 강제 '위안부' 이야기를 하는 것을 햇귀가 듣고 수인에게 악몽같은 운명이 닥칠 것을 알게 된다. 하루코는 아버지가 일본군 강제 '위안부'와 관련 있다는 사실을 믿지 않는다. 하루코는 자신의 아버지가 일본군 강제 '위안부'와 관련이 있는지 알아보기 위해 수인 대신 일본으로 가는 배에 탄다. 하루코는 일본으로 가는 배 안에서 자신의 아버지가 일본군 강제 '위안부'와 관련되었다는 사실을 알게 되고 스스로 바다에 떨어져 죽는다.

현재로 다시 돌아온 햇귀는 도망가지 말고 당당히 말하라는 유메의 말을 떠올리며 다시는 어디에도 도망치지 않겠다고 결심한다. 햇귀는 수인 할머니에게는 아무 잘못이 없으며 자신이 꼭 구해야겠다고 생각한다.

햇귀는 유메를 만나러 빵집에 가지만 유메는 사라지고 없다. 붉은 벽돌 이층집도 사라졌다. 과거가 바뀌니 현재도 바뀌었다.

오햇귀

인디언식 이름은 '푸른 늑대의 파수꾼'이다. 곱슬곱슬한 머리칼에 안경을 썼다. 남자답게 보이고 싶어 한다. 소심한 부분이 있다. 자존감이 낮다. 자신이 좋아하는 사람의 충고를 잘 받아들인다. 첫 번째 특기는 존재감 없이 행동하는 것이고 두 번째 특기는 한번 발동한 호기심은 끝까지 파헤치는 것이다. 자칭 일본 애니메이션 매니아이고 웬만한 일본어는 대충 알아듣는다. 동급생 태후에게 괴롭힘을 당한다. 수인의 운명에 영향을 끼친다.

현수인

효심이 깊다. 당찬 성격이다. 노래 부르기를 좋아하고 시원시원한 성격이다. 왈가닥 소녀이다. 흥이 많다. 조선의 명가수가 되는 것이 꿈이다. 수예에 소질이 있다. 짙은 눈썹, 쌍꺼풀 없이 서늘한 눈매, 곱상한 얼굴이다. 보물 1호는 머리카락, 보물 2호는 레코드판이다. '오시이레'를 자신만의 노래 수련장으로 삼는다. 햇귀의 시간여행으로 인하여 삶의 흐름이 달라졌다. 아버지를 구하기 위해 후지모토상의 식모가 된다. 조선 노래를 부르지 말라는 일본 장교에게 반항하다가 얼굴에 칼자국이 생긴다.

하루코

후지모토의 딸이다. 당돌하다. 연애에 대한 환상이 있다. 동글동글한 얼굴, 불만이 많아 보이는 눈빛을 가졌다. 감정의 기복이 심하다. 처음에는 차가운 성격의 소유자로 보였지만 마음을 여니 착하고 감수성이 풍부한 여학생이다. 처음에는 수인을 무시하고 하찮게 여기지만, 나중에는 수인을 언니처럼 따른다. 할아버지, 아버지를 존경하고 믿는다. 반 아이들에게 따돌림을 당한다. 아버지의 결백을 밝히기 위해 수인인 척 위안소행 트럭에 올라탄다. 아버지인 후지모토가 꾸미던 일을 알고 난 후 자살을 한다. 손녀 유메를 통해 수인에게 '미안해요, 마음으로부터'라는 말을 전한다.

유메

일본사람이다. 왼쪽 뺨에 보조개가 있고 덧니가 났다. 귀엽다. 눈썹을 따라 일직선으로 자른 앞머리에 동글동글한 얼굴이다. 인디언식 이름은 '푸른 바람의 유령'이다. 사극을 보며 한국말을 익히고 햇귀에게 반말을 배운다. 할머니의 말을 전하기 위해 할머니가 살던 옛날 집을 찾으러 다닌다. 햇귀에게 자신감을 심어 준다.

후지모토

수인 아버지의 목숨 줄을 쥐고 있는 일본 세무서장이다. 속을 가늠할 수 없는 냉철한 표정, 날렵한 콧수염, 반듯하게 기름을 발라 뒤로 넘긴 긴 머리를 지니고 있다. 시간을 중요시하며 깐깐하다. 출세에 눈이 멀어 위안부 관련 일을 꾸미면서도 양심의 가책을 느끼지 못한다. 목욕물을 깜빡 했다는 이유로 수인의 보물 1호인 머리카락을 자른다. 약속시간을 어기는 것을 용납하지 않는다.

삶은 신이 던져 준 수수께끼를 풀어 가는 과정이다. 오직 시간만이 그 해답을 말해 줄 것이다.(첫 장)

삶은 앞으로 어떻게 될지 모르는 수수께끼와 같다. 시간이 흐르면 그 해답을 찾을 수 있을까?
— 김서현 (3학년)

"내 과거를 알고는 그 애가 방황을 많이 했어. 대학 졸업하자마자 집을 나갔지. 소식 끊어진 지 오래됐어요. 어릴 때 내 얼굴이 무섭다고 울기는 했어도 착한 아이였다구……. 이웃 사람들이 그랬대. 불결한 엄마라구…….(71쪽)

일제강점기에 여자로서 끔찍한 일을 당했던 분들이 가족들과 이웃들에게 외면당하는 상황이 슬프고 화가 났다. 아직도 일본은 이 분들에게 사과를 하지 않고 있다.
— 장주연 (3학년)

"늑대는 어디에나 있스므니다. 도망쳐도 또 만나게 되지요. 한번 도망치면 영원히 도망치게 되므니다."(104쪽)

자신에게 어려운 일이 생기면 일단 피하고 싶어하는 것이 대부분 사람들의 본능이다. 어디에든 힘든 일이 있으니 피하지 말고 부딪쳐 보라는 유메의 말이 마음에 와 닿는다.
– 조가은(1학년)

가을 오후의 햇살을 받아 책상과 의자들이 길게 그림자를 드리웠다. 군복을 개킬 때마다 먼지가 풀풀 날렸다. 어느 순간 교실 바닥에 나의 그림자와 하루코의 그림자가 나란히 늘어져 있었다. (115쪽)

수인이와 하루코는 조선인과 일본인이라는 이유만으로 가까워지지 못했다. 군복을 수선하는 일을 계기로 둘의 사이가 조금씩 가까워지는 모습이 인상적이다. – 이유진(3학년)

몸을 일으켜 바닥에 놓인 종이 뭉치를 펴 보았다. 잘려 나간 머리칼이었다. 평소 옆에 오지도 않던 하루코가 내 방까지 들어오다니. 자기 때문에 벌어진 일이라 미안했던 것인가. 이런다고 잘린 머리칼이 다시 붙기라도 한단 말인가. (124쪽~125쪽)

> 자신의 보물 1호가 없어져 세상에서 제일 슬퍼했던 수인이가 너무 불쌍했다. 이 장면으로 인해 다음 이야기가 궁금해졌다.
> – 송주희 (1학년)

노래와 흥이 내게서 점점 멀어져 갔다. 오시이레에 들어갈 짬이 거의 나지 않았다. 꿈은 그렇게 조각조각 흩어지는 것 같았다. (180쪽)

> 수인이 자신이 바라던 꿈이 점점 멀어질 때 어떤 심정이었을지 생각해보니 안타까웠다.
> – 김효원 (1학년)

신인 가수 콩쿠르 광고는 보지 못했다고 했다. 크게 실망스러울 것도 없었다. 어차피 콩쿠르 소식을 접한다 해도 식모 계약이 끝나기 전에는 절대로 참가할 수 없을 테니까. 실망의 폭은 비슷한 일이 반복될수록 좁아지는 모양이었다. (183쪽)

> 자신이 좋아하고, 하고 싶어하는 일을 할 수 없다는 사실을 담담하게 말하는 수인의 모습에 공감되었다.
> – 이유빈 (3학년)

나는 눈을 감은 할머니를 바라보다가 뺨의 흉터를 한참이나 어루만졌다. 그 틈에 할머니는 잠이 들었다. "열 여섯 살 수인이를 제가 기억하고 있어요. 할머니를 꼭 구할게요." 할머니가 꿈을 꾸듯 방긋이 웃었다.(235쪽~236쪽)

수인을 구하려는 '햇귀'의 진심어린 마음이 할머니에게 전해진 것 같아 감동적이었다.

– 황선주 (1학년)

내 방 옷 보따리 위에 편지가 있었다. 하루코가 남긴 편지였다.

내가 직접 증명해 보이겠어. 미스터 오가 했던 말이 사실인지 아닌지. 아버지가 경성의 소녀들을 꾀어다 위안부로 팔아넘긴다는 그 말. 아버지처럼 명예를 중시하는 분이 어린 소녀들을 잡아다가 집단 위안소에 넘기는 짓 따위 할 리가 없잖아. 분명 직업적으로 몸을 파는 여자들이 자원해서 갈 텐데. 일본에 전통적으로 그런 여자들이 있어 왔으니까. 내 걱정은 하지 마. 만약 위험한 일이 생기면 내가 누구인지 밝히기만 하면 될 테니까. 곧 돌아올 거야. 오네상은 오늘 밤 멀리 도망가. 멀리 멀리로.

(261쪽~262쪽)

처음에는 수인에게 누구보다 차가웠던 하루코가 마음을 열고 수인을 위해 희생한다는 것이 감동적이었다.

– 김서현 (1학년)

기사는 마지막으로 하루코가 남긴 유서의 내용을 전하고 있었다. 누구도 이해할 수 없는 유서였다. 나와 후지모토 상만 빼고.

타인의 시간을 빼앗은 사람에게 미래는 없다.

(265쪽)

타인에 대한 무관심이 어떤 결과를 가져오는지를 알게 해 준 구절이다.
- 이원정 (1학년)

Q1. 일본군 강제 '위안부'와 시간 여행을 접목시킨 이유는 무엇인가요?

Q2. 작가님이 책을 쓰시게 된 계기는 무엇인가요?

Q3. 햇귀의 인디언식 이름과 책 제목이 '푸른 늑대의 파수꾼'인 이유는 무엇인가요?

Q4. 각 장마다 인물의 시점을 바꾼 이유는 무엇인가요?

Q5. 벽장 안에서만 시간여행이 가능했던 이유는 무엇인가요?

Q6. 수인할머니는 과거가 바뀐 후에도 햇귀를 기억하고 있을까요?

Q7. 수인은 하루코가 죽은 직후 어떻게 되었을까요?

Q8. 하루코가 남긴 유서의 의미는 무엇인가요?

Q9. 하루코는 햇귀를 경찰서에 신고해 놓고 왜 다시 구해줬을까요?

Q10. 수인이 머리카락이 잘린 이유는 하루코를 도와주다가 집에 늦게 왔기 때문입니다. 그런데 하루코가 수인을 도와주지 않은 이유는 무엇인가요?

Q11. 딸 하루코가 죽고 난 후, 후지모토 상은 어떻게 살아갈까요?

Q12. 유메를 등장시킨 이유는 무엇인가요? 유메가 상징하는 의미는 무엇인가요?

Q13. 마지막 부분에서 "어서 와, 해키 쿵!"의 의미는 무엇인가요?

Q14. 수인의 운명을 바꾸어 놓은 햇귀의 행동에 대해 어떻게 생각하나요?

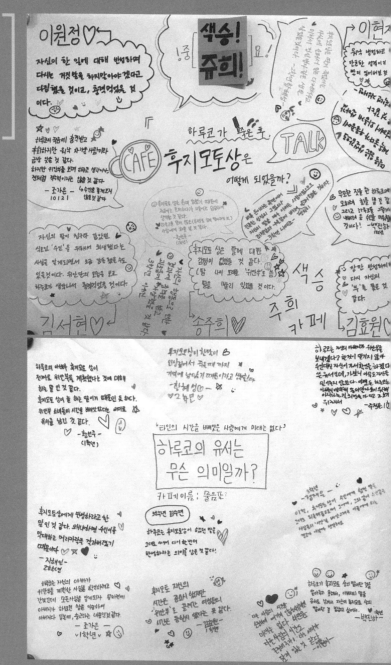

NEVER

Q. 햄귀의 시간여행은 옳은 행동이었는가?

옳지 않은 행동이다.

2학년 김지현-

2학년 김지현-

3학년 김세린-

〈Oh Little Girl〉

★ 일본군 '위안부' 라는 소재와

시간 여행을 결합한 이유는?

내 마음속에

♡저 ~ 장!!♡

나야 나

0822
장주연

101

작가
읽기

문학작품은 마음의 양식이라고 하잖아요. 이렇게 맛있는 문학작품을 지금 꼭꼭 씹어서 많이 먹어두면 나중에 지혜롭게 살아갈만한 힘을 주는 것이 바로 문학이라고 생각해요. 많이 읽어두세요.

하루코의 죽음과 사라진 유메는 일본의 비인간성을 향해 역지사지를 간접체험하게 해주는 결말입니다. '너의 시간을 잃어보니 타인의 시간도 소중하다고 생각 되는가?'라는 의미를 담고 있지요.

청소년들은 스스로를 폭력에서 구할 '독립 인격체'가 되고 어른들은 이 사회의 청춘들을 지키는 파수꾼이 되어야 합니다.

나비효과 들어보셨죠? 북경에서 나비가 날갯짓을 하면 캘리포니아에 폭풍우가 있다고 비유를 많이 하는데요. 그건 동시간대에 있을 수 있는 이야기고요. 저는 수직적인 시간의 흐름속에서도 나비효과가 있을 수 있다고 생각해요. 원인과 결과가 있는 거죠. 이걸 사자성어로 인과응보라고 하죠. 좋은 일이든 나쁜 일이든 어떤 원인이 있으면 그것에 대한 영향을 받아 어떤 일이든 일어나게 되어있는 것 같아요. 과거는 과거대로 현재는 현재대로 충실히 드러내려고 했고, 시간여행은 결국 그 모든 것들을 연결하는 연결 장치인거죠.

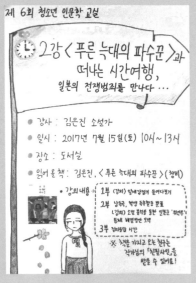

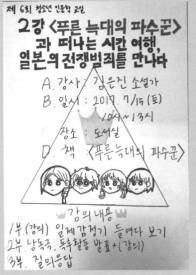

푸른 늑대의 파수꾼

자신을 둘러싼 알 껍질을 깨고 한걸음 나가는 게 얼마나 중요한지 몰라요. 그것도 스스로 알껍질을 깨고 나간다는 게. 여러분도 아마 생각의 틀을 한번쯤 벗어나서 파격적인 행보를 한 적이 있었을 수도 있고 앞으로 있을 수도 있어요. 하루코의 이 한걸음은 '인간으로서의 성장'을 의미하고, 성장에는 아픔이 따르죠. 그걸 성장통이라고 하죠.

하루코는 정신적, 신체적 충격 속에 미안한 마음과 두려움이 극대화 되어서 자살에 이르게 된거죠. 그리고 유서를 썼고, 이 유서는 아버지를 대신한 진정한 사과인거죠.

이 소설은 수인 한명만 잘살았다는 소설이 아니에요. 햇귀도 하루코도 유메도 모두 여러분과 같은 청춘이죠. 여러분과 같은 청춘을 제가 과수꾼이 되어서 지켜주고 싶었고, 또 여러분도 나이가 들면 이런 과수꾼이 되면 좋겠다는 마음으로 이 책을 썼어요.

대학에서 국어국문학을 공부하고 잡지 기자로 일을 하다가 단행본 편집자를 거쳐 작가가 되었다. 2014년, 조선 후기 화가 최북의 삶을 소재로 한 단편동화 〈애꾸눈 칠칠이 아저씨의 초상〉으로 제 12회 푸른문학상 '새로운 작가상'을 수상했다. 2015년, 일제강점기 경성의 거리와 인물들을 생동감 있게 살려 낸 〈푸른 늑대의 파수꾼〉으로 제 9회 창비청소년문학상을 받았다.

[" 작가소개 "]

김은진

〈푸른 늑대의 파수꾼〉과
떠나는 시간여행,
일본의 전쟁 범죄를 만나다

강연자: 김은진
날짜: 2017년 7월 15일
장소: 부산 동래여중

일본군 강제 '위안부'를 소재로 한 소설은 여러가지가 있습니다. 대부분 이런 소재로 쓴 소설들은 분위기가 무겁고 비극적인 결말로 끝나는 경우가 많습니다. 하지만 〈푸른 늑대의 파수꾼〉은 분위기가 무겁지만은 않고 밝았습니다. 그리고 결말이 실제와는 다른 긍정적인 결말로 끝을 냈는데 구성과 분위기를 그렇게 하신 이유가 무엇입니까?

제가 기존에 있는 작품들을 보면서 어떤 생각이 들었냐면 '너무 고통의 간접 체험에 초점이 맞춰져 있는 건 아닐까?' 하는 거였어요. 독자로서든 피해 당사자로서든 읽기 힘들잖아요. 계속 강간 당하는 장면과 고통스러운 이야기가 나오니까 힘들고 슬퍼서 더 읽고 싶지가 않더라구요. 그래서 '21세기에는 이런 소재를 가지고 글을 쓸 때, 고통의 간접 체험보다는 가해자, 범죄자에 대한 처벌에 초점을 맞추는 것이 좋겠다.' 라는 생각이 들었어요.

햇귀는 '벽장' 안에서만 시간 여행이 가능했는데 그 '벽장'이 의미하는 특별한 뜻이 있습니까?

특별한 일이 일어나려면 특별한 조건이 필요해요. 시간 여행을 길 가다가 아무 곳에서나 할 수는 없잖아요. 비밀스러운 곳, 남들 눈에 잘 안 보이는 곳이 어디 있을까 생각을 해보다가 어렸을 때 할머니 댁에서 본 벽장이 떠올랐어요. 벽장은 비밀스러운 공간이고 숨을 수도 있지요. 어떤 판타지가 만들어 질 수 있는 좋은 공간이에요.

햇귀가 타임 슬립을 하면서 'Race the clock' 주문을 외치는 이유가 뭔가요?

'삶은 신이 던져 준 수수께끼를 풀어 가는 과정이다. 오직 시간만이 그 해답을 말해 줄 것이다.' 여기서 말하는 시간이 그냥 흘러가는 시간일까요? 제가 사용한 시간이라는 단어는 고군분투하는 시간을 말합니다. 누군가가 머리를 싸매고 해결책을 찾기 위해서 굉장히 치열하게 그 시간을 채웠을 때 해답이 나온다고 생각이 들어요. 햇귀 같은 경우도 수인을 구하고자 하는 사명감 때문에 나중에는 미친 듯이 시간을 거슬러가려 하지요. 그 절박함을 표현하는 주문이 바로 'Race the clock'이라고 생각해요. 우리도 자신의 과거를 바꾸고 싶다면, 그래서 미래를 바꾸고 싶다면 현재 자신에게 주어진 시간과 치열하게 싸워나가야 하지 않을까요?

햇귀가 과거를 바꾸면서 수인은 꿈을 이루고 삶이 훨씬 나아졌지만 결국 하루
코와 유메가 사라졌잖아요. 제 친구는 햇귀가 좋아하는 여자아이 유메가 사라
질 것이라는 생각을 하지 못하고 행동하였고 그래서 햇귀가 무책임한 짓을 했
다고 말합니다. 햇귀가 일본군 강제 '위안부' 할머니 전체 삶을 없던 것으로 한
것이 아니고 수인 할머니 혼자만 도와준 것이니까 햇귀가 딱히 잘한 것도 없다
는 생각을 하고 있어요. 저는 수인 할머니의 삶이 나아지고 햇귀가 정신적으로
성장한 것만으로도 의미가 있지 않나 그렇게 생각했는데 이것에 대해 작가님
의 생각이 어떤지 궁금합니다.

'햇귀의 행동이 무책임하다.' 라는 것이 친구 의견이죠? 그렇게 생각 할 수 있어
요. 책을 읽는데 자신의 경험을 바탕으로 해석하기 마련이에요. 그래서 누가 맞
다, 틀리다 그렇게 말할 수는 없습니다.

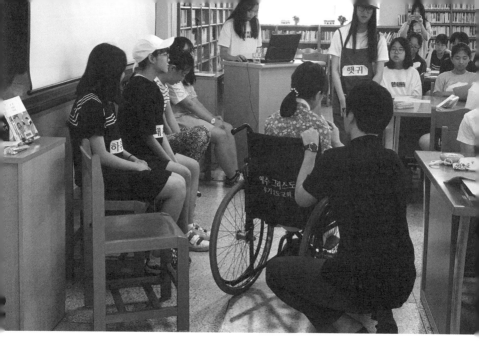

이미 일어난 역사적 사실을 없었던 일로 바꿀 수는 없어요. 아무리 소설이라도요. 그러니 햇귀가 약 20만 명의 소녀들이 끌려가는 걸 막는다는 것은 불가능한 일이지요. 다만 우리가 어떤 특별한 상황에 처했을 때 결과가 어떻게 나올지는 몰라도 최선을 다해야한다는 것만은 진리이겠지요. 햇귀가, 열여섯 수인이 어떻게 될지 뻔히 알면서 아무 일도 하지 않는 것은 한 인간으로서 굉장히 게으르고 무책임한 일이잖아요. 그런 이야기를 하기 위해 햇귀의 손에 타임머신을 들려준 것입니다.

다만 무언가를 아주 열심히 하는데 가치관이 잘못되어 있으면 위험하죠. 국민들을 위한다고 무언가를 최선을 다해서 하는데 뒤로는 돈 봉투를 챙기고 그러면 안 되잖아요. 그래서 올바른 가치관이 중요한 것 같아요. 이건 조금 곁가지 이야기였고요.

바람이 있다면 제 책을 통해서 '일본의 전쟁 범죄'라는 단어가 일상적으로 쓰였으면 좋겠다는 거예요. 제가 청소년이었을 때는 일본의 전쟁범죄라는 표현 자체를 별로 보지 못한 것 같아요. 이 단어가 일상적으로 쓰인다면 그 처벌에 대해서도 풍성한 이야기가 생산될 테니까요.

책 마지막 부분에 열린 결말처럼 "어서와, 햇귀꽁"이라는 말의 의미가 궁금합니다.

여러분은 어떤 의미라고 생각하세요? 정답은 없고 여러분 각자가 의미를 부여하면 됩니다. 다만, 소설속의 실제 상황은 환청이죠. 우리가 오한이 나고 몸이 굉장히 아프고 충격이 있고 할 때 환상이나 환청을 듣잖아요. 그리고 '유메는 왜 사라져야만 했을까?' 라고 독자가 계속 생각하게 하고 싶어서 이런 결말로 썼습니다. 유메가 사라진 것은 하루코가 목숨을 버렸기 때문이고, 하루코를 죽음에 이르게 만든 것은 후지모토와 오노로 대변되는 일본 제국주의잖아요. 거기까지 생각했다면 여러분은 굉장히 지적인 독자인 거예요.

지금 집필하고 계시는 작품이 무엇인가요?

SF 단편을 쓰고 있는데 공부하면서 쓰고 있어요. 제가 여러분 만할 때 책을 많이 읽지 못했어요. 그래서 오늘 여러분 보고 눈물 날 만큼 부러웠어요. 도서관에 책이 굉장히 많더라구요. 저는 중고등학생때 집에도 학교에도 책이 거의 없어서 못 읽었거든요. 그러니 이 자리에 있는 학생들 중에 작가가 3명 이상 안 나온다면 그건 여러분들의 직무유기라고 생각해요. 아무튼 지금 SF 소설을 쓰고 있는데 시간이 좀 많이 걸려서 언제 나올 지는 저도 모르겠어요. 열심히 쓰고 있습니다.

지켜져야 할 고귀한 청춘들
그리고 진정한 사과

교복보다 체육복을 좋아하는 **장주연**(3학년)

일본군 강제 '위안부'

대한독립만세! 단 6글자를 외치며 모두 하나가 되었던 1945년 8월 15일. 하지만 이를 외치기 전 수많은 사람들의 희생이 있었고, 그 중 아직까지 끝나지 않은 문제가 바로 일본군 강제 '위안부'이다. 사실 일본군 강제 '위안부'에 관한 내용을 많이 접했지만 아는 바는 부족했다. 그런데 '푸른 늑대의 파수꾼과 떠나는 시간여행, 일본의 전쟁범죄를 만나다' 라는 강의를 듣고 〈푸른 늑대의 파수꾼〉이라는 책과 당시 일제강점기에 대한 생각의 폭이 더 넓어졌다.

김은진 작가님, 이분은 누구신가?

지나간 시대에만 머물러 있는 것이 아니라 우리 스스로가 한걸음 더 나아가 생각하게 해주신 분이 있다. 이 분이 누구냐고? 바로 일제 강점기 경성의 거리와 인물들을 생동감 있게 살려 낸 〈푸른 늑대의 파수꾼〉으로 제 9회 창비청소년문학상을 받으신 김은진 작가님이다. 강의는 1부와 2부로 나누어 진행되었다. 작가님께서 1부는 역사학, 2부는 국어국문학처럼 강의를 하시겠다고 말씀하셨다. 먼저 인문학동아리 학생들이 직접 만든 〈푸른 늑대의 파수꾼〉의 북트레일러 두 편으로 1부가 시작되었다. 작가님은 책을 쓰신 이유를 설명해 주셨다. 작가님에 대한 정보가 부족했던 나는 작가님께서 처음부터 소설을 쓰신 줄 알았다. 그런데 아니었다. 대학에서 국어국문학을 공부하고 잡지 기자로 일을 하시다가 편집자가 되셨고, 그 뒤 작가가 되신 것이었다. 작가님께서는 어떤 직업을 갖든 그 직업이 중요한 것보다 시민의식을 어떻게 표출하는지가 중요하다고 하셨다. 이때 작가님께서는 시민의식을 민주적인 사회지향과 국가 간의 폭력으로 관련지어 말씀하셨고 국가 간의 폭력을 일본의 전쟁범죄에 빗대어 말씀하셨다.

일본의 끝없는 전쟁과 범죄

작가님은 PPT자료를 넘겨 책 하나를 보여주시며 어떤 이야기인지 맞추어 보라고 하셨다. 몇 명의 학생들이 손을 들어 발표를 했고, 대부분 우리나라와 일본에 관한 것이라고 예상했다. 그러나 그 책은 중국의 '난징 대학살'과 관련된 책이었고, 그 외 강제징용, 일본군 성노예, 731부대 생체실험, 필리핀 마닐라 대학살, 숙칭 대학살 등에 대해서도 설명해주셨다. 나는 자세히는 아니어도 일본군의 많은 악행에 대해 충격을 받았고, 특히 이 사건들 외에도 더 있다는 사실에 한 번 더 충격을 받았다. 평소 우리는 우리나라와 일본이 아닌 다른 나라와 일본의 관계에 대해서는 생각을 잘 하지 않기 때문이다. 그럼 작가님께서는 그 시대 사람도 아니신데 어디서, 어떻게 자료를 얻으셔서 집필을 하게 되신 것일까? 작가님은 일본군 성노예제 관련 책을 읽으시고, 기자출신의 경험을 바탕으로 취재와 인터뷰, 그리고 서울과 경성거리를 비교하며 걷고 또 걷는 답사를 하셨다고 말씀하셨다. 그렇게 2010년부터 2015년까지 5년동안 집필하신 책이 바로 우리가 한 달 동안 읽고 이야기 나누었던 〈푸른 늑대의 파수꾼〉이다. 뒤이어 작가님께서는 책에서도 나왔던 대사 중 하나인 "조선인에게 흥을 빼면 뭐가 남는가?"를 말씀하시며 수인과 같이 가수의 꿈을 꾸다 진짜 가수가 된 일제강점기 때의 조선인 가수가 부른 노래 영상을 보여주셨다. 우리는 처음 듣는 노래이고, 사실 들어도 여러 언어가 섞여있어서 무슨 말인지 알아듣기 어려웠지만, 힘든 현실 속에서도 노래를 부른 조선인들의 흥을 느낄 수 있었다. 영상을 끝으로 1부를 마쳤다.

인물 분석

2부는 동아리 학생들이 오래 연습한 낭독극 공연, 서평 발표, 그리고 인물에게 보내는 편지 등으로 시작되었다. 낭독극은 첫 번째 시간여행, 수인의 시간, 두 번째 시간여행 총 3장면으로 구성되어 있었다. 책의 내용을 직접 학생들이 말하는 목소리로 들으니 책의 내용을 다시 이해하고 정리할 수 있었고, 학생들이 지금까지 연습했던 노력도 눈에 보였다. 서평 발표와 인물에게 편지 쓰기 역시 내 생각이 아닌 다른 학생들의 느낌과 생각을 나눌 수 있는 좋은 시간이었다. 작가님은 준비하신 자료에서 책 속의 인물에 대해 설명하셨다. 나는 책 속에 나오는 인물 중심으로만 생각을 했는데 작가님은 책과 사회를 관련지어 인물의 폭을 넓혀가셨다. 먼저 햇귀는 현재 한국 청소년을 대변할 수 있는 인물로 무엇이 되고 싶고, 어떻게 살 것인지, 미래에 대한 불안감이 많은 평범한 청소년이다. 너무나 평범하고 보잘 것 없지만 선한 가치관을 지니고 있기에 절대 악의 축인 사우론에 맞선 난장이 호빗처럼 태후에게 맞서는 존재로 나아갈 수 있었다. 햇귀가 태후에게 맞서지 않았더라면 폭력은 영원히 지속되었을 것이다. 두 번째로 수인은 1942년에는 흥 많고 꿈 많은 십대소녀로, 2016년에는 병들어 누워있는 할머니로 나타나 꽃처럼 활짝 필 수 있었던 청춘을 잃어버린 모습이 표현된 것이다. 다음으로, 햇귀가 현재 우리나라의 청소년이라면, 유메는 할머니 세대의 역사를 잘 모르는 일본의 현재 청소년을 대신 할 수 있는 인물이었다. 단지 책속에서만 끝나는 인물이 아니라 우리 사회로 범위를 넓혀 인물들의 이야기를 해주시니 이때까지 내가 알고 있었던 그들과는 사뭇 다르게 다가왔다.

5가지 질문

인물 설명에 이어 작가님께서 보여주신 자료에는 5가지 질문이 나와 있었다. 첫 번째로, 하루코는 수인이 '대신' 죽었는가? 라는 질문이었는데, 정답은 '아니다' 이다. 자신을 둘러싼 '진실'을 알아내기 위해 제 발로 배를 탄 것이다. 자신을 둘러싼 알 껍질을 스스로 깨고 나간 하루코의 한걸음이자 인간으로서의 아픈 성장이다. 두 번째로, 하루코가 맞닥뜨린 진실은 무엇일까? 아버지 후지모토가 일본 육군의 통제 아래 조선 소녀를 성노예로 판 것에 대한 정신적, 신체적 충격과 미안함 때문에 자살이라는 비극적인 선택을 하게 된 것이다. 우리가 오해하고 있었을 수도 있는 내용들에 대한 진실이었다. 세 번째로는, 책을 떠나 지금 우리의 사회에서도 생각해야하는 문제가 있었다. 작가님께서는 그에 대한 나머지 3가지 질문의 답을 주셨다. 진정한 사과는 목숨을 거는 것만큼이나 어렵다는 말씀이 기억에 남았는데, 말 한마디로 끝날 사소하고도 간단한 사과일지라도 그 사과를 하지 않는다면 더 이상 작은 일이 아닌 것이 될 수도 있다. 사과를 한다는 것은 다시는 그와 같은 행동을 하지 않겠다는 다짐과도 같으니 말이다. 예로 들어, 나치 전범들을 재판하고 지금껏 유대인들에게 사과하는 독일정부가 있는 반면 대부분 석방된 일본 제국주의 전쟁범죄자들을 보면 알 수 있다. 이 책은 이제 수인 하나만을 위한 소설이 아니라 모두가 생각하고 지켜야 할 고귀한 청춘들에 대한 일이라고 작가님께서는 말씀하셨다.

질의응답 시간

마지막으로 '질의응답' 시간을 가졌다. 인문학 동아리 아이들은 물론이고 많은 학생들과 심지어는 학부모님들까지도 손을 들어 질문을 해주셨다. 작가님께서는 질문에 대해 답을 자세하고도 친절하게 해주셨다. 학생들이 하는 질문의 내용이 내가 생각하지 못한 부분까지도 있어서 함께 배워 나갈 수 있었다. 또, 질문을 해준 모든 이들에게 희움 일본군 강제 '위안부' 팔찌를 선물로 주셨다. 더 궁금한 것이 있다면 작가님이 메일로 보내라고 하시며 메일주소까지도 적어주셨다. 작가님의 답변에서는 정말 일본군 강제 '위안부'에 대해서 깊게 고민하고 많이 관심을 기울인 마음을 엿볼 수 있었다.

소설과 역사의 만남

여러 문학의 갈래 중 우리가 흔히 배우는 것은 시와 소설, 수필이다. 아무래도 청소년들에게 시는 학교에서 분석하고 해석하며 배우는 교과서 속 시가 다인 경우가 많아 시를 어려워하고 피하려 한다. 그에 비해 소설은 소설 속에서도 다양한 종류가 있어 관심을 가지고 읽는 아이들이 많다. 그러한 소설과 우리가 몰라서는 안 될, 꼭 알아야할 필요가 있는 역사를 더한 책인 만큼 소설의 매력은 물론이고 역사의 매력까지도 느낄 수 있었다. 이번 강의는 소설과 역사를 결합시킨 책을 가지고 수업을 들었는데 작가님께서 1부와 2부로 나누어 어느 한쪽으로도 치우치지 않는 강의를 해주셔서 도움이 많이 되었다. 특히나 요즘 학생들이 관심이 많은 일본군 강제 '위안부'에 대한 내용이라서 더 의미 있고 뜻 깊은 강의였다.

독자
읽기

정지동작으로
장면 만들기

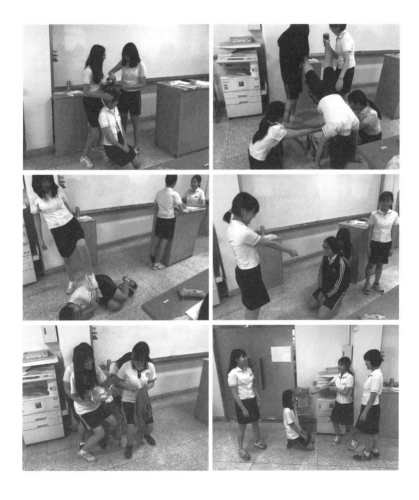

시간여행이 담고 있는 것

만두를 좋아하는 만두같이 생긴 방랑 15세 **황혜성**(2학년)

처음에 이 책이 일본군 강제 '위안부'를 소재로 한 내용이라는 것을 알고 '푸른 늑대의 파수꾼'이라는 제목을 봤을 때, 늑대가 일본군을 뜻하는 줄 알았다. 그래서 '내용이 좀 무섭겠구나'. 라는 생각이 들었다. 하지만 첫 장을 넘기는 순간 약간 이상하다는 생각이 들었다. 갑자기 웬 현대이야기? 라면, 참치캔, 핸드폰…… 이 모든 게 현대에서 우리가 쓰는 단어들이 아닌가. 분명 일제강점기 때 일본군 강제 '위안부' 이야기라고 했는데. 심지어 두 번째 장부터는 시점이 달라졌다. 처음에 읽을 때는 계속 시점이 바뀌고 그러니까 이해가 잘 되지 않았는데 나중에 차례를 보니까 그제서야 궁금증이 좀 풀리기 시작했다. 그만큼이나 처음에는 나에게 조금 힘든 소설이었다.

햇귀의 시간여행

'햇귀'는 현재 중학생이다. 학교에서 '태후'에게 괴롭힘도 당하고 아버지까지 돌아가셔서 힘들어 보였다. 그런 햇귀는 선생님의 추천으로 일본군 강제 '위안부' 할머니 집에 봉사활동을 가게 되고 그 집의 벽장시계를 통해 시간여행을 하게 된다. 그리고 결정적으로 두 아이의 인생을 바꿔놓게 된다. 햇귀가 단순히 시간여행을 한다는 게 문제가 아니라 두 여자아이의 인생이 처음과 달라진다는 점에서 흥미로웠다. 만약 타임머신을 타고 가서 시간여행을 한 일로 인해 어떤 사람에게 문제가 생긴다고 가정했을 때, 그 후손은 어떻게 되는가에 대한 물음을 여전히 과학자들이 하고 있다고 한다. 그 문제가 여기서도 적용이 된다. 햇귀의 시간여행을 통해 일본군 강제 '위안부'로 끌려가야 할 '수인'이는 멀쩡하고 아무 일 없이 잘 살았을 '하루코'는 죽게 된다. 이로 인해 원래는 현실세계에서 하루코의 손녀인 '유메'와 유메의 어머니는 사라져야 한다. 하지만 마지막에 유메가 '어서와 해키꿍' 이라고 말하는 장면에서는 꼭 유메가 살아있는 것처럼 느껴진다. 난 이 장면이 가장 큰 의문으로 남는다. 이 장면이 의미하는 것은 무엇일까. 단순히 궁금증으로 나타낸 것인가? 아니면 의미가 있는 것인가? 아무리 생각해봐도 답이 나오지 않는 질문이다. 어쩌면 유메는 햇귀의 마음속에서만 살아있는 건지도 모른다.

수인과 하루코

수인은 하루코의 집에서 일하는 식모이다. 심지어 수인은 조선사람이고 하루코는 일본 귀족집의 딸이다. 하지만 하루코는 학교에서 왕따이고 속마음을 털어놓을 곳이 없다. 그래서 결국 하루코가 수인이에게 힘든 감정을 다 털어놓게 되고, 수인과 하루코는 친해진다. 내가 이 책을 읽는 중 가장 좋았던 부분은 수인이와 하루코가 놀러가는 장면이다. 그 날만큼은 신분이니 직업이니 국적이니 그런 것 신경 쓰지 않고 친한 친구처럼 백화점도 같이 가고 미용실도 같이 가면서 놀았다. 그 장면을 보고 있자니 그 훈훈하고 따뜻한 마음이 나에게도 전해져 오는 듯 했다.

하루코는 정말 알다가도 모를 아이인 것 같다. 처음에는 수인이와 햇귀의 편인 듯하더니 갑자기 햇귀를 경찰에 신고를 하지 않나. 그러더니 갑자기 햇귀를 경찰에 전화해서 풀어주기도 했다. 또, 하루코는 도대체 자신의 아버지인 '후지모토'를 믿는 건지 마는 건지도 모르겠다. 막 아버지를 욕했다고 성질 낼 땐 언제 고 갑자기 그런 말들을 믿고 수인이를 구해주려고 하는 건 또 뭔가. 그리고 곱게 만 자라서 그런지 겁이 없는 것 같기도 하다. 어떻게 일본군 강제 '위안부'로 끌 려 가는 배에 수인 대신 타서 수인을 구해 줄 거라는 생각을 했을까! 아무리 친 하고 아끼는 언니라고는 하지만 나 같으면 절대 그러진 못했을 것이다. 그냥 하 루코는 그게 뭔지 몰랐던 것 같다. 계속 생각한 것이지만 하루코는 참 어린애 같 다.

우연으로 이어지다

이 책을 읽으면서 또 신기하다고 느꼈던 건 책의 인물들이 다 이어져 있다는 것 이다. 주인공인 어린 수인과 햇귀는 서로 타임머신을 타고 시간여행을 할 수 있 는 연결고리가 되고, 그 와중에 현재 수인과 또 이어져 있다. 또한 햇귀의 친구 같은 존재인 유메는 어린 수인의 친구인 유메의 손녀가 되고…… 소설이라서 그 런지 소름 돋을 정도로 이어져 있는 관계이다.

일본군 강제 '위안부'

〈푸른 늑대의 파수꾼〉은 일본군 강제 '위안부'의 이야기를 청소년들이 이해하 기 쉽게 잘 풀어쓴 내용이라고 생각한다. 직접적으로 일본군 강제 '위안부'의 내 용을 담고 있지는 않지만 그 시대에서 사람들의 말이나 행동을 보거나 할머니의 진술을 보아서 알 수 있었다. 난 이 책을 끝까지 다 읽고 작가님이 타임머신을 통해 수인이를 살린 것의 의미를 다시 생각해보게 되었다. 어쩌면 우리나라뿐만 아니라 외국에 계신 모든 일본군 강제 '위안부' 피해자 분들도 타임머신 같은 것 을 통해 시간을 되돌려서 피해를 막고 싶었던 건 아니셨을까. 아무리 생각해도 용납할 수 없는 일이고 수치스러운 일이다. 나도 작가님과 같은 생각을 할 수 밖에 없게 된다.

일본군 강제 '위안부' 피해자 할머니들과 그 뜻을 같이하는 사람들은 매주 수요일마다 서울에 있는 일본 대사관에서 집회를 한다고 한다. 이렇게 크고 작은 노력이 일본군 강제 '위안부' 할머니들을 위해 일어나고 있다. 이제 우리도 이 문제에 심각성을 느껴, 후손으로서 해결해 가려고 노력해야한다고 생각한다. 이런 문제 해결은 어렵게 시작되는 것이 아니다. 우리 주변에서부터 찾아가야한다. 우리는 후손으로서 제일 먼저 이런 일에 관심을 가져야 한다. 그래야 지금까지 그런 수모를 당하신 분들의 노력이 헛수고로 돌아가지 않을 것이다.

서평

새로운 이름, 새로운 운명

빠삐코를 좋아하는 **황선주**(1학년)

김은진 작가님의 〈푸른 늑대의 파수꾼〉은 다소 무거운 주제인 일본군 강제 '위안부' 관련 문제를 담고 있지만, '시간여행'이라는 소재와 장마다 바뀌는 시점으로 가라앉을 수 있는 이야기를 흥미진진하게 풀어 나간 작품이다.

줄거리

일본군 강제 '위안부' 할머니 인터뷰를 돕게 된 햇귀는 우연히 1940년 경성으로 시간여행을 하게 된다. 그곳에서 만난 수인이 자신이 인터뷰를 돕고 있는 할머니라는 것을 알게 되고, 수인이 일본군 강제 '위안부' 피해자가 되지 않도록 막으려 한다. 수인이 식모살이를 하고 있는 집의 후지모토가 일본군 강제 '위안부'를 계획한다는 사실을 들은 그의 딸 하루코는 수인인 척 하고 대신 끌려가서 진실을 알아내려 하지만, 결국 자살하게 된다. 다시 현재로 돌아온 햇귀는 수인이 일본군 강제 '위안부'가 되지 않았다는 것은 확인했지만, 수인 할머니에게 전할 말이 있다던 하루코의 손녀 유메는 사라지고 만다.

새로운 이름, 새로운 운명

"이름에 따라서 인생이 달라질 수도 있다는 거야?"

"하이, 하이. 그런 상상이 새로운 세상을 연다고도 볼 수 있어요."

햇귀와 유메의 대화이다. 이 책에서 주인공들은 새로운 이름을 갖게 되고, 그 이름에 따라 인생이 달라진다.

'인디언식 이름을 지었던 게 떠올랐다. 내가 수인의 삶을 바꿀 수 있었던 건 푸른 늑대의 파수꾼이라는 이름을 지었기 때문인지도 모른다. 사람은 자기 이름을 따라 산다고들 하니까. 늑대들로부터 수인을 구하려고 애쓰는 사이 태후와 정면 승부를 벌이기도 했다. 다시는 태후의 은밀한 빵 셔틀이 되지 않을 거고 도망치지도 않을 거다. 설사 또 얻어터진다고 해도.

유메의 인디언식 이름은 푸른 바람의 유령이었다. 그 이름처럼 감쪽같이 사라져 버렸다.'(270쪽)

이처럼 햇귀와 유메는 새로운 이름을 얻고 나서부터 인생이 180도 달라졌다. 햇귀는 1940년 경성으로 시간여행을 하게 되고, 유메는 사라졌으며, 수인은 일본군 강제 '위안부'가 되었다. 정말 바뀐 이름이 새로운 운명, 두 번째 운명을 만든 게 아닐까.

'유메'라는 존재의 의미

유메는 햇귀에게 어떤 존재인 걸까?

햇귀가 태후로부터 도망친 곳이 유메의 빵집이다. 돌아가신 아버지와 바쁘신 어머니, 괴롭힘 속에서 햇귀가 의지했던 사람은 유메였다. 돌이켜 보면 모든 일은 유메로부터 시작되었다. 햇귀는 유메가 지어준 '푸른 늑대의 파수꾼'이라는 인디언식 이름을 가지고 나서부터 시간여행을 하게 되고, 수인을 파수꾼처럼 지켜주려 한다. 또한, 늘 당하고만 살던 햇귀가 태후에게 당당하게 맞설 용기를 준 것도 유메이다.

'어쩌면 유메를 만난 것부터가 새로운 운명의 시작인지도 몰랐다.'라는 햇귀의 말처럼, 유메는 햇귀 인생이 통째로 바뀌는 전환점이 아닐까하는 생각이 든다.

햇귀와 수인의 연결통로

햇귀는 벽장을 통해 시간여행을 한다. 왜 하필 많은 물건 중 '벽장'일까?
작품 속에서 햇귀는 자신을 괴롭히는 태후를 피해 벽장으로 숨는다. 마찬가지로, 수인도 누구의 방해도 없는 벽장(오시이레)을 자신만의 노래 수련장으로 삼기로 한다. 햇귀와 수인 모두 벽장을 '피난처'로 여겼던 것이다. 수인은 가수가되지 못하고 식모살이를 하는 현실을, 햇귀는 태후를 피해 벽장에 몸을 숨겼다.
피하고 싶은 현실은 서로 다르지만, 유일하게 자유로워질 수 있는 공간은 벽장이었다. 그래서 벽장을 햇귀와 수인의 연결 통로로 쓴 것이 아닐까?

타인의 시간을 빼앗은 사람에게 미래는 없다.

후지모토가 목욕 시간에 늦은 수인의 머리카락을 자르면서 한 말이다. 후지모토의 딸 하루코가 일본군 강제 '위안부'로 잡혀가며 남긴 유언이기도 하다. 수인과 후지모토를 제외하고는 아무도 이해할 수 없을 거라고 했던 이 말은, 사회적으로는 소녀들의 시간을 빼앗아간 일본에 대한 비판, 책 안의 내용에서는 일본군 강제 '위안부'를 허락해줌으로써 경성 소녀들의 시간을 뺏은 후지모토에게전하는 말이 아닐까하고 생각한다.

끝나지 않은 이야기

'무엇이 살아 있는 유메를 유령으로 만들었을까? 혹시 나 때문은 아닐까? 내가시간 여행을 반복했기 때문에 어떤 거대한 존재가 과거의 하루코와 현재의 유메 사이에 이어져 있던 끈을 잘라 버린 건 아닐까? 어쩌면 이 수수께끼는 평생풀 수 없을지도 모르겠다. 아직 유메의 손도 잡아 보지 못했는데. 마음이 큰 파수꾼은 남자 친구로 어떠냐고 근사하게 고백할 생각이었는데. 내리막 골목을지나 큰길로 들어섰다. 하늘이 턱없이 파랬다. 햇살이 따가운데도 심장 근처는 오한이 느껴졌다. "어서 와, 해키 꿍!" 등 뒤에서 거대한 숨결이 바람에 섞여 불어 대는 것만 같았다. 나는 뒤돌아보지 못하고 그 자리에 붙박인 듯 한참 서 있었다.' (270쪽)

책 끝부분에 나오는 구절이다. 무언가를 암시하는 듯한 느낌이 든다. 사라진 유메는 어떻게 된 것일까. 이 책을 읽은 친구들 사이에서도, 유메가 다른 모습으로라도 햇귀 앞에 나타날 것이라는 의견과, 할머니인 하루코가 죽었으니 유메는 영원히 사라진 것이라는 의견으로 나뉘었다. 햇귀의 말처럼 풀리지 않은 수수께끼를 마주한 것 같다. 정말 유메는 사라진 것일까?

'시간여행'이라는 소재와 일본군 강제 '위안부'

일본군 강제 '위안부' 문제와 '시간여행'이라는 소재를 결합한 것에 대해 여러 의견이 있었는데, 크게 두 가지로 나뉘었다. 밋밋하고 무거워질 수 있는 분위기를 밝게 만들어줘서 편하게 읽을 수 있었고 몰입도가 좋았다는 의견과, 책의 주제가 일본군 강제 '위안부'인지 시간여행인지 모호해져서 일본군 강제 '위안부'에 대한 내용이 조금만 더 추가되었으면 좋겠다는 의견. 나는 두 의견에 모두 동의한다. 내가 지금까지 읽어 본 일본군 강제 '위안부' 관련 책들은 무겁고 진지한 분위기였는데, 이 책은 전혀 다른 분위기라서 신선해서 좋았다. 반면 일본군 강제 '위안부' 문제보다는, 시간여행과 주인공 햇귀의 성장에 초점이 맞추어져 있다는 느낌이 들어서 조금 아쉬웠다. 그래도 더할 나위 없이 만족스러웠던 소설이다. 개인적으로, 결말을 확실하게 정하지 않고 여운을 남겨둔 점이 마음에 들었다. 보통의 책들은 책을 덮고 나면 이야기가 끝나 버려 생각할 여지가 없는데, 이 책은 얼마든지 뒷이야기를 상상할 수 있어서 좋았다. 일본군 강제 '위안부' 피해자 분들도 한때는 그저 평범하고 꿈이 있는 소녀였다는 것을 상기시켜 주는 책, 〈푸른 늑대의 파수꾼〉. 오랫동안 기억하고 싶다.

시간여행을 다녀온 햇귀에게

열정적인 젊은이, 김옥균을 닮고 싶은 **백진하**(1학년)

안녕, 햇귀야? 나는 동래여자중학교 1학년에 재학중인 진하라고 해. 오늘 날씨가 참 흐리구나. 비가 왔다가 그치는 걸 반복하고 있어. 마치 네가 회중시계 태엽을 감아서 과거와 현재를 이리저리 이동한 것처럼 말이지. 나는 책의 첫 부분에 나오는 햇귀 너의 모습과 같았어. 일본군 강제 '위안부'에 대해 대중매체나 주변 어른들, 친구들 등을 통해 간접적으로만 접해봤기 때문에 정확한 의미라든지 그 피해가 얼마나 되는지에 대해서는 아무런 지식이 없었어. 관심도 많이 없었고 말이야. 하지만 인문학 동아리 시간에 책을 읽고, 관련 동영상을 보고, 인터넷에 검색도 하고, 평화의 소녀상도 찾아가보니 점점 더 관심이 생겼지 뭐야. 과거로 시간여행을 하고 일본군 강제 '위안부'에 대해 알아보던 네 모습과 비슷하지 않니? 난 너와 수인을 보고 느낀 점과 깨달은 것이 아주 많아.

일단, 너를 보고 용기와 희망을 얻었어. 태후에게 괴롭힘을 당해서 마음 놓고 웃지 못 할 만큼 불행한 삶을 살았던 네가 시간여행을 갔다 오고, 유메의 충고를 들은 후 많이 변했어. 태후에게 당당하게 맞서고 네 입장을 떳떳하게 밝히는 모습을 보고 정말 대단하다고 느꼈어. 유메가 조언과 충고를 많이 해줬긴 하지만 당당해질 자신감은 네 용기로부터 나온 거잖아. 만약 태후같은 사람들 때문에 고난을 겪게 된다면, 나도 너처럼 당당하게 맞서도록 할게.

그리고, 너 덕분에 일본군 강제 '위안부'에 대해 더 잘 알게 되었어. 아까도 말했 듯이 처음에는 관심조차 없었는데 지금은 오히려 일본군 강제 '위안부' 피해 할 머니들을 어떻게 하면 도울 수 있을지 고민하게 되었지. 그 할머니들이 바로 증 인이고 피해자인데 그 분들이 살아계실 때 한시라도 빨리 일본의 진심어린 사 과를 받아내야겠다고 생각했어. 이렇게 생각하니 수인이 일본군 강제 '위안부' 로 끌려가지 않게 도와주고 수인의 과거에 영향을 준 햇귀 네가 참 고맙고 대견 해.

다음으로, 너한테 묻고 싶은 것이 있어. 네가 제일 마지막으로 과거에서 탈출해 현재로 돌아간 후에 일어난 일인데, 하루코가 수인이라고 속이고 대신 일본군 강제 '위안부'에 끌려갔었어. 끝내 버마로 가는 군용선에서 바다로 떨어져 목숨 을 잃었는데 유서에 이런 내용이 써져있었다고 해. '타인의 시간을 빼앗은 사람 에게 미래는 없다.' 유서 내용이 무엇을 의미하는지 정말 궁금해. 내 생각에 일 본군 강제 '위안부'를 계획하고 실행한 나쁜 일본인들에게 보내는 메시지가 아 니었을까 싶어. 아니면 아버지인 후지모토가 진짜로 일본군 강제 '위안부'를 모 집했다는 걸 알고 아버지에게 한 마디 하고 싶어서 이런 말을 남긴 것 같기도 해. 네 생각은 어떠니?

이건 내가 책을 읽으면서 가장 궁금했던 건데, 독립운동가로 오해를 받아 경찰에 끌려갔을 때 어떤 생각이 들었어? 나 같았으면 너무 당황스러워서 어떻게 해야 할지 생각이 안 났을 것 같아. 그리고 그 뒤에 하루코가 너를 감옥에서 나오게 한 걸 알았을 때는 왜 신고했다가 이제 와서 다시 구해주는 건지 의문이 들었을 것 같아. 더 빨리 구해주지 않은 하루코에게 살짝 화가 나는 것도 없지는 않았을 것 같네. 너가 그때 실제로 어떤 기분이 들었었는지 궁금해.

너와 〈푸른 늑대의 파수꾼〉을 보고 아주 중요한 교훈을 얻은 것 같아서 뿌듯해. 마지막에 현재로 돌아온 뒤에 어떻게 되었는지는 모르겠지만 꼭 수인 할머니를 다시 만났으면 좋겠어. 혹시 모르잖아, 할머니께서 '미스터 오'를 기억하실지. 그리고 내 소원이자 약속을 하나 지켜줬으면 좋겠어. 지금 아직도 일본군 강제 '위안부'에 대해 관심이 없는 사람들이 많잖아? 옛날의 너와 나처럼 말이야. 수인이가 일본군 강제 '위안부'가 되지 않았으면 좋겠다고 너가 절박하게 빌었던 그 상황을 잊어버리지 않고, 깊은 상처를 입은 할머니들에게 조금이라도 힘이 될 수 있게 노력하자. 일본에게 진심어린 사과를 받아낼 수 있도록 더 많은 관심과 노력을 가지고 말이야. 어때, 할 수 있겠지? 약속 꼭 지켜주길 바랄게. 큰 감동과 교훈을 준 너에게 다시 한 번 고맙다는 인사를 하면서 이만 편지를 마치도록 할게. 햇귀야, 고마워!

과거의 수인에게

웅크린 태양의 파수꾼 **김서진**,
그 누구보다 한 발 앞서길 바라는 소녀 **주정은**(1학년)

안녕? 나는 동래여자중학교 1학년 주정은, 김서진이라고 해. 너의 이야기에 관해 책으로도 읽고, 선배님들과 내 친구들이 한 낭독극을 보았는데 너가 정말 안타까웠어. 그 이유는 너의 아버지가 당국에 허락을 받고 술을 팔았는데 경찰들은 너의 집으로 찾아와서 밀주(허락을 받지 않고 몰래 만들어 파는 술)를 팔았다며 감옥으로 너의 아버지를 끌고 갔잖아. 그래서 너는 어쩔수없이 후지모토의 집에서 아버지가 감옥에서 나오실 수 있게 식모살이를 하게 되었어. 그러나 그마저도 순탄하지 않았어. 후지모토의 딸인 하루코에게는 '조센진' 또는 '하쓰'라고 불리며 모든 모진 일을 도맡아 했잖아. 그러나 넌 하루코를 괴롭히는 친구들이 하루코에게 해진 군복을 수선해 놓아라 했을 때 스스로 하루코를 도와주었지. 이 때문에 후지모토의 목욕물을 제시간에 받지 못해서 너의 보물 1호인 길게 땋아 내린 머리카락을 잘리게 되었지. 후지모토는 너의 고운 '백옥같은 뺨'이 빨갛게 되게 때렸고, "타인의 시간을 뺏은 자에게는 미래란 없다"라는 말을 했어.

평소에 가수라는 꿈을 가지고 있음에도 불구하고 오시이레 (おしいれ /
(일본식)벽장)에서 숨어 노래하며 그마저도 후지모토가 너의 노랫소리를
듣지 못하게 쭈그려 앉아서 작은 목소리로 불렀지. 가수 대회도 나가 보고
싶었지만 그러지 못했고, 밀린 많은 식모 일을 하느라 노래를 부르며 쉴
시간도 없었어. 후지모토의 집에서 식모살이를 하느라 남들과 다르게 친
구랑 어울려 놀거나 학교에서 함께 수업을 듣지 못했고 그나마 같이 있었
던 하루코도 너가 다가가려고 노력하면 "다가오지마, 조센진."이라고 하
며 친해지는 것을 거부해서 평소에 넌 같이 말하고 놀 친구도 없이 지냈잖
아. 나는 지금 아주 친한 친구가 있지만 만약에 내 주변에 친구가 한명도
없고 친해지려 하는 친구도 없다고 생각하면 정말 슬프고 너만큼 외로울
것 같아. 그러나 너는 햇귀를 만나고 나서부터 더 이상 외로움과 슬픔을
느끼지 않았어. 그래서 너와 햇귀가 만난 게 다행이라고 생각해.

푸른 늑대의 파수꾼

같이 식모살이를 하는 노리코에게 구박과 질타를 받더라도, 후지모토에게 혼이 나거나 구타를 받아도 전처럼 슬퍼하지 않았어. 오히려 더 활기차게 생활하고자 애썼지. 이렇게 수많은 어려움이 몰려오는 상황에서도 어려움을 헤쳐나가고 더 활기차게 식모생활을 하기 위해서 노력하는 모습이 나는 보기 좋았어. 어려운 상황 속에서도 열심히 자신이 할 일을 최선을 다해서 하려고 노력하는 점을 본받고 싶어. 너처럼 그렇게 하기 위해서는 내가 더 용감해져야겠지?

하루코가 자신의 아버지가 경성의 소녀들을 꾀어다 일본군 강제 '위안부'로 팔아넘긴다는 사실이 진실인지 확인하기 위해서 버마행 배를 타는 장면이 슬펐어. 너도 겨우 친해진 친구를 잃었다는 생각에 말할 수 없이 슬펐을거야. 하지만 이 슬픈 일을 이겨내고 나면 넌 더 훌륭하게 성장할 거라고 믿어.

우리 약속 하나 하자. 앞으로 더 어려운 일이나 슬픈 일이 생겨도 씩씩하게 그 일들을 헤쳐 나가자고. 이 약속이 끝나갈 즈음이면 더 이상 어려운 일이나 슬픈 일이 생겨도 헤쳐 나갈 힘이 생기길 바랄게. 나중에 기회가 된다면 한 번 만나 이야기 나누고 싶어. 그때까지 안녕!

마물지 않은 소녀의 상처

-김은진, 〈푸른 늑대의 파수꾼〉을 읽고

기록 **김서현**(3학년)
워드 **정재은**(3학년)
편집 **장주연**(3학년)
사진 **이유빈**(3학년)

'소설 대화하기는 어떻게 하는 것일까?' 우리가 처음 이 소설 대화에 대해 들었을 때 느꼈던 생각이다. '소설 대화하기'를 해 본 경험이 없어 대화를 하려니 무슨 말로 시작을 해야할지, 어떻게 이끌어 나갈지 머릿속이 백지장처럼 하얘졌다. 선생님께서 나누어 주신 활동지를 보고 역할을 나누고 대화 진행 과정을 읽어보았다. 활동지에 나온 내용들을 참고해서 우리는 차근차근 시작하기로 했다.

먼저 자신이 마음에 드는 구절을 찾아 소리 내어 읽고 이유를 설명하는 것부터 해보았다. 우리는 같은 책을 읽었음에도 각자가 인상 깊은 구절들은 모두 달랐다. 마음에 드는 구절을 낭독하면 조원들은 그 부분에 대해 공감하기도 하고, 이유를 들으며 서로를 이해하기도 하였다. 돌아가며 한마디씩 하다 보니 소설 대화하기가 어떤 것인지 조금씩 알게 되고 이야기도 편하게 할 수 있었다. 이렇게 우리는 소설 대화하기 속으로 조심스럽게 한 발자국 내디뎠다.

마음에 들었던 구절 낭독

주연 지금부터 소설 대화를 시작할게. 먼저 각자 마음에 들었던 구절을 말해보자. 물론 그 이유도 같이 말해줘. 그럼 서현이부터 해보자.

서현 나는 책의 맨 앞, 책을 시작하는 부분에서 '삶은 신이 던져 준 수수께끼이며 풀어 가는 과정이다. 오직 시간만이 그 해답을 말해줄 것이다.'라는 구절이 인상 깊었어. 왜냐하면 이 구절처럼 삶은 어떻게 될 지 모르는 수수께끼이며, 점점 늙어가 시간이 흐르면서 그에 대한 해답을 찾을 수 있다는 것에 공감되었기 때문이야.

유빈 맞아. 지금은 몰랐던 일도 시간이 지나면 자연스럽게 알게 되는 경우가 많으니까. 이번엔 내가 말할게. 나는 '신인 가수 콩쿠르 광고는 보지 못했다고 했다. 크게 실망스러울 것도 없었다. 어차피 콩쿠르 소식을 접한다 해도 식모 계약이 끝나기 전에는 절대로 참가할 수 없을 테니까. 실망의 폭은 비슷한 일이 반복될수록 좁아지는 모양이었다.' 라는 수인의 독백이 인상 깊었어. 왜냐하면 좋아하는 것을 하지 못한다는 것을 당연하다는 듯이 말하는 수인이 안타까웠기 때문이야.

재은 인간은 적응의 동물이라고. 같은 일이 반복되면 누구라도 그것에 적응을 할 거야. 그것이 좋지 못한 일이라도. 수인도 그렇게 그 상황에 적응한 거라 생각해. 음. 나는 '유메의 인디언식 이름은 '푸른 바람의 유령'이었다. 그 이름처럼 감쪽같이 사라져 버렸다. 무엇이 살아 있는 유메를 유령으로 만들었을까? 혹시 나 때문은 아닐까? 내가 시간 여행을 반복했기 때문에 어떤 거대한 존재가 과거의 하루코와 현재의 유메 사이에 이어져 있던 끈을 잘라 버린 건 아닐까? 어쩌면 이 수수께끼는 평생 풀 수 없을지도 모르겠다. 아직 유메의 손도 잡아 보지 못했는데. 마음이 큰 파수꾼은 남자 친구로 어떠냐고 근사하게 고백할 생각이었는데.'라는 햇귀의 독백이 좋아어. 햇귀가 회중시계와 벽장을 통해 과거로 가서 바꾼 것은 수인의 미래뿐만이 아니잖아. 자신이 좋아하고 있었던 유메의 할머니인 하루코의 미래도 바꾸면서 유메가 세상에 존재하지 않게 되었어. 미래란 과거로 인해 얼마든지 바뀔 수 있음을 햇귀는 알지 못했잖아. 그로 인해 유메와 영영 헤어지게 된 햇귀가 안쓰러웠어.

주연 맞아. 시간여행이 유메에게까지 영향을 미칠 줄 누가 알았겠어? 마지막으로 내 차례네. 나는 수인이 과거를 말하는 부분에서 "내 과거를 알고는 그 애가 방황을 많이 했어. 대학 졸업하자마자 집을 나갔지. 소식 끊어진 지 오래됐어요. 어릴 때 내 얼굴이 무섭다고 울기는 했어도 착한 아이였다구……. 이웃 사람들이 그랬대. 불결한 엄마라구……."라고 하는 구절이 인상 깊었어. 일제강점기 때 일본군 강제 '위안부'라는 끔찍한 일을 당하신 분들이 자기 가족에게 외면당하고, 심지어는 다른 사람들에게 불결하다는 소리까지 들을 만큼 이어지는 피해가 컸어. 그런데 아직까지 일본에게 제대로 된 사과를 받지 못했고 주변의 부정적인 시선이 남아있다는 것이 안타까웠어.

시간 여행이라는 소재를 선택한 이유

주연 그럼 이번에는 질문에 대해 답을 해볼까? 첫 번째 질문은 시간여행이라는 소재를 선택한 이유는 무엇일까? 유빈이부터 말해보자.

유빈 나는 일본군 강제 '위안부'라는 어둡고 어려운 주제를 독자들이 더 쉽게 이해하도록 만들기 위해서인 것 같아.

주연 맞아. 유빈이의 말처럼 나도 다소 어려울 수 있는 역사를 시간여행이라는 판타지와 결합하여 독자들이 흥미를 가지고 이해를 쉽게 할 수 있도록 도와주기 위해서라고 생각해.

재은 나도 그렇게 생각해. 아무래도 판타지 요소가 들어가니까 재미있게 느껴졌어. 또 시간여행은 과거로 돌아가 미래를 바꿀 수 있으니까, 그렇게 미래를 바꿈으로써 수인같은 일본군 강제 '위안부' 피해자들에게 위안을 줄 수도 있는 것 같아.

서현 나도 과거의 이야기와 미래의 이야기로 내용을 더 흥미롭게 하고 내용 연결을 위해 선택한 것 같아.

주연 그렇다면 어려울 수 있는 역사를 담은 소설이 독자에게 더 흥미롭고 이해하기 쉽게 다가가기 위해 시간여행이라는 소재를 선택했다고 보는 거지?

유빈 그렇지. 시간여행이라는 소재가 들어있어서 그런지 다들 소설을 재미있게 읽었으니까.

시간여행의 인과율

주연 다음 질문이야. 이 질문도 시간여행과 관련이 있어. 우리는 책을 읽으면서 마지막 부분에서 충격을 받았어. 다름이 아니라 유메가 사라졌으니까. 이렇게 유메를 사라지게 만든 햇귀의 시간여행, 과연 옳은 것일까?

유빈 햇귀의 시간여행이 모든 일본군 강제 '위안부' 소녀들의 운명을 바꾸어 준 것도 아니고, 오히려 잘 지낼 수 있었던 유메와 하루코의 운명을 나쁘게 바꾸어버렸기 때문에 옳지 않다고 생각해.

주연 맞아. 수인 할머니가 겪은 일본군 강제 '위안부'를 막아준 것에 대해서는 높이 살만한 점이지만, 그로 인해 하루코와 유메의 운명이 모두 바뀐 것은 시간여행의 한계점이라 생각해.

서현 나도 옳지 않은 행동이라고 생각해. 왜냐하면 일본군 강제 '위안부' 피해자 수인이를 생각하여 시간여행을 했다는 것은 이해하지만 하루코가 자살하고 유메가 사라지는 일이 벌어져 이 행동은 별로 옳은 행동이 아닌 것 같아.

재은 맞아. 결국 햇귀는 영영 유메를 보지 못한다는 비극적인 결말을 맞이했지. 하지만 결과적으로 보면 햇귀의 시간여행은 그렇게 실패한 것은 아니야. 다른 이의 미래는 불행하게 만들었다 하더라도, 원래 햇귀의 목적은 수인의 미래를 바꾸는 거였잖아. 그리고 결국 수인의 미래를 행복하게 바꾸었지. 그것만 놓고 본다면 거의 성공한 것과 비슷해. 물론 나도 햇귀의 행동이 무조건 옳은 건 아니라고 생각해.

유빈 아무래도 마지막에 하루코가 자살하고 유메가 사라진 것에 너무 충격을 받았나 봐.

서현 맞아. 그것 때문에 햇귀의 행동이 바람직하게 보이지 않아.

주연 햇귀의 시간여행은 엄청난 나비 효과를 펼쳤어. 수인의 미래를 행복으로 이끈 건 사실이지만 하루코와 유메, 어쩌면 그 후손들에게까지 지대한 영향을 미쳤으니까. 그 당시 햇귀에게 그것이 최선이었다면 그건 햇귀에게만 잘못이 있는 건 아니라 생각해.

재은 맞아. 잘못한 건 일본군 강제 '위안부'를 만들어낸 일본인들이니까. 햇귀의 시간여행 자체가 옳은가, 옳지 않는가 보다는 햇귀의 행동에 좀 더 중점을 두는 것이 좋겠어.

서현 햇귀에게 시간이 있었더라면 더 좋게 미래를 바꿀 수 있지 않았을까?

유빈 응. 더 좋게 바꿀 수 있었더라면 좋았을 텐데. 그런 면이 이 소설에서 안타까운 부분이네.

너의 이름은

주연 그럼 다음 질문으로 넘어가자. 책을 읽다 보면 주인공이 자신의 이름을 설명하는 부분이 있잖아. 인디언식 이름도 나오고. 일단 왜 주인공의 이름이 '햇귀'와 '수인'인지부터 생각해보자.

유빈 책에선 햇귀는 '이른 아침에 처음으로 비치는 햇살'이라는 뜻이고, 수인은 '빼어날 수(秀)', '꽃창포 인(藺)'이라는 한자를 쓰고 있어.

주연 맞아. 그러니 이를 통해 '수인'은 일본군 강제 '위안부' 속에서도 활짝 피어날 수 있는 꽃으로, '햇귀'는 그런 일본군 강제 '위안부'에게 비치는 한 줄기의 햇살을 비유한 것 같아.

재은 나도 그렇게 생각해. 좀 더 의견을 보태자면 햇귀는 마음에 상처를 입고 감옥에 갇힌 것처럼 끔찍했던 과거에 갇혀있던 수인에게 내려온 제일 처음으로 비치는 햇살, 그러니까 희망이 아닐까?

서현 난 햇귀는 '해돋이 때 처음으로 비치는 빛'으로 표현하기 위한 것 같아. 하지만 수인에 대해서는 생각이 좀 달라. 내가 볼 때 수인은 다른 한자를 사용한 수인(囚人), 즉 '옥에 갇힌 사람'이라는 뜻으로 일본군 강제 '위안부'에서 벗어나지 못했던 아픔을 표현한 것 같아.

주연 다들 해석이 다르네. 그렇지만 햇귀가 수인에게 밝은 햇살이라는 것에는 다들 의견이 비슷하다고 생각해. 그럼 다음은 인디언식 이름이야. 이건 무엇을 뜻하는 걸까?

서현 음. 잘 모르겠어. 단순히 작가님께서 인디언식 이름에 빠지신 건 아닐까?

유빈 유메가 '센과 치히로의 행방불명'이라는 영화에서 치히로가 환상세계로 간 후 이름이 센으로 바뀌어서 이름에 따라 인생이 달라질 수 있다고 했잖아. 그래서 인디언식 이름은 유메와 햇귀가 인디언식 이름을 짓고, 둘의 인생이 달라질 것을 미리 암시하는 역할인 것 같아.

서현 말하자면 복선이라는 거지?

재은 나도 복선이라고 생각해. 유메의 인디언식 이름이 '푸른 바람의 유령'이잖아. 이 이름은 후에 미래가 바뀌면서 유메의 존재가 마치 유령처럼 사라지는 것에 대한 복선이 아닐까?

주연 맞아. 우리는 흔히 이름이 바뀌면 그 사람의 운명도 바뀐다고 하는데, 인디언식 이름을 사용함으로써 햇귀가 용기를 가지는 계기와 운명이 바뀐다는 것을 암시하는 것 같아.

만약 그랬더라면

주연 그렇다면 이 책의 중요한 내용 중 하나인 시간여행을 만약 햇귀가 하지 않았더라면 어떻게 되었을까? 최소한 하루코가 자살을 하지 않았다면 이 소설은 해피엔딩으로 끝났을까?

유빈 햇귀가 시간여행을 하지 않았다면 수인은 원래대로 고통스럽게 일본군 강제 '위안부' 생활을 하다 가수가 못 되고 늙어버렸을 거야. 그리고 다시 소설의 첫머리로 돌아가게 되겠지. 또, 하루코가 자살을 하지 않았다면 유메도 사라지지 않았을 것이고 햇귀와 좋은 친구가 될 수 있었을 것 같아. 시간여행을 끝내고 돌아오면 고백한다고도 했으니까, 어쩌면 좋은 커플이 탄생하지 않았을까?

주연 그럴수도 있겠다. 나도 수인 할머니는 결국 가수의 꿈을 이루지 못하고 일본군 강제 '위안부'라는 고통 속에서 일생을 마쳤을 것이고, 유메 역시 아무 일 없이 햇귀의 친구로 남았을 거라 생각해.

서현 하루코가 자살을 하지 않았더라면 하루코는 그 충격이 평생 가고 아버지는 하루코가 배에 탄 것을 알고 괴로워하며 서로의 사이는 믿음이 깨지게 되어 서로 믿지 못 하는 부녀 사이가 될 것 같아.

재은 맞아. 아버지가 정말로 수인을 고통 속에 빠뜨리려고 했다는 걸 알게 되었고 그 충격으로 자살한 거니 말이야. 만약 자살을 하지 않는다 해도 평생을 수인에게 미안해하며 괴롭게 살지 않았을까? 또 시간여행을 하기 전에도 그저 죄책감을 없애기 위해 하루코가 손녀인 유메에게만 남기는 말을 전한 걸 보면 하루코는 꽤 위선적이라고 느껴지는데, 그런 하루코라면 평생을 숨어 살지 않을까? 그렇게 된다면 햇귀는 유메와 만나지 못하게 되었을지도 몰라.

주연 해피엔딩일수도, 그렇지 않다고도 할 수 있겠어. 미래는 언제나 과거와 현재로 인해 바뀌니까 말이야.

책밖의 세상 속으로

주연 자, 이제 질문은 끝났어. 좀 더 힘을 내자. 우리 주변에 책과 관련된 세상일, 또는 자신이나 주변 사람의 경험이 뭐가 있을까?

유빈 나는 일본군 강제 '위안부' 관련 뉴스에서 불의에 저항하는 할머니의 모습을 표현한 소녀상이 만들어 진다는 뉴스를 얼마 전에 보았어. 뉴스에서 "일본군 성 노예 피해자가 아직도 힘없고 가련한 소녀의 모습으로 남아야 하는가에 대해 고민해야 한다며 일본 정부와 굴욕적인 한일 합의에 맞서 전국과 세계 곳곳을 다니며 당당하게 맞서는 할머니들의 모습 또한 우리가 기억해야 한다."라는 내용이 있었어. 일본군 강제 '위안부'의 모습이 힘없고 가련한 소녀가 아닌 일본에 당당하게 맞서는 모습의 할머니의 조각상을 새로 제작한다는 것이 인상 깊었어.

주연 나는 얼마 전에 일본 정부가 일본이 일본군 강제 '위안부' 문제에 대한 공식적인 사죄를 해야 한다는 문 대통령의 발언에 대해 한국 정부에 항의했다는 뉴스를 보았어. 아무리 자신들이 덮고 싶은 과거일지라도 일본군 강제 '위안부'에 대해 인정하거나 진심으로 사죄하지 않고 밀어내기만 하는 현실이 안타까워.

서현 나는 시간여행에 관한 책을 살펴보았어. 스티븐 호킹의 〈시간의 역사〉와 메리 폽 어즈 번의 〈마법의 시간여행〉과 켄 그림 우드의 〈다시 한 번 리플레이〉등이 있어.

재은 나도 한 번 읽고 싶네. 재미있을 것 같아. 나는 얼마전 텔레비전에서 조정래 감독이 만든 영화 「귀향」을 보았어. 정말 무섭더라. 과거에 할머니들께서 얼마나 고통스러우셨을지 생각해 보게 되었어. 우리의 아픈 역사를 모르는 사람들이나 그것을 외면하는 이들에게 보여주고 싶어.

작가가 우리에게 전하려는 바는 무엇인가

주연 우리는 이 소설을 꽤 흡입력 있게 읽었어. 그럼 여기서 작가가 우리에게 전하고자 하는 바는 뭘까?

푸른 늑대의 파수꾼

유빈 요즘 역사에 관심이 없어서 일본군 강제 '위안부'에 대해 모르는 사람들이 많다고 들었어. 그런 사람들에게 우리의 아픈 역사를 알려주기 위해 이 책을 썼을 것 같아.

주연 맞아. 요즘 역사에 대해 잘 알지 못하는 사람들이 많아졌지. 그러나 일본군 강제 '위안부'문제는 지금까지도 해결 되지 않았어. 그런 만큼 소설을 통해 우리에게 제대로 알려주기 위해서이지 않을까.

서현 나도 같은 생각이야. 일본군 강제 '위안부' 할머니들의 아픔과 그 억시에 대해 잘 모르는 사람이 많아 그에 대해 알려주기 위해 이 책을 쓴 것 같아.

재은 일본군 강제 '위안부'에 대해 안다고 해도 무관심하거나 모르는 요즘 사람들에게 경각심을 일깨워주기 위해서가 아닐까? 솔직히 뉴스를 보다 보면 일본군 강제 '위안부' 문제는 우리에게 멀리 떨어진 이야기 같잖아. 하지만 이 소설을 읽고 나니 그런 생각들이 많이 없어졌어. 또 꽤 관심이 늘어났어.

유빈 이 소설을 통해 일본군 강제 '위안부' 할머니들도 우리 나이 또래의 시절이 있었다는 걸 깨닫게 되었어. 작가는 할머니들도 우리처럼 생기발랄한 시절이 있었다는 걸 우리에게 보여주고 싶으셨던 게 아닐까?

주연 이 소설은 우리가 일본군 강제 '위안부' 할머니들에 대해 쉽게 다가갈 수 있도록 만들어 주었어. 우리처럼 아직 앳된 시절이 수인을 비롯한 할머니들에게도 있었다는 걸 보여주면서 말이야.

한 줄 감상평

주연 자, 이제 마지막이야! 이 소설을 읽고 난 후의 감상을 말해줘.

유빈 나는 어려운 역사와 재미있는 판타지를 결합해서 재미있고 편하게 읽을 수 있었지만, 일본군 강제 '위안부' 문제보다는 시간여행과 햇귀의 이야기에 더 초점을 맞춘 것 같아서 아쉬웠어.

재은 맞아. 재미있게는 읽을 수 있었지만, 시간여행이라는 판타지적인 내용이 들어가서인지 심각성이나 진지함이 많이 옅어졌어.

주연 난 일본군 강제 '위안부'라고 하면 90세 이상의 할머니 밖에 생각하지 못하는데 이 책에서는 할머니들을 우리 또래의 어린 소녀로 표현하고 있다는 점이 특이했어. 물론 시간여행에 초점이 맞추어진 것은 한계점이라고 생각해. 하지만 일본군 강제 '위안부'는 우리의 아픈 역사이기도 한 만큼 많은 이들이 관심을 가지고 정확히 알았으면 좋겠어.

서현 일본군 강제 '위안부' 할머니들에 대해 더 자세히 알 수 있었고 아물지 않은 상처가 깊게 있는 것 같아서 마음이 아팠어. 이 책에서 시간여행이 등장한 것이 흥미롭기는 했지만 과거와 현재가 너무 왔다 갔다 해서 내용이 헷갈렸어.

재은 나는 오히려 그런 부분이 좋았어. 좀 복잡한 걸 좋아하거든. 중간 중간에 복선들을 깔아둔 것도 찾아보는 재미가 있어 좋았고. 하지만 하루코가 자살하고 유메가 사라진 게 너무 큰 반전으로 다가와서 재미는 있었지만 너무 그것만 인상 깊게 남는 달까.

주연 그 부분만 너무 기억에 남는 부분이 있지. 좀 찜찜하기도 하고 말이야.

유빈 하지만 시간여행의 조건이 벽장과 회중 시계인 점이 재미있었어.

서현 맞아. 생각지도 못했잖아. 그게 시간여행을 할 수 있게 만들 줄이야.

주연 다들 소설을 재미있게 읽었네. 기록이인 서현이는 정리해서 재은이에게 주도록 하고, 재은이는 나에게 보내줘. 이상, 소설 대화하기를 마칠게. 모두 수고했어!

소설 〈푸른 늑대의 파수꾼〉은 결코 가벼운 소설이 아니다. 시간여행이라는 소재와 함께 일본군 강제 '위안부' 문제를 다루고 있지만, 일본군 강제 '위안부' 라는 것 자체가 충분히 무겁고 우리에게 많은 생각을 하게 만든 그런 소설이었다. 아무래도 역사적 사실을 바탕으로 대화를 해야하다보니 어렵지는 않을까 하며 처음에는 다들 주저하며 고민하기 바빴다. 그러나 우리가 대화를 나눈 질문들은 정답이 정해진 것이 아니라 자신들이 느끼고 생각했던 것을 함께 나누는 것이었다.

그 대화 속에는 비슷하게 생각한 부분, 다르게 생각한 부분도 있었다. 이를 통해 우리는 자신의 의견을 조원들과 나눌 수 있었고, 자신이 생각지도 못한 부분도 알 수 있게 되었다.

요즘 사람들은 바쁜 일상 속에서 책을 읽을 시간이 그리 넉넉하지 못하다. 하지만 이번 소설대화하기를 하며 한 소설을 그냥 읽고 끝내는 것이 아니라 더 구체적이고 자세하게 책을 이해할 수 있었다. 또한, 책에 관한 내 생각과 다른 사람의 생각을 서로 이야기 나누고 새로운 것도 배움으로써 생각의 폭이 한 층 더 높아지는 것 같았다. 소설대화는 우리에게 한 소설을 다루는 올바른 방법을 깨우쳐준 새로운 경험이었다.

어쩌면 이 수수께끼는 평생 풀 수 없을지도 모르겠다. 아직 유메의 손도 잡아 보지 못했는데. 마음이 큰 파수꾼은 남자 친구로 어떠냐고 근사하게 고백할 생각이었는데.

내리막 골목을 지나 큰길로 들어섰다. 하늘이 턱없이 파랗다. 햇살이 따가운데도 심장 근처는 오한이 느껴졌다.

"어서 와, 해키 꿍!"

등 뒤에서 거대한 숨결이 바람에 섞여 불어 대는 것만 같았다.

나는 뒤돌아보지 못하고 그 자리에 붙박인 듯 한참 서 있었다. 잘못 들었겠지 하면서도 한참을 가만히 서있었다.

바뀐 것은 유메만이 아니었다. 평소에 나를 빵셔틀로 괴롭히던 태후도 바뀌었다. 태후가 나를 괴롭히지 않기 시작했다. 나에게 관심이 사라진건지 저번에 우리집에서 나에게 된통 혼 난 후로 나에게 겁먹은 건지 아님 과거가 바뀌어서 태후가 바뀐 것인지 아직 잘 모르겠다. 처음에 내가 알았던 태후처럼 상냥하고 선생님 말씀도 잘 듣는 태후였다. 더 이상 나를 햇귀신이라고 부르지 않고, 우리집에 멋대로 쳐들어와서 라면을 끓여달라거나 내 만화책을 허락 없이 본다거나 샌드위치에 치약을 넣어서 나에게 준다거나 더 이상 그런 짓은 하지 않는다.

"햇귀야, 집에 A4 종이 있어? 숙제하러 왔는데 깜빡하고 안 챙겨왔네."

오히려 지금 우리집에 놀러와서는 같이 숙제를 하고 있다. 어쨌든 성가신 일이 하나 줄었다는 사실은 확실한 것 같다. 하지만 문제는 수인 할머니와 유메이다.

하루코가 죽은 이후 바뀐 인생으로 살아가는 수인 할머니도 보고 싶고 무엇보다 유메가 너무 보고 싶다. 일직선으로 자른 앞머리와 동그란 얼굴, 보조개와 반짝거리는 덧니가 아직 내 바로 앞에 보이는 것만 같다. 하루코는 죽었지만 유메는 어딘가에 있을 거란 알 수 없는 자신감이 샘솟아 결국 유메를 꼭 찾아야겠다고 결심했다.

그렇게 수인 할머니와 유메를 찾을 수 있는 방법을 고민했다. 아무리 생각해도 다른 방법이 떠오르지 않는다. 결국 옛날 태후의 모습을 생각하며 꺼림직하지만 명색이 똑똑한 반장이니만큼 태후에게 물어보기로 했다.

"태후야, 너는 타임머신으로 시간여행을 할 수 있을 것 같다고 생각해?"

"난 될 것 같은데? 도라에몽에서도 그 좁은 책상 서랍으로 시간여행을 하잖아. 우리 주변에도 알 수는 없지만 어딘가에 존재하지 않을까?"

"그럼 누군가 시간여행을 해서 사람들의 운명을 바꿔서 원래 존재하던 사람이 없는 존재가 될 수 있을까?"

"에이 설마. 한 번 태어난 사람은 없어질 수 없어. 근데 갑자기 그런 건 왜?"

설마 태후가 눈치 채진 않았겠지라고 생각하며 태후에게 라면을 끓여준다고 하며 말을 돌렸다.

'한 번 태어난 사람은 없어질 수 없다…… 그럼 유메가 어디에선가 살고 있을까? 이름이 유메가 아니여도 일본인이 아니여도 어디에선가 살 수 있을까? 만약에 유메가 어디에선가 살아 있다고 해도 내가 어떻게 찾지?'

결국 별 수확 없이 다시 시간여행을 해보려고 한다. 어느 시간대로, 어느 장소로 갈지는 모르지만 방법은 이것밖에 없다. 하루코와 유메를 되찾으려면.

하지만 또 문제가 생겼다. 빨간 벽돌 집은 이미 없어졌다. 그럼 벽장도 없어졌겠지? 이렇게 결국 포기해야 하는 건가. 다시 터덜터덜 골목길을 걷다가 귀신에 씌인 것처럼 걷다보니 이미 빵집 안에 들어와 있었다. 여전히 빵집에 유메가 없

다. 그런데 또 소리가 들린다

"어서 와, 해키 꿍!"

아무리 들어도 유메의 목소리가 확실하다. 그런데 어떻게 이런 일이 가능한걸까. 분명 하루코는 자살을 했고 유메는 하루코의 손녀이기 때문에 존재할 수가 없다. 그렇다면 하루코가 자살을 하지 않은 것인가? 그것도 말이 안 된다. 분명히 기사까지 났고…… 그렇다면 후지모토가 아예 그 끔찍한 일을 저지르지 않았다면? 그렇다면 하루코가 자살을 할 이유도 없고 수인 할머니가 맨날 악몽을 꿔가면서 힘들어하지 않았을 것이다. 하루코는 살아 있을 것이다. 유메는 분명히 살아있다.

빵집에 들어가서 유메의 목소리가 들림과 동시에 갑자기 몸이 붕 뜨는 느낌이 났다. 과거로 돌아가게 된 것이다. 왜 내가 다시 과거로 돌아왔을까? 벽장이 없어도 가능했던 것일까? 이와 동시에 하루코의 목소리가 들렸다. 결국 하루코는 자신이 후지모토의 딸이라는 것을 증명해냈고, 죄 없는 조선인을 잡아간 배에 탄 일본인들이 더 큰 소문이 나지 않게 하기 위해 하루코가 자살을 했다고 오보를 낸 후 하루코를 집에 돌려 보내주었다. 그렇게 하루코는 집에 돌아와서도 죽은 듯이 지내며 비밀리에 결혼을 하고 아기도 낳았다. 하지만 그 일의 충격으로 인해 빨리 생을 마감했던 것이다. 그 사이 하루코가 간간히 전해들은 수인의 소식은 놀라웠다. 수인은 한씨 아저씨의 도움으로 직장을 구해 살아가다 결혼해서 아이를 낳고 광복 후 가족끼리 고향으로 돌아가 열심히 일해 큰 부자가 되었다는 것이다.

하루코와 수인의 소식을 다 알고 나니 저절로 현실로 돌아와졌다. 뒤를 돌아보니 볼우물이 패인 왼쪽 뺨과 가지런한 앞머리, 동그란 얼굴, 반짝거리는 송곳니. 유메였다.

"오랜만이에요, 해키꿍!"

한 줄기의 빛조차 없던 암흑시대의 탐정들을 동경하는 **나예조**(3학년)
매일 매일 노래방에 가고 싶은 **이유진**(3학년)

1. 햇귀의 시간

"어서와, 해끼 꿍!"

등 뒤에서 거대한 숨결이 바람에 섞여 불어대는 것만 같았다. 나는 뒤돌아보지 못하고 그 자리에 붙박인 듯 한참 서 있었다. 시간이 어느 정도 흐르고 난 후에야 나는 겨우 마음을 굳게 다 잡고 뒤를 돌아볼 수가 있었다. 내가 예상했다시피 역시나 유메는 그곳에 없었다. 나의 차가운 이성은 유메가 이 곳에 있을 리가 없다고 이미 굳건한 판단을 내린 후였다. 하지만 마음 저 깊은 곳에서는 아주 작은 기대라도 존재했던 것일까? 막상 아무도 없는 빈 골목을 눈앞에 마주하니 울 것만 같은 기분이 들었다.

그리고 나의 가슴 속 작은 파문이 일었다. 아무리 생각해도 답을 알 수 없는 질문들이 꼬리에 꼬리를 물고 엉킨 실타래처럼 길게 이어졌다. 마치 잔잔한 호숫가에 던져진 조그만 돌멩이처럼 단순한 호기심 하나가 커다란 파장을 만들어 낸 것만 같았다.

어째서 유메는 흔적도 없이 사라져 버린 걸까? 정말 내가 무언가를 잘못하기라도 한 것일까? 아무리 생각해봐도 내가 잘못한 것이 무엇인지 알 수 없다. 늑대들의 검은 음모로부터 무사히 수인이를 구해냈다고 생각해서 걱정을 한 시름 놓았더니 또 하나의 문제가 생겨버릴 줄이야.

참, 그리고 보니 유메의 할머니는 하루코였지. 혹시 내가 수인이의 운명을 바꾸어 놓아 하루코에게 어떤 문제가 생긴 것일까? 수인이의 과거가 바뀌는 바람에 하루코와 유메의 관계가 끊어진 게 아닐까? 논리적으로도 충분히 가능성이 있다. 아니, 아무래도 그런 것임에 틀림없다. 난 그저 모든 게 잘 되었으면 하는 마음에서 시작한 일이었는데⋯⋯. 나의 짧은 생각과 경솔한 행동으로 인해서 한 사람, 아니 어쩌면 셀 수도 없이 더 많은 사람들의 존재를 내가 사라지게 했을지도 모른다고 생각하니 죄책감으로 마음이 무겁다.

생각해보니 더 많은 것들이 바뀌었을 수도 있다. 유메뿐만이 아닌 내 주변의 많은 것들이 나도 모르는 사이에 달라져 있다면, 또 무엇이 달라졌을까? 엄마와의 관계? 아니면 태후와의 사이? 그래, 내가 혼자 고민해봤자 해결 되는 것은 없다. 일단은 집으로 가서 뭔가 달라진 것이 없는지 확인해 보는 게 먼저이다.

2. 하루코의 시간

"또 아버지 얘기야? 경성의 소녀들을 꾀어 위안부로 팔아넘길 거라고? 어처구니없어. 왜 다들 아버지를 못 잡아먹어서 안달이지? 아버지는 명예를 위해서는 목숨도 버릴 분이야. 소녀들을 파는 일 따위를 할 분이 아니라고."

나는 그렇게 줄곧 믿어오고 있었다. 물론 요즘 아버지의 곧은 신념이 점점 퇴색되어가고, 진정으로 조선인을 위하고 있다는 느낌이 사라져 가는 것은 사실이었다. 수상한 제복을 빼입은 낯선 이들이 종종 집까지 찾아와 아버지와의 밀회를 갖는 것을 나는 몇 번이고 보았다. 아버지가 술에 취한 채로 밤늦게 귀가하는 횟수도 점차 늘어 갔지만 나는 크게 상관하지 않았다. 모든 것이 조선을 위하는 아버지의 깊은 뜻이 담겨있는 일이라고 굳게 믿어왔다.

미래에서 왔다는 그 소년은 제법 믿음직했으나, 그가 했던 그 말 한마디만큼은 차마 믿을 수가 없었다. 위안부, 위안부라니. 그런 파렴치한 일을 아버지가 할

리가 없다. 그런 곳에 끌려간다면 정해진 결말은 단 하나인 걸.

그렇게 나는 그 정장 입은 사나이를 따라 나섰다. 내가 틀렸을 것이라는 생각은 들지도 않았다. 그때까지만 하더라도 나의 심정은 그저 단순한 유희를 떠나는 듯했다. 아무런 위기의식 없이 따라나선 나를 그 남자는 어느 트럭으로 이끌었다. 남자의 걸음속도는 꽤 빨라서 나는 거의 뛰다시피 걸어야만 했다. 대체 무엇이 급한 것인지 남자는 시계를 자꾸 가리키며 걸음을 재촉했다.

"수인양, 여기에 타면 된다."

나는 그를 따라서 트럭의 조수석에 몸을 실었다. 이런 종류의 자동차는 처음 타보는 거라 괜히 초조하고 긴장됐지만 곧 푹신한 시트의 질감에 안심이 되었다. 어쩌면 요란한 기계들이 줄줄이 나열된 운전석에 나의 온 정신이 집중되었기 때문일지도 모른다. 차 안에서 묘하게 일렁이는 여인들의 은은한 향수 냄새가 나의 기분을 좋게 만들어 주었다. 아마 나와 비슷한 연령대의 어린 소녀들이 이미 이 장소를 수도 없이 거쳐 갔던 모양이다. 역시나 이상한 낌새는 보이지 않았다. 그는 나의 호기심 가득한 눈동자를 지긋이 바라보더니 조용히 차에 시동을 걸었다. 차키를 알맞은 구멍에 넣고 옆으로 돌리자 우렁찬 엔진 소리가 경성의 조용한 밤거리의 공기를 뚫고 시원한 기세로 널리 울려 퍼졌다. 두두두두, 하는 소리가 마치 북처럼 내 심장도 함께 울렸다. 정말 봄나들이라도 가는 것처럼 온몸이 들떴다.

그래. 이 차를 타고 좀 가다보면 공장 같은 곳에 나를 내려다 주고 일을 시키겠지? 바느질 같은 걸 몇 번 하다보면 급여도 밀리지 않고 줄 거야. 뭐, 위안부? 설마 그런 곳에 가겠어? 우리 아빠는 좋으신 분인걸. 나는 어느샌가 출발하여 창밖으로 빠르게 스쳐지나가는 풍경을 보며 그렇게 생각했다. 아무리 위험한 일이 생겨도 후지모토의 딸, 하루코라고 말하면 쉽게 풀려날 수 있을 거야.

이 자동차에 올라타고 반나절은 더 지난 것만 같다. 이미 태양은 떠오른 지 오래고 지루한 바깥풍경은 수십 번도 더 넘게 바뀌었다. 방금 부산이라는 표지판을 본 것 같기도 하다. 아무리 편한 의자라도 이정도로 오래 앉아있으면 척추의 끝부터 찌릿찌릿한 고통이 뇌까지 전해진다. 찌뿌둥한 몸을 어떻게 좀 움직여 보려고 해도 옆의 아저씨 때문에 눈치가 보여서 간단한 스트레칭조차 하지 못했다. 물론 잠도 못 잤다. 그는 그다지 무서운 사람은 아닌 것 같았으나 어째서인지 차 안의 분위기가 너무 어둡고 무거워서 나는 차마 그에게 말을 걸어볼 엄두도 내지 못했다. 그저 망설여지기만 했다.

그때 예상치 않게 그가 내게 말을 걸어주었다. 내가 그토록 기다려 온 한마디였다.

"수인양, 이제 다 왔어. 목적지인 부산항이야. 내리면 돼. 시간이 애매해서 당장 배를 탈 수는 없고 아마 저 앞의 천막에서 잠시 대기하고 있으면 될 거야."

"음, 네. 저기 앞에 파란 천막 얘기하는 거죠?"

"맞아, 수인아."

그는 말을 끊고 잠시 생각에 빠진 듯 했다. 그게 그렇게 긴 시간은 아니었으나 그의 깊은 고뇌는 내게 충분히 느껴졌다. 그리고 말을 이었다. 나는 영문도 모르는 채로 그저 그의 말을 듣기만 했다.

"그리고, 정말 미안하단다. 하지만 앞으로 있을 일에 대해서 내게 원망은 하지 말아줬으면 해."

그에게 그 말이 대체 무슨 뜻인지를 물어보려는 찰나 다른 사람이 와서 트럭 차창을 두드렸다. 항구이기 때문인지 경계를 삼엄하게 하기 위해서 이 근처에는 치렁치렁한 군복을 제대로 다 빼입은 군인들이 잔뜩 있었다. 다들 한쪽 옆구리에는 섬뜩한 총을 매단 채였다. 아마 나를 찾아온 이 사람도 이곳의 군인인 듯했다. 나는 겁에 질린 채로 조심스레 차 손잡이를 밀어내어 트럭에서 내렸다. 오랜

푸른 늑대의 파수꾼

만에 움직여서인지 내 말을 영 듣지 않는 몸이 아픈 줄도 모른 채 나는 그 군인을 따라갔다.

나는 배를 탔다. 시원한 바닷바람에 내 머리카락이 사정없이 흔들렸다. 배는 파도를 가르며 목적지를 향해서 나아갔다. 목적지에 대해서 자세히 듣지는 못했으나 대충 외국이라는 것 같았다. 나중에 다시 경성으로 돌아갈 일이 걱정되기도 했지만 아직 아버지의 누명을 벗겨내지 못했으니 그것은 일단 나중에 생각해야 할 일이다. 비취와 옥빛의 맑은 바다가 바닥까지 선명하게 제 속을 보여주는 모습이 참 예뻤다. 아름다운 수평선의 비경과 바닷새들이 높은 창공에서 멋진 군무를 펼치는 것을 바라보며 계획에도 없었던 여행을 신나게 즐기고 있을 때였다.

바로 그때 배가 갑자기 크게 한번 휘청거렸다. 나는 하마터면 난간 밖으로 튕겨나갈 뻔 했지만 가까스로 균형을 잡아서 다행히 그 꼴은 면했다. 잘은 모르지만 예상하건대 방금 배가 암초에 부딪칠 뻔한 모양이다. 덕분에 나는 차가운 물세례를 무방비 상태로 맞아 마치 물에 빠진 생쥐처럼 온몸이 다 젖어버리고 말았다. 아무리 더운 여름 날씨라도 축축하게 젖어버린 옷은 체온을 빠르게 앗아가기 때문에 갈아입는 것이 좋다. 물에 젖어 자꾸 몸에 달라붙는 옷을 손으로 떼어내며 내가 지정받은 선실인 305호로 향할 때였다.

선실로 돌아가는 길에 나는 이상한 표지판을 하나 발견했다. 나무판자에 붉은색 페인트로 급하게 휘갈겨 쓴 듯한 '출입금지' 표시였다. 불과 10분 전까지만 해도 없었던 거라 그 존재는 매우 신경 쓰였다. 나는 벌써 얼음장처럼 차가워진 피부를 손으로 쓸어내리며 표지판 너머 통로로 나아갔다. 그러자 웬 남자들이 웅성거리며 열심히 대화하는 것이 들렸다.

이상한 기분이 들어 나는 곧장 다가가서 대화를 엿들어보았다. 인기척 없이 조심히 갔기에 그들이 나의 존재를 알아차릴 리는 없었다. 그렇게 내가 듣게 된 내용은 가히 충격적이었다.

"무슨 소리야. 소녀가 죽다니, 출항한 지 사흘도 채 안 되었잖아."

"그렇지만 저희가 꾸미는 일의 전말을 알게 되었는걸요. 배에서 도망치려는 걸 발견해서 그대로 죽여 버렸습니다."

"그렇게 되면 인원이 한 명 비잖아. 그건 누가 책임지지? 저들은 일본군 진영에서 위안부로 일하게 될 아이들이야. 인원이 부족하면 위에서 뭐라고 하겠어!"

"그, 그건……."

뭐라고? 미래에서 온 소년, 햇귀로부터 대충 전해 듣기는 했지만 나는 그 말을 거의 믿지 않았었다. 그럴 리가 없다고 굳게 믿어왔으니까. 그런데 위안부라는 게 정말 사실이었다니. 그렇다면 지금까지 내게 보여 준 아버지의 그 위선적인 미소는 대체 무엇이었다는 말일까. 역겨운 기분이 들어 자꾸만 헛구역질이 났다. 위안부라니, 믿을 수가 없다.

"어, 방금 저기서 무슨 소리가! 거기 있는 놈, 나와!"

"제가 찾아서 데려오겠습니다."

정말 어떡하지, 심지어 그들에게 들켜 버리기까지 했다. 군인들이 점점 다가온다. 그렇지만 괜찮을 거다. 내가 후지모토상의 딸이라는 것을 밝히고 집으로 보내달라고 말하기만 하면 될 것이다.

"너, 왜 이곳에 있는 거냐! 대장님, 이 아이가 우리 회의를 엿들은 것 같습니다!"

"뭐라고? 감히 조센징 주제에 우리 회의를 들었다고? 우리의 일에 대해서 어디까지 알고 있는지 솔직하게 말하는 것이 좋을 거다!"

그들은 나를 심문하겠다며 내 팔을 세게 잡아끌고 어딘가로 억지로 데리고 갔다. 그곳은 쇠창살 달린 조그마한 창문이 하나 있는 어느 창고였다. 이대로 상황이 흘러간다면 내겐 좋지 않다. 대화의 흐름을 어떻게든 바꾸어보려 나의 행동에 대해 스스로를 열심히 변호해 보았다.

"아악! 잠시만 제 말 좀 들어주세요! 후지모토, 아니 그러니까, 총독부 세무 감독국장인 후지모토 아시죠? 그 분이 제 아버지에요! 정말이에요! 실수로 제가 여기에 오게 된 것 같은데, 이제 그만 집에 보내주세요!"

이제 내가 후지모토의 딸이라는 것을 알았으니 집으로 돌려 보내주겠지? 이젠 이 일의 전말을 모두 알게 되었으니 어서 다시 경성으로 되돌아가야 해. 하지만 그 뒤로 이어진 상황은 내 예상과는 달라도 한참 달랐다.

"그게 무슨 소리야. 네가 후지모토의 딸이라고? 거짓말을 지어낼 거라면 그럴 듯하게라도 해야지. 후지모토의 딸이라니 그게 무슨 말도 안 되는 소리야? 정신 좀 차리게 해 줘야겠군!"

군인들은 나에게 인정사정없이 폭력을 가했다. 후지모토의 딸이라고 말하기만 하면 모든 것이 해결될 거라고 생각했었는데 그게 아니었다. 아무도 내 말을 믿으려 하지 않는다. 중간에 몇 번이고 더 말해 보려 했지만 그들은 내 말을 들으려고도 하지 않았다. 애초에 나의 생각 자체가 안일했던 것이었다. 처음부터 또 다른 해결책을 떠올려 봤어야 했는데. 하지만 후회는 아무리 빨리 해도 늦다.

어쩌면 좋지? 이대로 허무하게 낯선 땅으로 끌려갈 수는 없다. 위안부라니. 너무나도 절망적인 상황에 나는 제대로 된 사고를 할 수가 없었다. 이럴 때는 어떻게 해야 할까.

아…… 갑자기 수인짱이 보고 싶다. 너무 보고 싶다. 수인짱은 그 무엇보다도 낫지 않은 것이 바로 죽음이라고 말했다. 죽음의 뒤에는 그 무엇도 존재하지 않는다. 죽은 사람은 아무것도 할 수가 없다. 하지만 이런 상황이라면…… 이런 상황에서도 그런 거야, 수인짱? 일단 내 생각은 그렇지 않다. 차라리 죽어 버리는 게 낫다. 위안부라니, 아무리 생각해도 자살 하는 게 훨씬 나아. 죽음이 전혀 두렵지 않은 건 아니지만, 내가 살아있음으로 인해 앞으로 닥쳐올 일을 생각하면 차라리 없어져 버리는 게 좋을 것 같다. 그렇다면 적어도 끔찍한 일을 당하지 않을 테니까. 나도 모르게 눈물이 맺혀서는 하염없이 흘러내렸다.

아버지가 너무 원망스럽다. 죽어서까지 영원히 아버지를 저주할 거다. 저주하고, 또 저주해서 다른 소녀들의 한까지도 풀어주어야겠다. 얼마나 분한지 지금까지 아버지를 맹목적으로 믿어 온 나한테까지 화가 날 정도다. 이것은 인간의 탈을 쓰고서 저지를 수 있는 일이 아니다. 아버지는 한 마리의 영악한 늑대였던 것이다.

'타인의 시간을 빼앗은 사람에게 미래는 없다.'

마지막으로 아버지에게 이 말을 해 주고 싶다. 항상 입에 달고 살았으면서도 정작 자신은 지키지 않은 말이다. 그래, 유서로 남기면 누군가는 전해주겠지. 이 글을 보면 무슨 생각을 할까? 아버지는 수백 명의 조선 소녀들의 시간을 빼앗고 결국엔 나의 시간까지 없애 버렸다. 자신이 한 짓 때문에 내가 죽었다는 것을 알게 된 후 그 표정이 어떨까? 잘못을 깨닫고 제대로 뉘우치기나 할까?

나는 이제 죽을 거다. 내 아버지가 그런 짓을 했는데 아무것도 모르는 척하며 살아가는 건 내 성미에 영 맞지 않는다. 인간의 추악한 밑바닥이란 정말이지 너무 끔찍하다. 영원히 이 커다란 비밀을 떠안고 살 용기가 내겐 없기도 했고, 위안부로서 앞으로 내가 겪을 일들이 두렵기도 했고, 수인짱에게 미안한 감정도 잔뜩 들기도 했다. 난 더 이상 떳떳하게 살아갈 자신이 없어. 수인짱, 꼭 가수가 되기를 바라.

3. 햇귀의 시간

나는 3년 전 그 일이 있은 이후로 가끔 허공에서 들려오는 유메의 목소리를 듣곤 한다.

그 뒤로 나는 유메를 단 한 번도 볼 수 없었다. 어쩌면 당연한 일 일지도 모른다.

3년 전 그날까지만 하더라도, 내게는 유메가 이 세계의 어디에선가 숨을 쉬며 꿋꿋이 살아가고 있을 거라는 확실하고도 강한 믿음이 있었다. 근데 아무래도 유메는 정말 존재하지 않는 것 같다.

유메가 정말 사라져 버리다니, 대체 하루코에게 무슨 일이 생긴 것인지 나로서는 영문을 알 수가 없는 일이다. 수인을 위해서 본인이 대신 희생하기라도 한 걸까, 아버지인 후지모토상의 실체에 대한 충격으로 스스로 목숨이라도 끊어버린 걸까, 아니면 또 다른 선택을 한 걸까. 그나마 다행인 것은 유메를 제외한 다른 주변사람들은 딱히 크게 변한 점이 없었다는 것이다. 태후만 빼고 말이다.

어째서인지 태후는 나를 더 이상 괴롭히려 들지도 않았고, 내게 말을 걸지도 않았다. 정확히 내가 시간여행을 마치고 난 시점부터였다. 처음엔 태후가 일부러 나를 모른 척하며 또 수상한 꿍꿍이를 숨기고 있는 것이 틀림없다고 생각했다. 가령 나의 아이디로 인터넷에 이상한 게시글을 올린다거나 하는. 그렇지 않으면 납득이 불가능한 일이었다. 태후는 오로지 나를 괴롭히는 재미로 스트레스를 푸는 모범생이었으니까. 그렇게 일주일, 한 달이 지나 중학교 졸업식이다. 순탄하지 못했던 중학교 생활을 힘겹게 겨우 버텨온 만큼 졸업을 하고 나면 나는 그저 속이 후련해질 줄로만 알았다. 하지만 그런 나의 예상을 비웃기라도 하는 듯이 나는 그 이후로 태후의 흔적조차 볼 수 없었고 소식조차 전해 듣지 못했다. 정말 찝찝하기 그지없는 결말이었다. 마치 질 나쁜 악동과 같이 상큼한 미소를 내게 지어보이고는 했던 태후. 아직도 졸업장을 볼 때면 태후에게 다시 한 번 말을 걸어보지 못한 것이 마음에 걸린다.

결국 나는 외고에 가지 못했다. 위안부였던 수인 할머니의 과거가 완전히 바뀌었으니 내가 한 봉사활동은 처음부터 존재하지 않았던 것이 되었고, 나는 당연하게도 봉사시간을 모두 다 채우지 못했다. 내신점수가 깎여 버린 건 물론이다. 그렇다고 다른 교과 성적이 아주 좋은 편도 아니었던 나는 외고에 지원 서류조차 내지 못했다. 나는 애초에 외고에 가고 싶은 마음이 전혀 없었기 때문에 딱히 아무런 미련도 남지 않았으나 단지 엄마가 문제였다. 엄마는 그 일로 한동안 나를 들들 볶으며 귀가 따가울 정도로 무서운 잔소리를 퍼부었다. 아르바이트하는 시간도 더 늘렸다. 고등학교에 온 이후로 성적이 자꾸 떨어지기만 하는 내 학원비를 벌겠다는 명목이었다.

그렇게 야자를 마치고 집에 돌아온 나를 오로지 반겨주는 것은 몇 년 전에 찍었던 가족사진 하나뿐이다. 화목하게 서로 팔짱을 끼고 있는 엄마와 아빠 사이에 환하게 웃고 있는 나, 이렇게 세 명이서 찍은 것이다. 예전에는 이 사진을 보면 그리운 마음이 앞섰다. 하지만 어째서인지 이젠 아빠를 보고 싶다는 생각조차 들지 않는다. 나보다 일을 더 좋아하는 것만 같은 엄마에게 질려버린 것인지 아니면 너무 빨리 돌아가신 아빠에 대한 소소한 원망 때문인지는 나 자신조차도 모르겠다.

나는 그저 유메가 보고 싶었다. 눈썹을 따라 자른 동그란 앞머리에 귀여운 보조개, 그리고 늘 유메에게서 풍기던 상큼한 레몬 향까지. 한국말과 일본어를 섞어서 쓰던 그 귀여운 말투도 내 귓가에서 자꾸만 아른거린다. 내 기억 속에서는 이렇게나 선명한데, 그런데 유메가 더 이상 이 세계에 존재하질 않는 인물이라니. 하기야 벌써 3년이나 지나버린 일이다. 나는 마지막으로 유메의 목소리를 들었던 그 아담하고 자그마한 골목으로 향했다. 은빛 회중시계의 요술과 신비로운 마법의 벽장. 바로 고달픈 현실에 지쳐버린 내가 유일하게 안식을 얻을 수 있는 장소.

이곳은 늘 많은 사람들로 붐비는 번화가가 아닌 조용한 주택가였기 때문에 바뀐 것은 거의 없었다. 다만 공허한 길바닥만이 져 가는 저녁노을을 거울처럼 반사하여 붉게 빛날 뿐이었다. 다정하면서도 아련한 추억들이 방울져서 공기 중을 뿌옇게 떠다니기라도 하는 듯이 나는 자연스럽게 과거를 회상했다. 골목이 시작되는 모퉁이에 자리 잡은 한 그루의 무성한 느티나무와 쪼르르 연달아 서 있는 키다리 전봇대 두 개, 그리고 나. 유령과도 같은 희미한 아지랑이가 새벽의 풀잎처럼 조심스럽게 일렁이던 모습을 떠올렸다.

그래, 유령 말이다.

'푸른 바람의 유령'이었던 유메는 정말 바람이 되어 사라져 버리기라도 한 것일까? 앙증맞고 귀여운 민들레 홀씨를 널리 퍼트리고, 전 세계를 자유로이 유람하는 바람이 비로소 된 것일까? 유메가 보고 싶은 마음이 커지고 또 커져서 결국엔 나를 집어 삼켜버렸다. 나는 유메를 좋아하는 그 마음을 아직도 전부 잊지 못한 것이다.

당장이라도 유메가 그 귀여운 목소리로 내 이름을 부르면서 반갑게 손을 흔들 것만 같은 느낌이 들었다. 그리고는 나를 꼭 껴안아 줄 것만 같았다. 유메는 내게 그동안 나타나지 못해서 미안했다고, 그동안 괜히 걱정만 시켜서 미안했다고, 말을 건네줄 것이다. 벌써 3년이나 지났으니 어쩌면 유메의 키가 몇 센티쯤 더 컸을지도 모른다. 어쩌면 통통한 볼의 젖살이 다 빠졌을지도. 하지만 그것들은 모두 나의 망상이고, 내 눈앞에 펼쳐진 것은 오직 텅 비어있는 거리뿐이다.

어쩌지, 마음이 너무나도 아프다. 슬픔이 내 연약한 마음을 자꾸만 갉아 먹어 나 자신을 아프게 했다. 마치 물에 온몸이 잠긴 듯이 숨을 쉬는 것이 괴로웠다. 급기야는 슬픔이 내 눈물샘을 비집고 흘러나와 격한 울분을 토해냈다. 세상과 나의 경계가 허물어지는 것처럼 시야가 흐려지고 눈물이 뺨을 타고 뚝뚝 흘러내렸다. 나는 눈물을 닦아내고 싶지도 않았다. 그렇게나마 나와 유메의 만남을 확실하게 기억하고 싶었다.

원작자와 각색자의 동의를 구해 학생들이 공연한
낭독극 대본을 싣습니다.

원작 / 김은진

각색 / 주혜자

등장인물

나레이션1(햇귀)

나레이션2(수인)

오햇귀   [현재/과거] 회중시계로 시간여행을 하는 중학생 소년

어린 수인   [과거] 조선인 하녀

하루코   [과거] 후지모토의 딸

태후   [현재] 햇귀를 괴롭히는 중학생 소년

수인 할머니   [현재] 나이 든 수인

선생님   [현재] 햇귀와 태후의 선생님

유메   [현재] 하루코의 손녀, 빵집 아르바이트생

무대

무대 앞 쪽에 낭독을 위한 나레이션 두 사람의 테이블과 의자.

한 쪽 테이블에는 나팔꽃 모양 스피커가 달린 축음기가 있고, 무대 뒤에는 벽장무늬의 병풍이 둘러져 있다.

배우들은 병풍을 뒤로 하고 자리에 앉아 있다.

#1. 첫번째 시간여행

오프닝 음악.

나레이션을 맡은 두 사람이 관객에게 인사를 하고 자리에 앉는다.

수인 할머니의 휠체어를 밀면서 등장하는 선생님.

선생님 오햇귀, 인사 드려야지.

햇귀 안녕하세요.

할머니가 햇귀를 향해 얼굴을 돌리자, 햇귀가 깜짝 놀란다.

햇귀 나레이션 (할머니 얼굴을 보고 깜짝 놀라며) 칼자국이다. 한쪽 귀에서 입까지 뺨을 두 동강 내듯

그어져 있는 칼자국. 무시무시하고 소름 돋는 상처다. 일본 사람들이 정말 이렇게 만든 거면 할머니께

사과해야 한다. 선생님이 말했던 피해라는 게 할머니 얼굴에 이 상처를 말하는 걸까. 위안소, 위안부

평소에 접하기 힘든 단어다. 할머니는 죽을 뻔 하다가 돌아온 게 틀림없다. 하지만 '일제강점기'라는 말은 아무리 들어도 가슴에 와 닿지가 않는다. 죽음이라면, 작년에 아빠가 돌아가셨으니 나한테도 생생한 일이긴 하지만 할머니가 당한 일은 아무리 생각해도 상상이 가질 않는다.

수인 할머니 내 인생이 왜 그렇게 되었을까. 평생 그게 수수께끼였어요. 키 큰 양반. 내 말 듣고 있어요?

햇귀 나레이션 나한테 하는 얘기인건가? 태후를 생각하면 나도 할머니와 똑같은 생각을 한다. 내 인생이 왜 이렇게 되었을까.

요란스럽게 태후가 등장한다.

선생님 쉿!

선생님이 태후를 조용히 시키면서, 할머니 가까이에 녹음기를 갖다 댄다.

수인 나레이션 군용선을 타고 두 달이나 갔어. 버마라는 멀고도 낯선 땅이었지. 우리가 도착한 데는 좁은 방이 스무 개쯤 있는 양옥집이었는데, 그 자리에서 한 아이가 도망치려고 했어. 일본군 장교가 그 애를 잡아서 두 팔, 두 다리, 목까지 자르는 걸 봤어. 허공으로 핏줄기가 솟아올랐는데, 그걸 보고는 아무도 도망칠 생각을 못했어. 오오, 잠깐만, 사……사……살려줘! 살려줘! 나 좀 살려줘!

선생님 할머니, 할머니! 할머니, 괜찮으세요?
태후 저것 봐봐. 저 할머니 정신이 이상한가봐…….

선생님이 태후에게 사나운 눈길을 보내며 수인할머니의 휠체어를 밀고 나간다.

태후 야 햇귀신, 너 쫄았지? 저 할머니 땜에 완전 쫄았지, 그지? 어이구~!

태후가 햇귀를 주먹질하며 겁준다.

햇귀 나레이션 가슴이 뛴다. 태후를 보느니 차라리 어디로든 사라지고 싶다. 잠깐! 숨을 곳이 생각났다. 지난번에 봤던 이 시계. 여전히 멈춰있다. 태엽을 감으면 시계가 돌아갈까? 시계를 살리면 내 운명이 달라질까? Race the clock. 시간과 싸워라. Race the clock, Race the clock…….

시간여행하는 소리.
수인이 햇귀에게 부딪히며 등장한다.

수인/햇귀 (동시에) 아아야! 뉘…… 뉘기요? 누구세요?

수인 누구긴 누구야. 난 현수인! 현수인이야. 어, 그 시계는 하루코 거인데! 너 도둑이네? 갑자기 어디서 나타났네? 날래 말하지 않으믄 경찰서에 신고 하갔어!

햇귀 아, 예. 죄송합니다. 그럼, 이만!

인사를 하고 나가려던 햇귀가 길을 헤맨다. 창밖을 보고 길을 훑어 보며 놀랜다.

햇귀 나레이션 잠깐, 골목이 달라졌다. 빌라도 없고 전봇대도 이상하다. 뭔가 공간들이 낯익으면서도 너무나 낯설다. 납작한 기와집과 초가집들, 영화 세트장인가? 집 전체가 젊어진 분위기다. 소녀에게 여기가 어딘지, 지금이 몇년인지 물었다.

수인 어데긴 어데네, 경성! 쇼와 15년! 으아, 후지모토상이 올 때가 됐어.

괘종소리

햇귀 나레이션 영화 엑스트라 같은 옷을 입은 소녀에게 쫓겨 벽장으로 들어갔다. 벽장, 시계, 노래. 이것들이 얽히는 순간 붉은 벽돌 이층집은 젊어지고 거리는 옛날 풍경으로 변했었다. 다시 태엽을 감아본다. 그리고 마법의 주문. Race the clock…… Race the clock…….

시간여행하는 소리. 다시 현재로 돌아온 햇귀.

햇귀나레이션 집으로 돌아와 사이버 지식인들에게 '쇼와'에 대해 물어봤다. 쇼와15년은 서기1940년. 말도 안돼! 누가 내 말을 믿어줄까. 아! 유메, 유메가 있다.

유메가 등장한다.

유메 하이 해키꿍!

유메가 햇귀에게 빵을 건낸다.

햇귀 나레이션 유메는 경성에 살던 할머니가 남긴 유언 때문에 한국에 왔단다. 할머니의 아는 언니, 오네상에게 할 말이 있어서. 경성이라…… 나도 돌아오지 않고 그냥 1940년의 경성에 살 수 있다면 좋을 텐데…….

유메 해키꿍, 우린 언제나 현실로 돌아와야 해요. 우린 현실의 사람이니까요.

햇귀 나레이션 '늑대는 어디에나 있다. 도망쳐도 또 만나게 된다. 한번 도망치면 영원히 도망치게 된다.' 유메가 한 말이다. 그런데 일본인인 유메 할머니가 조선인 언니한테 전하는 말은 뭐였을까?

유메 (자리에서 일어나서) 고멘나사이, 고코로카라

#2. 수인의 시간

학교종소리. 하루코가 울면서 뛰어 들어오고 그 뒤에 수인이 따라온다.

수인 나레이션 경성의 모든 학교가 겨울방학을 앞두고 있었다. 하루코가 혼자 울고 있던 방. 나는 따뜻한 물수건을 건넸다.

수인, 하루코의 눈물을 닦아준다.

하루코 차라리 고아였으면 좋겠어.

수인 나레이션 하루코는 요즘 부쩍 내게 말을 붙이곤 했다. 더 이상 조센진이라고 부르지도 않았다. 하지만 이런 극단적인 말에는 뭐라고 대꾸하기 힘들었다. 하루코는 아버지 후지모토상이 조선인을 관리하며 열심히 일하기 때문에 존경한다고 했다. 나는 후지모토상이 우리 아바디에게 한 일을 말하고 싶었지만 말 대신 꺼이꺼이 통곡하고 말았다.

기차소리. 눈물을 훔치고 수인이 벌떡 일어난다.

수인 나레이션 경성역. 지금이라도 당장 뛰어가서 기차를 타고 집으로 돌아갈 수 있다면…….

하루코 오–네–상.

수인 나레이션 하루코는 언제부턴가 아무렇지도 않게 나를 언니라고 불렀다.

수인이 하루코의 머리를 쓰다듬는다. 거리의 소음.

수인 나레이션 헌책 노점상 한씨 아저씨는 고난의 한가운데 있을수록 우리에겐 환상이 필요하다고 했다. '그 환상을 아편으로 사면 아편쟁이가 되고, 돈으로 사면 수전노가 될 것이다. 하지만 우리는 우리의 이야기로 환상을 사자. 즐거운 이야기꾼이 되는 게다.' 한씨 아저씨는 시나리오를 쓸 거란다. 그렇다면 나 또한 오시이레 속에서 숨죽여 노래하는 수밖에. 숨죽인 것은 나뿐만 아닐 게다. 게다가 전쟁의 소용돌이는 점점 거세게 몰아쳤다.

#3. 두번째 시간여행

쾅소리와 함께 머리를 붙잡는 수인. 이어 햇귀도 머리를 잡고 등장한다.

수인 아이구, 오마니!
햇귀 미⋯⋯ 미안합니다. 미안합니다!
수인 아니, 이 사람이! 아! 당신은 그 때 그 수상한 스나이!
햇귀 맞아요, 맞아.

햇귀 나레이션 수인할머니가 날 기억해주다니! 너무나 반가웠다. 그렇다면 이쪽은 하루코, 정말 유메랑 똑같이 생겼다.

하루코 에? 내 이름을 어떻게?

햇귀 믿기지 않겠지만 난 미래에서 왔어요.

수인 나레이션 스나이는 하루코의 회중시계가 타임머신 역할을 했단다. 나의 사소한 비밀까지 다 알고 있다는 것에 놀라 그 스나이에게 전쟁이 언제 끝나는지 나는 미래에 가수가 되는지도 물어 보았다.

햇귀 나레이션 곤혹스럽다. 미래의 수인은 가수가 되지 못한다. 그 대신 감히 감당할 수 없는 사건들이 기다리고 있다. 그 비극을 어떻게 말로 전할 수 있을까.

햇귀 나레이션 하루코, 수인이와 나 셋이서 동물원이 되어버린 창경궁에 갔다. 일제 강점기에 일본이 조선왕실을 욕보이기 위해 연못을 파고 온갖 동물을 데려다 유원지로 만들었다는 얘기는 선생님께 들은 적 있다. 하마, 코끼리, 호랑이, 하루코가 좋아하는 웃는 새도 보러갔다. 저번에는 웃지 않아서 실 망했단다. 이번에는 자신이 꼭 웃길 거라는데…….

관객 쪽에 있는 새 한마리를 웃기기 위해 하루코가 원숭이, 오리 흉내를 내며 웃긴 몸짓을 한다. 수인도 도 전한다. 햇귀가 그 모습을 보고 웃음을 터트리다가 몸개그에 합류한다.
새의 웃음소리. 다들 신나게 웃어댄다.

햇귀 나레이션 난 3학년이 되고 웃어 본 기억이 없다. 언제나 헤헤거리지만 진심으로 웃은 적은 없 다. 늘 겸연쩍어서 미안해서, 민망해서 웃는 게 다였다. 하지만 지금 이 웃음은 진짜다. 먹지 않았는데 뱃속이 든든하고 가슴에서 탄산이 톡톡 터지는 것 같다. 그래, 유메도, 하루코도, 수인도 아니, 수인할 머니도 내가 구해내야 한다. 하루코는 아버지의 만행을 믿으려 하지 않을 것이다. 후지모토는 몇 번이 고 위안부 모집에 협조하는 편지를 쓸 것이다. 태후는 비교도 안되는 잔인한 인간, 아니 늑대들이다. 어쩌면 여기야말로 늑대들의 소굴이다. 숨이 끊어질 때까지 쫓고 또 쫓는 늑대들이 이 시대를 점령하 고 있다. 그렇다면, 수인할머니를 구할 수 있는 방법은…… 할머니가 말씀하지 않으신 그 날의 일을 들어보면 할머니를 구할 수 있을까. 미래로 가야한다. 가서 수인할머니의 이야기를 들어야 한다. 돌아 가면 태후가 주먹질하며 달려들겠지만, 왠지 겁나지 않는다. 난 푸른 늑대의 파수꾼! 돌아가서 내가 할 일을 끝까지 해내야 한다. 시간여행을 위해선 회중시계와 소녀 수인이의 노래가 필요하다. 나는 다 시 돌아올 때를 대비해서 수인에게 오시이레에서 자주자주 노래를 불러달라고 했다.

햇귀와 수인이 눈빛을 교환하며 주먹을 꽉 쥔다.

햇귀 나레이션 걱정마요, 꼭 다시 돌아올게, 반드시. 우린 꼭 들어야 할 말이 있으니까.

전체 '푸른 늑대의 파수꾼!' 우린 우리의 운명을 바꿀 수 있을까?

누군가에게
파수꾼이 되어 준다는 것

내가 누군가의 '파수꾼'으로 나오는 장면 하나

체육 잘하는 **김서현**(1학년)

뭐, 살다가 한번 비둘기가 차에 치이는 것 막아주는 것으로 도와줄 수 있겠지, 하고 생각은 해봤는데, 내가 이렇게 내 친구를 도와줄지는 생각하지 못했다. 지금까지 나는 그저 평범한 아이였다. 공부를 썩 잘하지도, 썩 못하지도 않고, 수업시간에는 얌전히 앉아있고, 학원 갈 시간이 되면 학원에 가는 그저 그런 평범한 아이였다. 그러나, 한 가지 평범하지 못한 점이 있다면 친구가 없다는 것이었다. 반 친구들, 학교 친구들 말고, 내 속마음과 내 이야기를 털어놓을 그런 친구가.

어느 날, 여느 때와 같이 한가롭게 교실 창밖을 쳐다보고 있었다. 교실의 한 구석에서 들려오는 둔탁한 소리. 일상이었지만, 그날만큼은 무언가 일상처럼 생각되지 않았다. '저 친구에게 말이라도 걸어볼까?' 하는 생각이 들었다. 그런 생각을 하고는 다시 세차게 고개를 저으며 내가 오히려 당할 수 있다고 생각하고 창밖을 쳐다보았다. 하지만, 어느새 나는 그 친구를 향해 다가가고 있었다. 그리고, 우리는 이야기를 나누었다.

그 친구는 나와 닮은 점이 많았다. 하지만 나보다 더 많은 상처를 가진 것 같았다. 나는 그저 내 부끄럼이 많은 성격 때문에 친구가 없는 것이었지만 그 친구는 부끄럼 많은 성격뿐만 아니라 다른 친구들로부터 매일 같이 학교폭력을 당하고 있었다. 그 친구는 가끔 이 세상에서 연기처럼 사라지고 싶다는 생각이 들 정도로 힘들었다고 한다. 학교폭력을 당하기 전, 학교 폭력 예방 교육을 받을 때까지만 해도 '설마 폭력을 당했다고 자살까지 해?' 또는 '나는 학교폭력이 일어나면 바로 선생님한테, 부모님한테 다 말할 거야.' 하고 생각했다고 한다. 그러나, 막상 폭력을 당하고 보니, 부모님이나 선생님에게도 말을 못하고 감추게 되고, 마침내 자살을 생각했다고 하였다. 하지만, 나에게 모든 걸 털어 놓으니, 폭력이 두렵기는 하지만, 사람들의 시선이 두렵지는 않다고, 답답하고 눈물로 가득했던 마음이 후련해졌다고 한다. 그리고 나보고 내가 자신의 삶의 파수꾼과도 같다고 했다.

그날 이후, 나는 생각이 많아졌다. 내가 누군가에게 파수꾼이 되다니…… 생각해보면 정말 우스운 일이었다. 하지만, 그 사건 이후로, 나는 물론 그 친구에게도 많은 변화가 생겼다. 우선 나는, 자신감이 생겼다. 부끄러움이 사라지고, 먼저 친구들에게 다가갔다. 지금은 친구들의 고민에 귀 기울이면서 많은 친구들의 파수꾼이 되고 있다. 그리고 그 친구는 자신을 믿어주는 친구가 있다는 생각에 용기를 가지고, 어른들로부터 도움을 받아서 일을 잘 해결했다고 한다. 딱히 세상에 필요한 아이가 아니라고 생각했던 내가, 내 친구를 변하게 하고, 이로 인해 내가 변한 것이 믿어지지 않는다. 누군가를 도와주고 누군가에게 파수꾼이 되어준다는 것은 정말 멋있는 일인 것 같다.

소중한 벗의 죽음

살아오면서 가장 충격적이거나 슬픈 죽음을 맞이한 장면 하나

알파카를 좋아하는 **이유빈**(3학년)

이 배에 오른 지도 거의 일주일이 다 되어 가고 있었다. 일자리를 준다는 말에 홀려 아무 생각 없이 배에 올랐는데, 어디로 가는지 말도 해 주지 않고 일주일째 바다 위만 지나고 있다. 그러던 어느 날 내 벗 수인이 말했다. "우리는 일자리를 얻으러 가는 것이 아니야. 내가 우연히 일본인들이 이야기하는 것을 들었는데, 우리는 일본군 강제 '위안부'로 끌려가는 거야. 일자리를 주는 것이 아니라면 난 집으로 돌아가겠어" 수인은 일본인 장교에게 따지러 가겠다며 사라졌고 그 이후 수인이를 볼 수 없었다.

위안부.

어디선가 들어 본 말이었다. 분명 어머니가 말씀해주셨던 것이었다. 어머니께서는 "일본군들이 요즘 조선의 어린 소녀들만 강제로 데려다가 자신들의 성 노예로 삼는다는 소문이 돈단다. 낯선 사내 따라가지 말고 항상 조심해야 한다"고 하셨다. 그때는 아무렇지 않게 그 말을 흘렸는데, 이제 와서 생각해보니 맞는 말이었다.

애초에 여기 오면 안됐었다. 일자리를 준다는 말에 무작정 모르는 사내를 따라 온 것이 잘못이었다. 그를 따라 배에 오른 후 매일매일 일본인들에게 매질을 당

하고, 욕을 들으며 하루하루를 보냈다. 그래도 일자리를 얻을 수 있다는 생각에 열심히 버텨왔는데, 일본군 위안부라니. 하늘이 무너져 내리는 것 같았다.

수인이 사라지고 나서 정확히 일주일 후였다. "죽었어……."라고 누군가가 말했다. 소리가 들린 쪽으로 가 보니 한 여자아이가 죽어 있었다. 얼굴이 잘 안 보여 아이들에게 물어보니 일주일 전에 사라진 아이라고 말해주었다. 나는 온몸이 굳어버리고 다리에 힘이 풀렸다. 일주일 전에 사라진 아이라면 수인밖에 없었다. 너무 놀라 아무 말도 하지 못하고 아이들이 모여 있는 쪽으로 다가가, 죽은 아이의 얼굴을 보았다. 심하게 매질을 당해 얼굴이 퉁퉁 부어 알아보기 힘들었지만 분명 수인이었다.

수인은 이 배에서 유일한 내 벗이었다. 매일 밥도 제대로 못 먹고, 배 한쪽 구석에 쳐박혀서 일본인들에게 매질을 당하면서도 잠들기 전 잠깐 수인과 이야기하며 서로의 속마음을 털어놓는 것으로 고통을 견딜 수 있었다. 그런 수인이 지금 배 한쪽 구석에서 처참한 모습으로 죽어있다. '난 이제 이 지옥에서 어떻게 버텨야 하지?' 라는 생각이 가장 먼저 들었다. 수인의 죽음으로 아이들이 소란스럽게 굴자 일본군인들이 우리를 창고에 가두고 문을 잠궜다.

깜깜한 창고 안에서 수인의 얼굴을 머릿속으로 계속 그려 보았다. 내가 16년동안 살아오면서 처음 겪은 소중한 사람의 죽음이었다. 그렇기에 더 충격적이었고 믿을 수가 없었다. 그날 저녁 나는 '이게 다 꿈이면 좋겠다. 깼을 때 옆에 사랑하는 가족들과 내 벗 수인이 있었으면 좋겠다…….' 고 생각하며 잠들었다.

부산의 민주주의 현장을 엿보다

우리는 부산지역 민주주의 현장탐방을 계획하여 이곳저곳을 알아보았다. 마침 민주공원에서 주관하는 '청소년 민주주의 현장 탐방'이라는 프로그램이 있어 얼른 신청하였다. 우리가 가고자 하는 장소가 다 포함되어 있고 무엇보다 문화해설사님의 설명을 들을 수 있어 좋은 기회였다. 전세버스가 우리를 태우러 학교에 온다는 말에 7월의 땡볕 더위를 걱정하던 동아리 친구들은 환호하였다. 우리는 기말고사 시험을 마치고 편한 옷으로 갈아입고 도서실에서 사전 오리엔테이션을 받았다. 민주공원에서 제작한 활동 워크북을 받고 오늘 탐방하는 장소에 대한 간단한 안내와 주의사항을 들었다. 학교에서 출발하여 백산상회(현 백산기념관), 부산근대역사관, 보수동책방골목(중부교회, 양서협동조합 터), 가톨릭센터, 민주공원, 평화의 소녀상을 탐방하는 일정이다.

백산 안희제와 백산상회(현 백산기념관)

백산 안희제 선생님(1885~1943)은 일제의 탄압에 맞서 민족교육, 민족기업 육성, 항일언론 등의 활동을 국내·외에서 한 민족독립 운동가이다. 그가 세운 백산 상회는 1914년 무렵 설립되어 일제에 의해 1928년에 해체되었다. 백산 안희제 선생님과 독립운동가 안용환, 경주 최씨 부자였던 최준 선생님이 독립운동가와 연락망을 확보하고 대한민국 상해임시정부 기관지 〈독립신문〉을 국내에

보급하고 임시정부에 독립운동자금을 전달하기 위한 독립운동 기지로 설립하였다. 안중근, 유관순, 윤봉길은 초등학교에부터 알고 있었지만 정작 부산에서 활동했던 독립운동가에 대해 너무 모르고 있었다는 생각이 들었다.

백산기념관은 백산상회가 있던 터에 세워졌다. 삼각형 모양의 입구를 지나 계단을 내려가 전시실에 들어가면 가장 먼저 백산 안희제 선생님의 동상이 보인다. 그렇게 백산 안희제 선생님의 동상을 지나 전시실 안으로 들어가면 국권회복 운동을 전개하기 위한 교육구국운동 관련 자료나 비밀결사단체 활동 관련자료, 백산선생님의 출생과 성장, 백산선생님이 사용하던 도장, 백상상회 광고 등을 직접 볼 수 있다.

겉으로 영리를 목적으로 하는 백산상회를 운영하고 있으면서 임시정부에 독립자금을 대었던 백산 안희제 선생님. 광복 후 대한민국임시정부 주석이었던 김구 선생님이 귀국하여 최준 선생님을 만났다고 한다. 김구 선생님은 최준 선생님에게 낡은 장부를 보여주었는데 그동안 자신이 안희제 선생님을 통해 전해준 독립운동자금이 한 푼도 빠짐없이 기록되어 있었다고 한다. '노블레스 오블리주'를 몸소 실천한 경주 최부잣집 최준 선생님과 신의와 나라사랑하는 마음을 목숨처럼 소중하게 생각한 안희제 선생님이 정말 존경스럽다.

동양척식주식회사가 부산근대역사관으로

지금의 부산근대역사관은 1929년 동양척식주식회사 부산지점으로 사용되기 시작하였고 1945년 부산에 도착한 미군의 숙소로 이용되다가 1949년부터 1996년까지 미국 유학 등에 관한 정보를 제공하고 미국 문화를 알리는 미국 문화원으로 사용되었다. 미국문화원으로 사용될 당시 광주민주화운동과 독재정

권 비호에 대한 책임을 물어 방화사건과 여러 시위들이 일어났던 장소이기도 하였다고 한다. 2003년 지금과 같은 부산근대역사관으로 모양을 갖추었다. 동양척식주식회사라는 말은 초등학교 5학년 역사시간에 들어보던 말인데 실제 보는 것은 처음이다. 동양척식주식회사는 1908년 일본 제국주의의 식민지 수탈기구로 조선의 토지와 자원을 빼앗기 위해 설립된 회사로 서울에 본점을 두고 주요 도시에 9개의 지점을 세웠다. 이 회사는 조선으로부터 쌀을 안정적으로 공급받고 일본 농민을 구제하려는 목표를 지니고 있었다. 조선인에게는 토지를 빼앗기고 곡식을 수탈당하는 아픔을 겪어야 했던 원망어린 장소였다.

일제시대 건물이라 그런지 부산근대역사관으로 들어가는 입구 문이 굉장히 작았다. 해설사 선생님께서 그 이유가 많은 사람들이 출입을 못하도록 하기 위해서라고 했다. 즉 밖으로 새어나가서는 안되는 정보를 다뤘다는 뜻이다. 광복 후 미국이 무상으로 사용하기 전, 원래의 동양척식주식회사는 2층 건물로 높은 1층과 2층을 가졌는데 미국이 사용하면서 1층을 반으로 나누어 3층으로 만들었다고 한다.

길 위에서 역사를 배우다

그 중에서 부산의 근대거리를 재현한 것이 마치 과거로의 시간여행을 온 것 같은 느낌을 주어 인상 깊었다. 금융기관과 병원, 양조장, 가구점, 일본식 과자점, 세탁소, 정미소 등이 부산의 근대 거리에 있었다. 전차 모형도 함께 전시되어있었는데 선생님께선 군인들이 행진을 하기 위해서 전차가 거리 옆 한쪽에 있었다고 설명을 덧붙이셨다. 하지만 대부분의 상점은 일본인들이 경영하였고 각종 근대적 시설들도 일본인들을 위한 것들이 많았다.

보수동 책방골목과 부산중부교회, 그리고 양서협동조합

보수동 책방골목은 일제 강점기 일본인들의 밀집 거주지였다. 해방 후 일본인들이 버리고 간 책들이 많았고, 주민들이 그 책들을 모아 팔기 시작하였다. 한국전쟁 당시 부산으로 피난 온 학교들이 임시 교사를 세워 이 길은 학교 학생들의 등하교 길이 되었다. 자연스럽게 책을 팔고 사는 골목이 조성되었을 것이다.
우리는 비를 피하기 위해 부산중부교회 옆에 앉아 설명을 들었다. 부산중부교회는 민주화운동의 중심지라고 하셨다. 서울에서 내려오는 민주화를 염원하는 유인물이 부산중부교회를 통해 부산에 배포되었다는 것도 알았다.

그리고 옛 양서협동조합 터에 갔다. 양서협동조합은 소비자 협동조합 운동, 시민 문화운동, 민주화 운동이라는 세 가지 성격을 갖고 있다. 사진에 보이는 2층에서 독서모임을 하며 민주화의 염원을 품었다고 한다. 1979년 부마민주항쟁이 발발하자 계엄 당국이 양서협동조합을 배후로 의심하여 강제로 해산시켰다. 영화 「변호인」에 나오는 대학생들의 독서모임 장면이 떠올랐다. 우리는 이곳 1층 가게에서 아이스크림을 사먹으며 더위를 쫓고 다음 장소로 향했다.

가톨릭센터

가톨릭센터는 1982년 개관하였고 천주교 부산교구가 운영하는 문화센터이다. 당시 민주화 투쟁 중 전투경찰의 폭력에 밀리게 된 시민과 학생들이 여기 가톨릭센터에 들어가 시위를 이어나갔다. 그리고 '5·18 민중 항쟁 전시회'가 이곳에서 개최되어 그간 5·18 항쟁의 진상을 알지 못했던 부산 시민에게 엄청난 충격을 안겨주면서 부산의 6월 민주 항쟁에 큰 영향을 미쳤다. 또한 1987년 6월 민주 항쟁 중 도심을 향하는 수 만 명의 시위대가 가톨릭 센터 앞을 지나 투쟁 의지를 다지기도 하였다. 이렇게 가톨릭센터는 항쟁의 지도부를 보호하는 방패막이며 6월 민주항쟁의 상징이다. 양서협동조합이나 중부교회, 가톨릭센터는 자칫 지나치고 갈 장소였다. 이번 탐방을 통해 부산에 남겨진 근대역사를 새롭게 알게 되었다.

민주공원

민주공원은 민주주의 체험교육장이며 복합문화공간이다. 우리 학교에서 멀고 꼬불꼬불한 길을 지나 위쪽에 자리 잡고 있어 이런 기회가 아니면 오기 힘든 장

길 위에서 역사를 배우다

소였다. 우리는 부산지역 민주화 운동 사 영상을 보고 전시 공간을 둘러보았는데 굉장히 감명 깊었다. 민주화 운동을 했던 선배님들이 존경스러웠다. 민주화 운동을 하다 갇힌 분들이 들어가는 감옥에도 들어가 보았는데 정말 답답하고 좁아보였다. 지금껏 우리가 자유롭게 사는 것을 당연하다고 생각하며 살아왔다. 새삼 그건 다 민주화를 바라는 많은 사람들의 염원과 희생 덕분이라는 것을 다시 깨달은 시간이었다.

우리는 다 같이 헌법 제 1항 1조를 읽었다. "대한민국은 민주공화국이다. 대한민국의 주권은 국민에게 있고, 모든 권력은 국민으로부터 나온다." 이 문장을 읽는데 왠지 모르게 가슴이 벅차올랐다. 2층 늘펼쳐보임방(상설전시실)에서는 1960년 4·19 혁명, 1979년 부마민주항쟁, 1980년 5·18 민주화 운동, 1987년 6월 민주항쟁, 촛불시위에 관한 자세한 설명이 있었다. 옛 양서협동조합을 그대로 재현한 공간에 잠시 앉아 생각에 잠기기도 했다.

민주공원은 인간 존엄과 민주화 노력에 온 힘을 기울인 부산시민의 숭고한 정신을 기리고 민주주의를 표상할 수 있는 공간으로 조성되어 있다. 민주주의 가치와 정신을 만날 수 있는 곳이기도 하다. 시간이 없어 찬찬히 둘러볼 수 없어서 아쉬웠다. 다음에 꼭 다시 와야겠다는 생각을 하며 오늘의 마지막 장소로 이동하였다.

일본 영사관 앞 평화의 소녀상

초량 일본 영사관 앞에 있는 평화의 소녀상을 보러 갔다. 부산에는 현재 부산어
린이대공원에 힘차게 서 있는 소녀상과 이곳 일본 영사관 소녀상이 있다. 일본
영사관 담은 높아 보이지 않았고 앞에는 경찰들이 서 있었다. 평화의 소녀상은
일본군 강제 '위안부' 피해자들을 기리고 올바른 역사 인식을 확립하기 위한 예
술 조형물이다. 2015년 굴욕적인 한일 '위안부' 합의가 있었고 피해 할머니들을
비롯한 시민들의 저항이 일어나면서 부산시민들이 일본 영사관 앞 소녀상 세우
기 운동을 적극적으로 벌여 나갔다. 부산시민들의 모금과 힘으로 소녀상을 설치
하여 한일 합의 반대 의지를 보여주었다.

이 소녀상에는 여러 의미가 담겨 있다. 소녀상의 맨발과 발꿈치가 들려 있는 모
습은 고향에 돌아와도 편히 정착하지 못한 할머니들의 상황을 표현하였다. 옆
에 관람객이 앉을 수 있는 빈 의자는 돌아가신 피해자들의 자리이며, 동시에 누

길 위에서 역사를 배우다

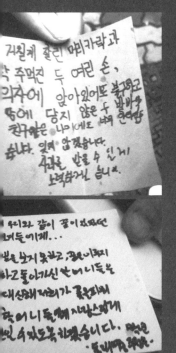

구든 나란히 앉아 함께 하자는 연대의 의미이다. 소녀상의 꽉 쥔 주먹은 일본 정부의 진심 어린 사과를 받아내겠다는 의지의 표현이고 거칠게 잘린 머리카락은 부모와 고향으로부터 강제로 단절된 것을 상징한다. 소녀상 어깨에 앉아있는 작은 새 한 마리는 살아있는 할머니와 먼저 떠난 피해자들을 있는 가교이다.

말로만 듣던 평화의 소녀상을 직접 보니 감회가 새로웠다. 빈 의자에 돌아가며 앉아 사진을 찍으며 소녀와의 만남을 카메라에 담았다. 옆에 있는 작은 우체통에 일본군 강제 '위안부' 할머니들과 그 당시 소녀에게 하고 싶은 말을 써서 넣었다. 평화의 소녀상을 보는 것을 마지막으로 탐방을 마쳤다.

후덥지근한 날씨에 비까지 내려 지치고 힘들기도 했지만 정말 뜻 깊은 시간을 보낸 것 같아 좋았다. '알면 보이고 보이면 사랑하게 되나니' 라는 말에 고개가 끄덕여지는 하루였다.

글 /
항상 치킨을 먹고 싶은 **박나현**(2학년)
배진영을 보고 싶은 **이송학**(2학년)
임영민을 보고 싶은 **전지현**(2학년)
뉴이스트를 좋아하는 **지해인**(2학년)

창비청소년문고 3

창비청소년문학 51

그 여름의 서울

이 현 장편소설

중앙청에 새로운 깃발이 내걸렸다.
붉은 바탕에 별 하나가 새겨진 인공기였다.
일장기에서 성조기를 지나 태극기를 거쳐
또 한 번 주인이 바뀐 것이다.
주인이 바뀐 세상은 낮과 밤보다도 판이하게 모습을 바꾸었다.

창비

세 번째 그날들

3

1950,
그 여름의 한반도를
기억하다

1950, 그 여름의 한반도를 기억하다

쥬히로 개명하고 싶은 **송주희**(1학년)

1950년 우리 한 민족을 갈라 놓은 가슴 아픈 전쟁 한국전쟁을 아시나요? 〈그 여름의 서울〉은 한국전쟁 당시의 10대 청소년들의 이야기를 그린 책입니다. 친일파, 인민군, 국군으로 나눠진 어른들. 어른들을 따라 나누어져야 하는 아이들.

친일 지주 집안의 아들로 최고의 수재이지만 아버지에게서 정신적 독립을 원하며 공산주의자가 된 황은국과 조선의용군 출신의 부모에게서 태어나 공화국 최고의 명문 학교인 만경대를 다니는 고봉아. 그들을 중심으로 친구들 사이의 갈등과 우정을 그리고 있습니다. 인물들을 통해 당시 사람들의 삶과 생각도 엿볼 수 있습니다.

〈그 여름의 서울〉은 한국전쟁 당시 사람들의 심리를 잘 풀어 우리에게는 역사가 아닌 아직 일상이라는 현실감을 느끼게 해주었습니다. 당시 시대에 살고 있는 것 같은 생동감으로 역사에 대해 잘 모르는 우리에게 감동과 교훈을 주었습니다.

그 여름의 서울

인문학 동아리에서 함께한 줄거리 릴레이 말하기, 인물 정보 분석, 피라미드 토론, 가치 수직선 토론, 전체 토론 등 다양한 토론 활동 및 인물에게 인터뷰하기 활동으로 책에 대한 의견을 여러 방면으로 나누며 생각을 트이게 할 수 있었습니다.

과연 한국전쟁은 누구를 위한 전쟁이었을까요? 공산주의는 틀린 것이었을까요? 지금부터 아픈 우리의 역사 속 또래 친구들이 만들어가는 이야기 속으로 들어가 봅시다.

시대
읽기

한국전쟁을 이야기하려면 1945년으로 거슬러 가야 한다. 1945년 8월 제 2차 세계 대전에서 일본이 패망하면서 우리 민족은 1945년 8월 15일 광복을 맞이하였다. 한반도는 일본군의 무장해제를 이유로 미국과 소련에 의해 북위 38도를 경계로 각각 38도선 이남과 이북이 분할 점령된다. 이제 미·소에 의해 남북으로 나누어진 것을 극복하고 한반도에 어떤 정부, 국가를 수립할 것인가가 역사적 과제로 등장한다.

1945년 12월 모스크바 3국 외상 회의는 한국에서 우선 임시 민주주의 정부를 수립하고 그 후 신탁통치● 문제를 협의할 것이라고 발표하였다. 이 발표에 따라 임시 민주주의 정부 수립을 의논하기 위하여 미소공동위원회가 1946년, 1947년 두 차례 열렸으나 결렬되었다.

미국은 한국 문제를 유엔으로 가져갔다. 1947년 11월 14일 유엔 총회는 유엔 감시하의 남북 총선거안을 결의안으로 채택하였으나 소련의 거부로 이루어지지 못하였다. 유엔 소총회는 선거가 가능한 지역에서라도 선거를 실시하도록 결정을 바꾸었다. 1945년 5월 10일, 남한에서는 유엔 한국 임시 위원단의 감시 아래 남한만의 총선거를 실시하였고 8월 15일 대한민국 정부가 수립되었다.

이를 빌미로 북한에서도 1948년 8월 25일 최고 인민 회의 대의원을 선출하고 이어서 9월 9일에는 조선 민주주의 인민 공화국 수립을 선포하였다.

이제 한반도는 두 개의 정부, 두 개의 국가로 분단된 것이다. '분단'을 사전에서 찾아보면 '동강이 나게 끊어 가름'이라고 나온다. 한반도는 두 개의 국가로 끊어지고 갈라진 것이다. 그리고 2년 후 1950년 6월에 '통일'을 명분으로 내건 북한

● 신탁통치란 국제 연합(UN)의 위임을 받은 나라가 자치 능력이 없다고 판단한 지역을 일정 기간 통치하는 것을 말한다.

의 남침으로 한국전쟁이 시작되었다. 감격적인 해방은 분단과 전쟁의 비극으로 이어진다.

남북에 각각 정부가 수립된 이후 남과 북의 대결은 갈수록 심화되었다. 북한군은 소련과 비밀 군사 협정을 체결하고 각종 군사적 지원을 약속 받았다. 남한에서는 미군이 철수하였고, 이듬해 미국이 태평양 방위선에서 한국과 타이완을 제외한다는 에치슨 선언을 발표하였다. 1950년 6월 25일 북한군은 38도선 이남으로 남침하였다. 북한군은 우세한 전력으로 남침한 지 3일 만에 서울을 점령하고 계속 남하하였다. 이승만 대통령은 대전에서 "우리가 이기고 있으니 안심하고 있으라"는 방송을 저녁 9시에 서울중앙방송국을 통하여 내보냈다. 이 방송을 듣고 안심한 시민들은 서울에 남았다. 그러나 이즈음 정부 주요 인물들은 대개 서울을 빠져나간 뒤였다. 다음 날인 28일 새벽 북한군의 남진을 저지한다는 이유로 한강 인도교와 광진교 등 다리들을 폭파했다. 이로 인해 피란민들이 한강 이남으로 피난할 길이 끊어진 것이다.

28일 무렵부터 서울은 북한 인민군들에게 점령되었다. 이것은 9월까지 계속된다. 9월 15일 국군과 유엔군은 인천상륙작전으로 9월 28일 서울을 되찾았다. 피난을 가지 못하고 서울에 남은 시민들은 인민군에게 협조한 부역자●● 라고 하여 많은 고통을 당하기도 하였다.

10월 1일 유엔군은 삼팔선을 지나 북쪽으로 압록강까지 진격하였으나 중공군의 참전으로 후퇴하고 1951년 1월 4일 다시 서울을 내준다. 이것이 1·4후퇴이다. 전열을 재정비한 국군과 유엔군은 3월 다시 서울을 되찾는다. 이후 전쟁은 38도선 부근에서 치열하게 전개되었다. 휴전 회담이 시작되고 포로 교환 방법과 휴전선의 위치 선정 방식을 놓고 지루한 회담이 계속 되었다. 휴전 회담이 진

●● 부역자란 국가에 반역이 되는 일에 동조하거나 가담한 사람을 일컫는다

행되었던 2년 동안 조금의 땅이라도 더 차지하기 위해 치열한 전투를 벌여 많은 군인이 목숨을 잃었다. 한국전쟁은 동족상잔의 비극일 뿐만 아니라 남북한 모두에게 엄청난 인적·물적 피해를 입혔다. 1953년 7월 27일에 남북한은 휴전협정에 합의하여 전쟁을 중단하였다.

작품 읽기

한국전쟁을 청소년의 시점에서 바라보면서 알려주니 좀 더 사실적이고,
내가 거기 있었으면 어땠을까 하는 생각이 들어 몰입되었다.

★★★★☆ 책 읽는 동안 재미있었고, 예전에 친했던 친구들이 인민군과 국군 쪽으로
나뉘어 서로를 적대적으로 대하면서도 챙겨주는 것이 흥미로웠다.

– 전영진 (3학년)

하나의 조국 아래 상반되는 사상을 가진 채로 다투는 아이들이 꽤히
슬프게 보였다.

★★★★★ 한국전쟁이라는 소재를 새롭고 신선한 시점에서 바라본 책이어서이다.

– 나예조 (3학년)

한국전쟁 한복판의 광경을 청소년의 시선으로 그리고 마을 사람이 꿈꾸는
날에 대해 소설로 알리는 게 좋았다.

★★★★★ 그 당시 마을 사람들이 겪었던 힘들었던 부분, 동네의 실상, 전쟁의
참혹함이 담겨 있어서 인상 깊었다.

– 김수련 (3학년)

그 시대의 모습을 생생히 보여주는, 여러 번 계속해서 읽어보고 싶은 책이다.

★★★★★ 우리 같은 청소년의 입장에서 바라본 것이기 때문에 더 쉽게 잘 읽었다.

– 이유진 (3학년)

당시의 역사 현장이 생생하게 느껴졌다.

★★★★☆ 내가 직접 현장에 있는 것처럼 생생했지만 인물들의 이름이 헷갈렸다.

– 이송학 (2학년)

전쟁 중에도 자신의 희망을 버리지 않는 주인공이 대단하다고 느껴졌다.

★★★★☆ 재미있었지만 조금 지루함이 있었다.

– 전지현(2학년)

한국전쟁에 대한 책은 처음 읽어봤는데, 괜찮은 것 같다.

★★★★☆ 한국전쟁 관련 책을 읽어본 적이 없어 비교대상이 딱히 없다.

– 지해인(2학년)

그 여름의 서울

역사의 현장에 직접 간 듯한 느낌이 들었다.
★★★☆☆ 다소 재미있게 넘길 수 있었다.
– 박나현(2학년)

전쟁을 직접 맞이한 사람들의 심정이 생생하게 느껴졌다.
★★★★★ 일생에 맞이할 수도 있고, 못 할 수도 있는 전쟁에 대해서 잘 느낄 수 있는
책이었기 때문이다.
– 김지현(2학년)

서울이 인민군에게 점령당한 날, 친일 지주 집안 출신의 황은국은 가족들과 떨어져 피란 가지 못하고 홀로 서울에 남게 된다. 한편 평양의 명문교인 만경대 혁명 유자녀 학원에 재학 중이던 고봉아는 서울의 감옥에 갇혀 있던 혁명가 어머니가 변절한 뒤 세상을 떠났다는 소식을 접하고 도망치듯 서울로 향한다. 인민군 치하의 서울에서 봉아와 은국은 의용군 자원을 독려하는 연합 밴드부에 참여하고 조금씩 새로운 생활에 익숙해진다. 미군의 폭격이 계속되는 와중에도 서울은 조금씩 일상의 모습을 찾아 간다.

하지만 은국의 동무이자 극우 단체에 속해 있으며 좌익학생들을 탄압하는 일에 앞장 섰던 상만이 서울에 숨어 있었다는 사실이 밝혀진다. 숨어 있던 상만이 고발되어 도망치다 사살당한다. 은국은 아버지 황기택이 서울을 빠져나가지 못하고 숨어 있다는 사실을 알게 된다. 황기택은 좌익을 때려잡겠다며 은국에게 무조건 자신을 따라오라고 강요한다. 자신의 신념과 아버지에 대한 애정 사이에서 갈팡질팡하던 은국은 난생처음 스스로 자신의 길을 선택하여 인민군에 자원한다. 반동을 숨겨주었다는 죄목으로 양진석은 체포되고 스스로 인민군에 자원한다.

인천 상륙 작전이 감행된 날, 은국은 다시 아버지와 대치한다. 아버지가 봉아의 목숨을 걸고 협박하자 은국은 할 수 없이 아버지 앞에 무릎을 꿇고 만다.

집으로 가는 전차에서 의용군 궐기 대회에서 연설하던 봉아를 알아본 여학생과 그 엄마에게 봉변을 당한다. 이들을 피해 전차에서 뛰어내리다 봉아의 몸이 국방색 트럭에 그대로 들이받았다. 부산으로 가는 기차를 타기 위해 가던 중, 은국

그 여름의 서울

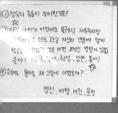
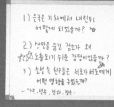
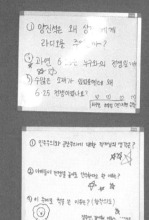

은 길재를 만나지만 길재는 은국을 향해 침을 뱉는다. 그 이유를 세상에 대한 화풀이라고 하였다. 인민군 치하에서 부역한 죄로 아버지와 누나가 처형되고 자신은 학도병으로 전쟁의 총알받이로 전장에 가는 길이다.

은국은 기차를 타고 아버지의 세계로 깊이 들어가거나, 기차에서 내리거나 또다시 갈림길에 섰다. 객차를 가득 메운 사람들에 떠밀려 유리창에 기댄 봉아를 닮은 소녀와 길재의 분노를 모른 체하고 도망치고 싶지 않았다. 스스로를 부끄러워하며 살 순 없었다. 선택의 기회란 누군가 주는 게 아니라 스스로 만드는 것이라고 생각하며 은국은 지금이 그 순간이라고 생각했다. 기차에서 내린다는 것은 전쟁의 불길 속으로 뛰어든다는 의미이며 그것은 곧 죽음을 뜻했다. 은국은 기차에서 뛰어내려 기차와 반대 방향으로 달리기 시작했다.

황은국

17살, 밴드부 원년 멤버, 친일 지주 황씨 집안의 아들, 수석입학으로 전액 장학금을 받는 경기 중학교 최고의 수재, 말수가 적다. 의용군 입대를 준비한 적이 있다. 사격을 잘한다. 아버지에게서 정신적 독립 중이다. 현실도피적이고 눈물이 많다. 인간적인 면이 있다. 우유부단한 면이 있으나 서서히 줏대가 생긴다. 말수가 적다.

고봉아

14살. 조선의용군인 부모 아래서 태어난다. 만경대 혁명 유자녀 학원 학생이다. 고집이 세고 집념이 강하다. 사람들에게 넉살이 좋다. 부지런하다. 강단이 있다. 눈치가 빠르다는 말을 듣는다. 되바라진 말을 하며 귀엽고 야무져 보인다. 자신이 옳다고 생각하는 신념에 적극적이다. 적극적 행동파이고 연설을 잘 한다. 모범답안같은 답을 싫어한다.

고상만

밴드부 원년 멤버. 밴드부를 그만둔 지 일 년이 되었다. 얼굴에 흉터가 있다. 인민군에 쫓겨 도망친다. 정치 깡패들과 어울려 다닌다. 서울 최고의 주먹이라는 소리를 듣는 사내다운 성품이다. 욱하는 성격이 있다. 교회에서 주는 후원금 덕분에 서울로 유학 온다. 서울역에서 지게꾼도 하고 공사장에서 막일을 하기도 한다. 2년 전부터 정치깡패들의 수하노릇을 하며 학교 안에 만들어진 자유수호학생단이라는 정체불명의 단체의 중심인물이다. 좌익학생들을 탄압하는 일에 앞장선다. 선거 유세장에서 학성에게 폭력을 휘두른다. 총에 맞아 죽는다.

오길재

밴드부 원년 멤버. 밴드부를 그만둔 지 일 년이 되었다. 입주 과외 선생을 하고 날품팔이로 근근이 살아가는 고농의 아들이다. 코흘리개 시절부터 끼니를 스스로 해결하기 위해 마을 지주 막내아들들의 심부름꾼으로 일했다. 야학에서 공부해 경기 중학교에 수석 합격하고 서울대학교를 졸업해서 법관이 되겠다는 목표를 가진다. 단단한 마음을 지니고 있으며 키만 멀대같이 크고 하도 깡말라서 허수아비 같지만 누구보다 강당지게 제 길을 걷는다. 마을에서 제일 가난하다는 이유로 아버지가 인민군 치하 농지 위원장 감투를 썼다.

최학성

밴드부 원년 멤버, 훤칠하게 키가 큰 소년이다. 우뚝한 콧대와 한일자로 굳게 다문 입술덕에 고집스러워 보이는 인상이다. 좌익활동을 한다. 학성의 아버지는 해방된 조국에서 남로당 간부를 하였고 공산주의자란 죄목으로 20년 형을 선고받았다. 티끌 하나 없는 교복 셔츠에 붉은 완장을 찼다. 칼로 베어 낸 듯 주름을 세워 다린 바지, 입술을 꾹 다물고 있는 표정, 빈틈없는 분위기는 상대방을 주눅 들게 하는 구석이 있다. 자신에게는 한 치의 오류도 없다는 태도와 빈틈없는 신념에 따라 불의에 맞서 싸운다.

양진석

밴드부 보조교사, 봉아의 외삼촌, 기타를 학생들에게 가르치며 살아간다. 먹성이 좋다. 피부가 하얗다. 마음이 여리다. 의리가 있다.

은진서

촉망받는 소년 바이올리니스트였다. 연합밴드부에서 도망친다. 남쪽으로 도망치다 인민군에게 잡힌다. 상만이 강당에 숨어있음을 고발한다. 은국의 부역질을 빌미로 황기택에게 돈을 요구한다. 부모님은 인민재판 시 미제의 첩자라는 죄목으로 죽음을 당한다.

서화영

35살. 은국의 할아버지 황인보의 첩이다. 동경에서 미술을 공부한 사람이다. 미술가동맹 소속이다. 몽유도를 좋아한다. 인정이 많다. 초상화를 그린다. 황기택과 사이가 안 좋다.

강경애

인민해방군이다. 부산에서 포로로 잡혔다. 봉아를 지원한다.

강승애

조선 인민군 중위이다. 봉아를 지원한다.

황기택

양은국의 아버지이다. 시류에 편승하며 친일 지주, 친일 판사이다. 아들에 대한 기대와 사랑이 있다. 현실주의자이다.

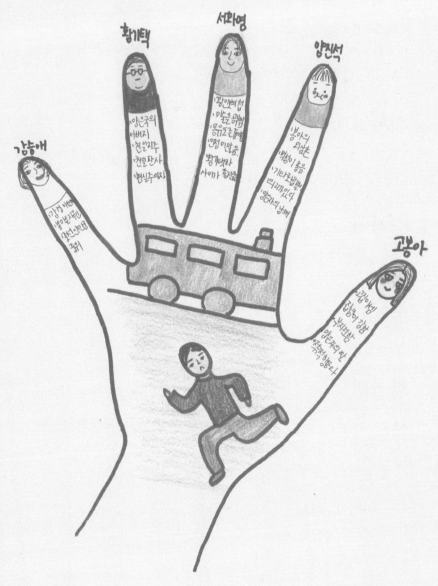

그 여름의 서울

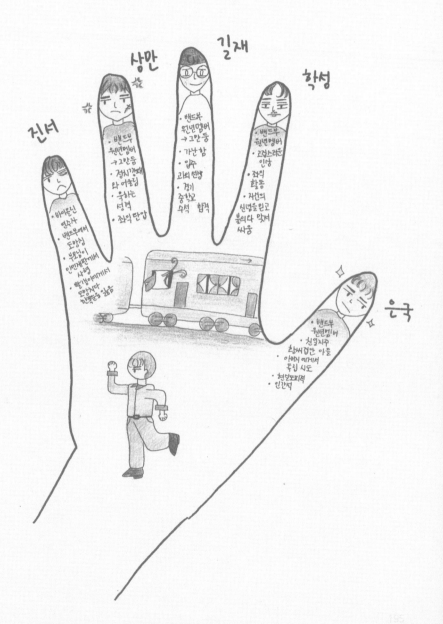

그때 봉아를 북으로 떠나보내며 양은자는 이렇게 말했다. 조국이 나를 대신해 너를 돌볼 것이다. (24쪽)

> 어쩔 수 없이 딸을 떠나보내는 양은자의 마음이 느껴져서 슬펐다.
> – 이원정 (1학년)

지난 일 아니야. 나에게는 지금 일어나고 있는 일이야. 엄마에게는 끝일지도 모르지만, 난 아니라고! 변절자의 딸, 그게 지금의 나야. (28쪽)

> 양은자가 빨리 석방되고 싶었던 이유가 봉아와 함께 지내고 싶어서가 아닐까 생각하니 마음이 아팠다.
> – 김수련 (3학년)

> 명문 학교에 다니는 것에 자부심을 가졌지만 변절자의 딸이라는 이야기를 들으며 힘든 학교 생활을 보내며 용돈도 쓰지 않고 모으던 장면이 떠올라 너무 안쓰러웠다.
> – 이송학 (2학년)

그런 동무들이었다. 처지는 다르지만 마음만은 하나같던, 성격은 다르지만 우정만은 하나같던. (43쪽)

이 구절을 읽는 순간 〈갑신년의 세 친구〉가 떠올랐다. 그들도 처지와 입장은 달랐지만 우정은 하나와 같았던 사실이 인상 깊다.
– 김효원 (1학년)

그런데 서서히 허물어지고 말았다. 길재가 입주 과외 선생으로 들어가고, 상만이 정치 깡패들과 어울려 다니고, 학성이가 좌익 활동으로 학교에서 쫓겨나 수배자가 되고……. 그렇게 차례로 밴드부를 떠나고 은국만 남았다. (43쪽~44쪽)

그 때 아이들의 힘든 상황을 잘 보여줘서 긴장감을 안겨준 부분이었기 때문이다. – 지해인 (2학년)

지금까지 네가 알고 있던 세상은 끝났다. 은국은 오복의 말을 다시금 실감했다. 그 말은 틀림없는 사실인 듯 했다. (46쪽)

지금까지 익숙했던 세상과 다른 전쟁이 시작되었다는 것을 실감하는 '은국'의 생각이 나에게도 실감나게 느껴졌다.
– 김지현 (2학년)

"언니, 나는 입대할 수 없나?"

봉아가 강승애를 돌아보았다. 강승애는 정색하고 대답했다.

"인민해방군이 애들 장난인 줄 아니?"

장난 아닌데. 전쟁터라면 큰 공을 세울 기회가 많을 텐데. 변절자의 딸이라는 딱지도 단숨에 떼어 낼 수 있을 텐데.(53쪽)

> 봉아는 변절자의 딸이라는 딱지를 떼어내고 싶어서 안전이 보장 되지 않
> 는 인민해방군이 되고 싶어하는 것이 너무 안타깝다.
> – 김서진 (1학년)

~~~~~~~~~~~~~~~~~~~~~~~~~~~~~~~~

"그냥, 난 그저 세상이 평온하기만 했으면 좋겠다. 난 말이다, 은국아. 뼈가 가루가 되도록 일할 수도 있고, 머리가 빠개지도록 공부할 수도 있어. 우리 아버지 소원이 소 한 마리 가지는 거고 여동생들 소원은 배불리 먹는 거야. 어떻게든 내 힘으로 그 소원 다 이루어 주고 싶어. 그럴 자신도 있고. 한데 세상이 이렇게 살얼음판이어서야 죽자고 달려 봤자 죽을 자리 찾아가는 꼴밖에 더 되겠냐."

(83쪽 ~ 84쪽)

> 평온하지 않은 시대를 살아야 했던, 그래서 가족들의 작은 소원도 이루어
> 줄 수 없었던 길재가 안타까웠다.
> – 이유진 (3학년)

~~~~~~~~~~~~~~~~~~~~~~~~~~~~~~~~

"우리 모두 떨쳐 일어서야 합니다. 청년 학생의 뜨거운 분노로 미 제국주의의 극악한 폭격에 천만 배의 복수를 해야 할 것입니다. 그러지 않고서야 어찌 자랑스러운 조선의 아들딸이라 할 수 있겠습니까!" (89쪽)

> 봉아가 격양된 목소리로 말하는 모습을 상상하니 당시 학생 신분이었던 봉아가 학생들을 대상으로 이런 말들을 해야 했다는 사실이 마음 아팠다.
> – 조가은 (1학년)

네 것도 내 것도 없는 세상. 먹더라도 같이 먹고 굶더라도 같이 굶는 세상. 조국은 봉아에게 그런 세상을 약속했다. 지금은 비록 전쟁 중이라 모두 힘든 시간을 보내고 있지만, 봉아는 그 약속을 굳게 믿고 있었다. (115쪽)

> 예전에는 자신이 굶고, 쉴 곳이 없어도 밥 한 끼 나누어주는 이가 없었는데, 인민군은 모두 나누어 살자하니 봉아에게는 의지할 곳이 생긴 것 같은 느낌이었을 것 같다. 안타까운 마음이 든다.
> – 전영진 (3학년)

"고상만, 너 대체 왜 이래? 왜 엉뚱하게 은국이한테 시비야? 동무들이 너 걱정 되어서……."

"동무라니요!"

상만은 양진석에게 소리 치고 다시 은국을 노려보며 이기죽댔다.

"제가 감히 어떻게 황은국의 동무가 됩니까? 황은국 이 자식도 나를 동무로 여긴 적 없어요. 안 그러냐, 황은국?"(163쪽)

> 서로 다른 신념을 가졌다는 이유 하나로 과거의 좋았던 기억까지 부정하고 친구 사이가 이렇게까지 틀어졌다는 것이 안타깝다. 나에게도 비슷한 경험이 있어 이 장면에 더 공감이 되었다.
> – 신현주 (2학년)

은국은 혼란스러웠다. 대체 어느 편의 말이 진실일까. 어쩌면 그건 중요하지 않은지도 몰랐다. 은국을 혼란스럽게 하는 건 전황이 아니라 스스로였다. 나의 진심은 무엇일까. 나는 무얼 원하는 걸까. 무엇이 옳다고 믿는 걸까. 처음으로 자신에게 묻고 있었다. 지금 당장은 아무런 대답도 할 수 없었다. 하지만 이번에는 반드시 스스로 대답을 찾고 싶었다. 아버지나 세상이 가리키는 방향이 아니라, 자신이 어디로 가고자 하는 것인지.(198쪽~199쪽)

> '은국'의 혼란스러운 마음이 잘 표현된 구절이다. 자신이 스스로 미래를 직접 만들어 나가려는 모습이 인상 깊었다. 지금까지 '황기택의 아들', '도련님'이라는 사슬 속에서 갇혀 지냈을 '은국'이 불쌍하다.
> – 조가은 (1학년)

그 여름의 서울

처음으로 자신의 마음에 따라 스스로 생각하고 판단하는 '은국'이가 대단하다고 느껴졌기 때문이다.

– 백진하 (1학년)

어디로 가려는 지는 아직 모른다. 그건 어디로든 갈 수 있다는 뜻이기도 했다. 지금 이 순간처럼 매 순간 스스로 고민하고 결정하며 한 발자국씩 나아가면 된다. (313쪽)

'은국'이 드디어 자신의 선택에 확고한 믿음을 가지고 실행하려는 모습을 보니 한 걸음 더 성장한 것 같은 느낌이 든다.

– 황혜성 (2학년)

Q1. 소설 속 인물들이 10대임에도 불구하고 자유주의와 공산주의 이념을
스스로 선택하고 자신의 신념에 따라 행동할 수 있는 것은 어떤 이유일까요?

Q2. 은국은 기차에서 내린 뒤 어떻게 되었을까요?

Q3. 상만을 숨긴 장소가 왜 노출되기 쉬운 강당이었을까요?

Q4. 소설 속 친구들은 서로가 서로에게 어떤 영향을 주었을까요?

Q5. 과연 한국전쟁은 누구를 위한 전쟁이었을까요?

Q6. 사회주의는 오늘날에 들어서 왜 실패하고 말았을까요?

Q7. 아이들이 전쟁을 놀이로 인식한다고 표현한 이유는 무엇인가요?

Q8. 왜 중심 인물들을 14, 17살 청소년으로 설정하였나요? 그 효과는
무엇일까요?

Q9. 14살인 봉아가 연합 밴드부 시가 행진과 의용군 자원 궐기대회에서
선봉에 서서 민족의 해방을 확신에 차 이야기하는 이유는 무엇일까요?

그 여름의 서울

Q10. 지주 집안 아들인 은국이 아버지의 뜻을 거역하고 인민군의 편에서 행동(연합 밴드부)하며 의용군으로 참가하려한 이유는 무엇일까요?

Q11. 자신이 은국이라면 부산으로 가는 기차에서 어떤 선택을 할 것인가요?

Q12. 양진석이 고상만한테 "상만아, 솔직히 말해서 공산주의가 틀린 소리는 아니잖아. 똑같이 먹고 똑같이 입자는데, 그거야 옳은 말 아니냐?"고 말합니다. 이 말에 대해 자신은 어떻게 생각하나요?

Q13. 이 소설을 쓴 작가님의 창작의도는 무엇인가요?

Q14. 작가님이 가장 애정이 가는 등장인물은 누구인가요?

Q15. 민주주의와 공산주의에 대한 작가님의 생각은 무엇인가요?

Q.16. 작가님의 작품 경향은 어디서 오는 것이며 작가님이 꿈꾸는 세상은 어떤 모습인가요?

작가
읽기

사람들은 저에게 종종 이렇게 물어봅니다. 왜 어른들이 아니라 아이들을 위한 글을 쓰느냐고요. 저도 궁금해져서 곰곰이 생각해 보았어요. 그랬더니 쉽게 답이 나왔어요. 거창하고 특별한 이유가 있는 건 아니었어요. 저는 이상하게도 제 또래 어른들보다 어린이들의 마음이 더 가깝게 느껴져요. 어른들과 이야기를 하다보면 도통 말이 통하지 않는 것 같을 때가 많아요. 내 마음을 어떻게 전해야할지도 모르겠어요. 하지만 아이들과 청소년들의 마음을 마주하면 신이 나서 절로 말문이 터집니다. 저도 모르게 종알종알 한참 수다를 떨게 되는 거예요. 저는 열다섯의 마음과 더 잘 '통'하는 사람이라서 그런가 봐요. 어떤 사람들은 이런 저를 철이 없다고 하기도 하지만요. 아마도 그래서 저는 어른들이 아니라 어린이나 청소년을 위한 글을 쓰고 있나봐요.

남한과 북한이 왜 전쟁을 했는지, 그리고 왜 아직도 서로 화해하지 못하고 싸우고 있는지에 대해서 청소년들과 이야기하고 싶었어요. 사실 우리는 '전쟁' 하면 그렇게 심각하게 생각하지 않을 수 있지만 만에 하나라도 전쟁이 나면 너무 무서운 일이잖아요.

38선이 우리나라를 남북으로 잘라버렸어요. 그런데 예전의 38선은 지금의 휴전선처럼 철책이 있고 분위기가 살벌한 선이 아니었어요. 38선은 실제로 존재하는 선이 아니라 지도에만 존재하는 선이었기 때문에 38선을 딱 잘랐지만 사람들이 모르는 거예요. 그때는 사람들이 신문을 본 것도 아니고 텔레비전도 없었으니까 뉴스를 들어 알 수가 없잖아요. 그냥 쭉 자른 것이어서, 춘천 같은 도시는 반으로 잘라지기도 했어요. 심지어 한 마을에 38선이 지나는데 얘네 집은 북한이고 우리 집은 남한이기도 하고, 어떤 사람은 우리 논은 북한이고 우리 집은 남한인 사람도 있고, 심지어 안방은 북한이고 작은방은 남한인 거예요. 지도에다가 38선을 그었으니까 방 안에서 갈라졌을 수도 있었겠지요. 그래서 남편은 북한에서 자고 부인은 남한에서 자고 뭐 그럴 수도 있었겠죠.

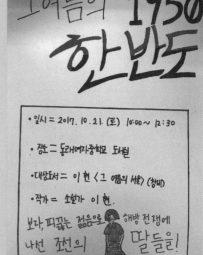

그 여름의 서울

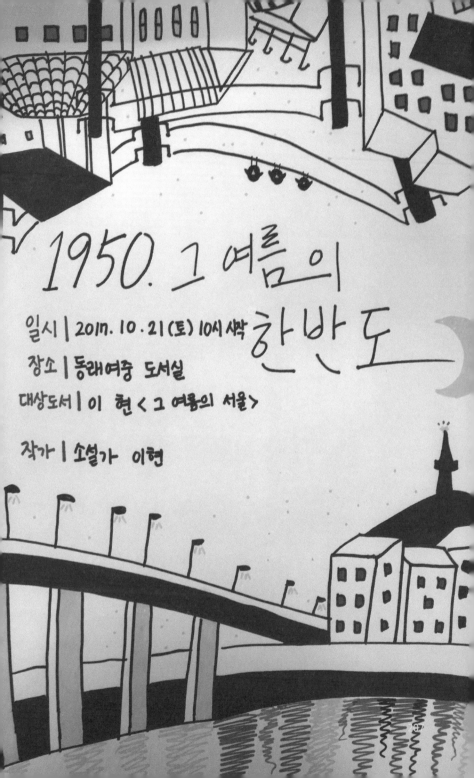

어쨌거나, 내일은 오늘보다 더 멋질 거라는 대책 없는 믿음으로 〈짜장면 불어요〉, 〈로봇의 별〉, 〈플레이볼〉, 〈푸른 사자 와니니〉, 〈일곱 개의 화살〉 그리고 청소년소설 〈우리들의 스캔들〉, 〈영두의 우연한 현실〉, 〈오! 나의 남자들〉, 〈1945, 철원〉을 썼다.

작가소개

이현

소설을 읽어 보신 분들은 알겠지만 소설 속에 나오는 주요 인물들은 전부 10대로 설정되어 있습니다. 그럼에도 불구하고 그 10대 학생들이 자본주의와 공산주의라는 이념을 스스로 선택하고 자신의 신념에 따라서 주체적으로 행동합니다. 그 이유는 무엇이고, 전쟁을 배경으로 한 소설에서 작품의 중심인물들을 10대 청소년들로 선정하신 특별하신 이유라도 있으신가요?

청소년으로 주인공을 잡은 것은 그렇게 하는 편이 청소년들이 조금 더 공감할 수 있을 것 같아서 그런 것입니다. 사실 전쟁이 일어나면 청소년도 어린이도 삶에 큰 영향을 받게 되고, 어찌 보면 어른들보다 더 큰 피해를 당할 수도 있잖아요. 그런데 전쟁과 같은 이런 일들은 마치 어른들의 세계에서 일어나는 일처럼 되어 있고 청소년들에게 의견을 묻거나 고민할 수 있는 시간을 주거나 선택할 수 있는 기회를 주지 않아요. 그래서 저는 실제로는 그렇지 않고, 이게 모두 청소년들 당사자의 의견과도 직결되는 일이라는 것을 보여주고 싶은 마음도 있었습니다.

작품의 마지막에 기차에서 뛰어내린 은국이 선택을 하는 장면이 나옵니다. 굳이 힘든 삶을 살지 않아도 되는 은국은 스스로 새로운 길로 나아갑니다. 기차에서 내린 뒤 은국은 어떤 삶을 살았을까요?

〈그 여름의 서울〉 에필로그에서 전쟁놀이하는 장면이 나오잖아요. 원래는 은국이가 나오는 장면으로 썼다가 나중에 바꾼 거였어요. 제 생각 속에서 은국이는 기차에서 뛰어내려서 인민군으로 참전을 하고 전쟁을 겪으며 어느 편에도 서지 않고 전쟁이 얼마나 끔찍한 것인지 깨닫습니다. 마지막에 은국이 미군측에 포로로 잡혀요. 이름이 뭐냐고 물어보니까 가짜이름을 대고 남한 포로로서 남한에 남아 신분을 숨기면서 남한에서 살아가는 게 저의 생각속의 은국이의 미래였는데요. 그 생각을 하게 된 아이디어를 시인 정지용에게서 얻었어요. 정지용 시인이 북한에서 잡아 간 걸로 많은 사람들이 알고 있었는데 몇 년전에 그분에 대해서 몰랐던 진실이 밝혀진 게 있었어요. 알고 보니까 그분이 북한으로 가 인민군으로 남한에 내려 왔다가 체포되어서 거제도 포로수용소에 있었다고 해요. 근데 자신이 정지용이라고 거기서 이름을 밝히면 유명한 시인이니까 남북한에서 주목을 받을 거잖아요. 그것이 부담스러워서 자기 이름을 숨기고 수용소에 있었대요. 그런 얘기를 듣기도 하고 그래서 은국이는 은국이가 아닌 다른 이름으로 남한에 남아서 아버지하고는 상관없이 살아가게 된다고 원래는 그렇게 생각하고 있었습니다.

작가님이 〈그 여름의 서울〉을 집필하고 여러 인물들에게 감정을 불어 넣으면
서 작품 속 인물들과 소통하는 시간이 많았으리라 생각합니다. 어떤 인물은 작
가님을 슬프게도 했을 것이고 어떤 인물은 작가님 마음을 화나게도 했을 건데,
작품 속 여러 인물들 중 작가님이 특별히 애정이가는 인물은 누구인지 그리고
그 이유가 무엇인지 궁금합니다.

〈그 여름의 서울〉에서 가장 애정이 가는 인물은 뭐니뭐니해도 은국이고요, 〈그
여름의 서울〉에서는 잠깐 나오는 강경애가 〈1945, 철원〉에서는 주인공인데 거
기서는 경애가 제일 좋았어요. 은국이가 좋은 이유는 은국이가 철원과 서울의 일
을 바라보면서 어른이 되어가는 과정과 한국전쟁 관련 자료를 찾아보고 사람들
을 만나고 인터뷰 하는 과정에서 이 때 일어난 일을 바라보는 제 마음이 좀 비슷
했던 것 같아요. 저도 소설을 쓰기 위해 공부를 하면서 어떤 것이 옳은지 고민을
정말 많이 하고 그래서 가장 공감이 가고 애착도 가는 인물이 그 둘이 아닌가 싶
습니다.

작가님은 사회적 문제의식을 학생들이 청소년기에 겪는 여러 문제와 잘 엮어 냅니다. 그래서인지 저희 또래 학생들과 공감하면서 책을 읽을 수 있었는데요, 작가님의 작품 경향은 어디서 오는 것이며, 작가님께서 꿈꾸는 세상은 어떤 모습인가요?

제가 꿈꾸는 세상은 누구나 '아시안 하이웨이'로 원하는 곳을 마음대로 갈 수 있는 세상입니다. 농담 같지만 농담이 아니라 진짜이기도 한데요, 제가 아주 특별한 세상을 꿈꾸기 보단 사실 대부분의 사람들이 바라는 게 비슷하잖아요. 어떤 사람은 살다보면 기쁜 일도 있고 좋은 일도 있고 슬픈 일도 있지만 사람들이 일반적으로 많이 고통스러운 일은 없었으면 좋겠어요. 내가 엄청 훌륭하거나 착한 사람은 아니지만, 옆에서 어떤 사람이 고통스러워하면 나도 마음이 좋지는 않잖아요. 사람은 누구나 그렇게 서로 양심과 선심을 지킬 수 있으면 좋겠어요. 요즘에는 뉴스 보면서 '전쟁만 안 났으면 좋겠다.' 라고 생각을 하는데 그냥 평범한 사람들의 평범한 노력이 배신 당하지 않는 세상이였으면 좋겠습니다.

에필로그에서 마지막에 아이들이 전쟁을 놀이라고 표현한 장면이 있는데 그 속에 담긴 뜻이 무엇인가요?

생과 사가 오가는 전투 현장을 경험하지 못 했기 때문에 아이들 입장에서는 전쟁이 하나의 놀이로 느껴질 수도 있을 거예요. 요즘 트럼프와 김정은이 '전쟁불사'를 외치는 것을 보면 위의 아이들처럼 전쟁이 무엇인지 모르는 철부지처럼 느껴집니다. 전쟁이 얼마나 끔찍한 것인데 이렇게 쉽게 전쟁불사를 외치는 것인지……. 나라와 국민을 보호하고 이끌어 가는 국가의 지도자들인지 의심스럽습니다. 그 표현에 담긴 뜻에는 이런 의미도 있겠지요.

그 여름의 서울

글을 쓴다는 것은 어떤 작업인가요?

글을 쓰는 건 번뜩이는 예술적인 영감으로 (작품을) 쏟아내는 일이 아니라 꾸준하고 성실하게 집필 활동을 이어가는 일이에요. 강도 높은 육체노동이라는 점, 그것이 친구들이 생각하는 작가의 모습과는 다른 점일 수 있어요.

이 질문은 강의 오시는 모든 작가님들께 드리는 질문인데요, 오늘 강의를 듣는 동래여중 학생들에게 개인적으로 꼭 해주고 싶은 말씀이 있다면 좋은 말씀 좀 부탁드리겠습니다.

지금 중학생이나 고등학생들에게 꼭 해주고 싶은 말은 생각보다 인생이 아주 길다는 것입니다. 또한 인생은 아주 힘들고 쉽지 않은 거라서 모든 사람이 너무 많은 실수와 실패를 하면서 살아간다는 거예요. 인생은 길기에 관계에서든 공부에서든 나의 실수나 실패가 내 인생을 통째로 결정하는 게 아닌데 청소년 시기에는 잘 몰랐어요. 친구관계가 잘 안 풀리거나 제가 하는 일에서 실패를 하면 저는 정말 생활을 잘 못하는 사람인 것 같고, 저만 이런 것 같고, 앞으로도 쭉 이럴 것 같다는 생각을 했어요. 그래서 저는 책을 쓸 때도 아주 밝은 이야기나 행복한 결말로 끝나는 이야기보다는 마음 아픈 얘기를 많이 쓰게 돼요.
여러분이 생각하는 것 보다 인생은 더 힘들고 실패가 아주 아주 넘치는 게 인생이라는 이야기를 하고 싶었어요. 그럼에도 불구하고 살아가야 할 시간은 길고 우리 모두 그런 일들을 겪으면서 살아오기 때문에 또 괜찮다는 생각이 들기도 해요. 비슷한 사람들끼리 서로 마음 아픈 이야기들을 하고 서로를 다독이면서 오래오래 천천히 살아가는 게 인생이라고 말하고 싶어요.

'오래된 미래'를
생각하며

항상 치킨을 먹고 싶은 **박나현**(2학년)

이현 〈그 여름의 서울〉을 만나다

1950년 6월 25일 새벽 해방을 맞본지 겨우 5년째 되던 날, 북한은 기습적으로 남한을 공격한다. 그로부터 약 3년간 전쟁을 이어나갔고 남한과 미국(UN), 북한과 소련은 끝내 1953년 7월 27일, 휴전협정을 체결하게 된다. 양쪽의 엄청난 피해와 수많은 사상자를 만들어낸 이 사건이 그토록 우리가 많이 들어온 한국전쟁이다. 나 또한 그랬듯 한국전쟁이 까마득한 먼 옛날이야기로만 들리는 청소년들이 많을 것이라고 생각한다.

이현 작가님의 〈그 여름의 서울〉은 한국전쟁당시의 상황들과 그때의 청소년의 삶을 보다 더 생생히, 보다 더 가까이서 느낄 수 있게끔 해주는 소설이다. 보통의 한국전쟁을 다룬 책들과는 달리 청소년의 생각과 삶을 자세히 들여다 볼수 있다. 만약 나처럼 한국전쟁이 먼 얘기로만 들린다면, 이런 책을 놓쳐서는 안 될 것이다.

우리는 이현 작가님의 소설을 읽고 마음에 와 닿은 구절 낭독하기, 줄거리 릴레이 말하기, 인물 분석, 인물의 정보를 손가락 그림으로 그리기, 인물 캐릭터 그리기, 서평 쓰기, 주인공과 주변인물 인터뷰 하기, 라운드 테이블 방식의 소설 수다 등의 독후 활동을 하였다. 그리고 드디어 〈1950, 그 여름의 한반도〉라는 제목 아래 작가와의 만남을 가졌다.

1부, 흘러가는 이야기

우선 2학년 학생이 비올라 연주로 '사랑의 인사', '10월의 어느 멋진 날에'라는 곡을 멋지게 연주하였다. 두 곡 다 가을에 잘 어울리는 곡이라는 생각이 들었고 선율이 아름다웠다. 다음으로 우리가 동아리 시간에 했던 인물 인터뷰 방식을 확장시킨 '라운드 테이블 방식의 소설 수다'를 시연하였다. 처음 이 공연을 보는 사람은 "이게 뭐지?"라고 의아해 할 수 있지만 쉽게 말하여 둥근 테이블에 둘러 앉은 뒤, 청중의 작품에 대한 이해도를 높이기 위해 각각의 소설 속의 인물이 되어 대화를 나누는 것이다. 작가 소개, 줄거리 소개, 인물이 인물에게 질문하기 등의 활동을 통하여 소설을 미처 읽지 못했거나 내용을 이해하지 못한 친구들도 조금은 작품에 대해 알 수 있는 시간이 되었다.

학생들이 준비한 시간이 끝나고 작가님이 나오셔서 본격적으로 강의가 시작되었다. 작가님이 그동안 쓰신 여러 작품 소개를 듣게 되었다. 그중 〈오 나의 남자들〉이라는 책이 기억에 많이 남는다. 이 책은 조리과에 다니는 여학생과 여학생의 인생과 관련된 10명의 남자들에 관한 이야기라고 소개를 해주셨다. 1번 남자가 전두환이고, 10번 남자가 강동원이라는 사실과 특히 아버지가 노래방을 한다고 해서 여학생의 이름이 금영이고, 금영이와 친한 남자친구의 이름이 태진이라는 것이 참 작가님께서 센스 있으신 분이라는 생각이 들게끔 하였다. 그 뒤에는 〈1945,철원〉이라는 책 소개와 그로부터 이어지는 여러 이야기들을 해주셨다. 〈1945,철원〉은 〈그 여름의 서울〉과 독립되면서도 연결된 내용이라고 하니 절로 관심이 갔다.

철원 이야기

〈그 여름의 서울〉은 〈1945,철원〉의 뒷이야기이다. 이 소설을 처음 써야겠다고 결심하신 이야기를 들려 주셨다. 처음 철원에 작가님이 가보셨을 때, 뼈대만 남은 건물을 보셨다고 한다. 3층짜리 건물이었는데 꽤나 크고 웅장했다. 그 건물에는 총탄자국과 총알이 박혀있었다고 한다. 이쯤되면 궁금해질 이 건물의 정체는 '조선 노동당 철원 당사'이다. 또한 그 건물이 있는 곳의 근처는 대도시였다고 한다. 대도시인 것을 알 수 있는 이유는 그 건물에 원래 붙어있던 수채화풍의 그림에 그 근처의 모습이 그려져 있었기 때문이다. 하지만 그곳에 공원을 짓는다고 수채화를 떼어버려 지금은 볼 수가 없다고 하여 아쉬웠다.

정말 놀라웠던 점은 대도시였음에도 불구하고 군데군데의 건물터와 주춧돌들을 제외하면 전체적으로 남아있는 것이 없었다는 것이다. 얼마나 한국 전쟁 당시 폭격이 심했는지 짐작되는 대목이다. 그럼에도 불구하고 그 건물만 멀쩡히 남아있는이유는 정확하지는 않지만 그 건물 양 옆에 있는 두 개의 작은 산 때문에 하늘에 회오리가 쳐서 폭격을 하기 어려워서 남아있다는 것이 가장 유력하다고 했다. 한편으로는 그렇게 남아있어 한국 전쟁의 흔적을 기억할 수 있다는 것이 다행이라는 생각이 들었다.

다음, 철원에서 해방을 맞는 모습을 말씀해 주셨다. 해방이 되고나서도 사람들은 거의 일본 사람들에게 보복을 하지 않았다고 한디. '나였다면 분녕 화를 내며 복수했을 텐데.' 라는 생각을 하며 이야기를 들었다. 사람들이 착한 점도 있겠지만 남한의 정부 추진위원회가 일본사람들의 안전을 담보로 하여 쌀이나 여러 물품을 받은 덕도 있었다고 한다. 작가님의 말씀을 듣다보니 내가 마치 그 시절

철원에 가있는 것 같아 신기했다.

할아버지와 한국전쟁

광복 후, 미국과 소련이 각각 남쪽과 북쪽에 들어왔고, 임시분할선인 38선이 그어졌다. 38선으로 남과 북이 나누어져 있었지만 한국 전쟁이 일어나기 전까지는 잘들 지냈다고 한다. 38선이 지도상에 그어진 선이 되다보니까 한 마을에서도 어느 쪽은 북쪽, 어느 쪽은 남쪽으로 나뉘어지고, 한 집에서도 안방은 북쪽, 부엌은 남쪽이 되는 우스운 상황도 벌어졌다. 북쪽의 공산주의가 마음에 안 드는 사람들은 남쪽으로 내려오기도 하고 남쪽의 미군정이 마음에 안 드는 사람들은 북쪽으로 올라가기도 하였다고 한다.

그리고 철원에서 만났던 그 시절을 보내신 할아버지 이야기를 해주셨다. 그분은 해방과 전쟁을 다 겪으신 분이였다. 북한군이 오면 북한군 편 인척을 해야 했고 남한군이 오면 남한군 편인 척을 하여 겨우겨우 살아오셨다는 이야기를 듣고 많이 놀랐다. '정말 힘드셨겠구나…….'라는 생각을 했다. 할아버지께서는 원래 넓은 땅을 상속 받으셨다고 한다. 그걸 혼란 중에 뺏겼다가 되찾으셨음에도 불구하고 철원이 전쟁이 벌어진 장소였기에 지뢰나 폭탄, 시체 등이 묻혀 있어 농사 짓기가 쉽지 않았다고 한다. 목숨을 걸고 땅을 일궈 내서 살아오셨다는 이야기를 들으니 대단하다고 느꼈다. 또한 현재도 살아계시는 분이기에 좀 더 거리감 없이 역사가 내 앞으로 가까이 다가온 기분이 들었다.

아시안 하이웨이

내가 흥미롭게 들은 이야기가 '아시안 하이웨이' 였다. 평소에 고속도로를 타고 갈 때 보고 궁금했던 표지판과 관련된 이야기였다. '아시안 하이웨이'란 일본과 우리나라 사이에 해저터널을 뚫어 일본에서 시작하여 우리나라를 거쳐 아시아,

유럽을 거친 뒤 영국까지 한마디로 비행기 없이 갈 수 있는 길이다. 그 길이 생긴다면 남북 평화적 분위기에 도움이 되고 전쟁 또한 어느 정도 막을 수 있는 대책이 되기도 한다. 이것을 만드는데 많은 나라들의 이해관계가 얽혀 있기 때문이다. '아시안 하이웨이'가 만들어지면 한반도의 긴장감이 정말 사라질 수 있을까? 강의를 들으며 하루빨리 한국과 북한이 사이가 좋아지면 좋겠다는 생각을 많이 하였다.

2부, 작가님과의 대화

1부가 끝나고 쉬는 시간을 가진 뒤 바로 2부 수업에 들어갔다. 2부에는 인문학동아리에서 준비한 5가지의 질문과 그 외의 청중 질문 2가지로 질의 응답 시간을 가졌다. 책을 읽으며 나도 개인적으로 궁금했던 질문들이 많이 나와서 유익한 시간이었다.

가장 기억에 남는 질문은 작가님이 글을 쓰게 되신 계기와 인생에 대한 얘기이다. 먼저 작가님은 어렸을 때 우연한 계기로 친구와 계속 책을 읽고 이야기하는 시간을 가졌다고 하셨다. 그 친구와 작가가 되기로 약속을 하며 헤어지게 되었고 그것이 계기가 되었다고 말씀하셨다. 너무 드라마같은 이야기여서 기억에 남는 듯하다.

또 작가님은 인생이 생각보다 어렵고 길다고 말씀해주셨다. 그렇기에 실패나 실수가 인생을 통째로 결정짓지는 않는다는 말씀을 해주셨다. 요즘 나의 삶에 위로가 되는 말이었다.

역사와 소설

보통 중요한 과목이라고 한다면 국어, 영어, 수학 등을 떠올리기 마련인데 나는 생각이 조금 다르다. 나는 역사야말로 가장 중요한 과목이라고 생각한다. 물론 그렇다고 하여 국어, 영어, 수학 등이 역사보다 못하다는 말은 아니다. 하지만 역사야말로 우리가 열심히 노력하여 알아가야 하는 과목 중에 하나여야 한다는 생각이다. 우리는 과거와 현재, 미래라는 시간 속에서 과거를 기억하고 그것을 교훈 삼아 현재를 살며 미래를 더 나은 삶으로 살아가야 한다. 그런 중요한 역사를 재미있게, 생생하게, 때로는 진중하게 다가갈 수 있게끔 소설과 연결 지어 만나게 되니 정말 신나고 좋다. 소설 속에서 만난 역사 이야기에서 한 발짝 더 나아가 내가 알지 못했던 '오래된 미래'와의 만남을 더 가지고 싶다.

독자
읽기

역사가 아닌 일상

쥬히로 개명하고 싶은 **송주희**(1학년)

들어가는 말

이현의 〈그 여름의 서울〉은 깔끔하고 단순하지만 복잡한 표지를 가지고 있었다. 파란색으로 날려써진 글씨, 굳은 얼굴을 한 아이 3명과 망가진 집들 여러 채가 소설의 내용을 설명해주는 듯 했다. 소설은 전쟁을 마주한 10대들의 이야기를 담고있다. 각 주인공마다의 감정표현과 생동감 넘치는 상황들이 감정을 몰입하게 만들어 책을 다 읽고도 여운이 쉽사리 가시지 않았다. 한 가지 아쉬웠던 점은 등장인물이 너무 많고 관계가 복잡한 탓에 이해가 쉽지 않았다. 하지만 결코 재미없었다는 것은 아니다.

서울이 인민군에게 점령당한 날, 친일 지주 집안 출신의 황은국은 새로운 세상 속에 혼자 던져진다. 평양 명문교에 다니던 고봉아는 혁명가 어머니가 변절 후 세상을 떠났다는 소리에 쫓기듯 서울로 갔다. 전쟁 통 속의 은국과 봉아는 평소 일상의 모습은 찾아 볼 수 없이 운명이 흔들리기 시작한다. 그럼 지금부터 〈그 여름의 서울〉 속으로 들어가 보자.

생각 하나, 소설 속 인물들이 10대임에도 불구하고 자유주의와 공산주의 이념을 스스로 고르고 자신의 신념에 따라 행동 할 수 있는 것은 어떤 이유일까?

아무래도 어른들과 주변환경의 영향이 컸다고 생각한다. 아직 10대이지만 어른들과 주변환경의 영향으로 자유주의와 공산주의가 무엇인지 생각하게 되었고, 자신은 무엇이 더 좋은지 이념 또한 스스로 선택할 수 있었던 것 같다. 봉아와 은국이를 예로 들어보자. 봉아는 공산주의 부모님 밑에서 크며 공산주의 학교를 다녀 공산주의에 대한 생각이 자랐을 것이다. 은국이는 친일 지주 황씨 집안의 아들이지만 아버지를 옳지 못하다 생각하였다. 아버지에게서 정신적으로 독립중이며 친구들 대부분이 공산주의자다. 아이들은 주변의 상황을 보며 자신이 어떤 행동을 해야하는가를 생각했을 것이다. 그러므로 자신의 신념에 따라 행동 할 수 있었던 것 같다.

생각 둘, 양진석이 고상만한테 하는 말 "상만아, 솔직히 말해서 공산주의가 틀린 소리는 아니잖아. 똑같이 먹고 똑같이 입자는데, 그거야 옳은 말 아니야?"에 대해

우리 나라에서 공산주의 인식이 나빠진 것은 한국전쟁 때문이다. 한국전쟁은 공산주의 사상을 가진 북한 인민군과 민주주의 사상을 가진 남한 국군의 싸움이었다. 우리는 이 전쟁으로 엄청난 인적·물적 피해를 당했다. 전쟁 이후 무조건 공산주의가 나쁘다고도 생각하는 사람이 있을 만큼 공산주의에 대한 인식이 나빠졌다.

나는 공산주의가 무엇이든지 공평하다는 생각이 들지는 않는다. 예를 들어 한 집단이 무언가 선택을 할 때 민주주의는 투표로 공정하게 선택하지만 공산주의는 그렇지 못하다. 또한 아무리 열심히 해도 열심히 하지 않는 것과 같은 대우를 받는다는 것은 전혀 공평하지 못하다. 그래서 나는 공산주의 사상에서 말하는 모두가 공평할 수 있다는 것은 틀린 것 같고, 공산주의는 옳지 않다고 생각한다.

생각 셋, 소설 속 친구들은 서로가 서로에게 어떤 영향을 주었을까?

먼저 황은국의 경우 가장 친구들에게 큰 영향을 받은 아이라고 생각한다. 은국이는 친일과 지주 집안의 아들이지만 좌익 친구들과 생각을 나누며 황은국 또한 좌익이 옳다는 생각이 굳어지게 되고, 아버지에게서 독립을 결심하게 된다.

고봉아는 많이 믿었던 외삼촌 양진석이 잡혀 끌려갔을 때에 은국이에게 끝까지 기대어 의지하며 어려움을 견뎌냈다고 볼 수 있다. 봉아의 굳센 성격도 있지만 은국이 덕에 끝까지 당찰 수 있었던 것 같다.

고상만은 친구들과 의견차이로 부정적인 영향을 조금 받은 아이인 것 같다. 좌익이 많은 무리 내에서 자유주의를 응원하기에 충돌이 심했던 것 같다. 상만이는 공산주의가 그냥 싫다고 했었다. 나는 상만이가 자존심을 쉽게 굽히지 못하여 친구들과의 의견 충돌이 심하여 부정적인 영향만 받았던 것 같다.

나가는 말

한국전쟁은 과연 누구와의 싸움이었을까? 책을 읽으며 가장 어렵다고 느껴졌지만 계속 머릿속에서 떠나지 않았던 질문이었다. 다른 나라와의 싸움? 두 의견이 다른 사상과의 싸움? 어른들의 싸움? 나는 자신과의 싸움이라고 생각한다. 자신을 이겨야 전쟁에서 살아남을 수 있고, 자신을 자세히 알아야 올바른 행동을 취할 수 있다. 그렇다고 전쟁에서 죽은 사람들이 자신과의 싸움에서 졌다는 말이 아니다. 무엇이든 항상 마음가짐이 제일 중요하다는 말이다.

책의 마지막을 읽으며 나는 '한반도에서 살아가는 우리 모두에게 전쟁은 역사가 아닌 일상이다.'를 꼭 기억하고 싶다. 책을 읽지 않았으면 무심코 지나칠 법한 말이다.

어쩌면 강했을
10대들의 이야기

보령 머드 축제에 가고 싶은 **김효원**(1학년)

들어가는 말

한반도의 수많은 사람들이 죽고 다쳤던 한국 전쟁을 배경으로 한 소설, 〈그 여름의 서울〉. 처음 봤을 땐 전쟁의 이야기를 담은 책보다는 과거 순박한 시골 아이들의 삶을 담은 책으로 보였다. 책 표지에 서 있는 3명의 아이들이 꼭 우리 할머니 어렸을 때의 모습과 비슷해 보였기 때문이다. 하지만 자세히 들여다보니 폭탄을 맞은 듯 반쯤 무너진 담장과 철근이 다 드러나는 집들, 무엇보다 군데군데서 피어나는 연기로 전쟁을 표현하고 있었다.

책 속에는 많은 사람들이 나온다. 은국, 봉아, 상만, 길재, 학성, 은서, 양진석, 황기택 등등. 그 중 이야기를 이끌어가는 사람은 봉아와 은국이다. 그들은 자신이 생각하는 이상적인 사회를 좇는다. 자신의 신념을 찾고, 그에 따라 주체적으로 살아간다. 이들이 각자 다른 생각과 다른 목적을 가지고 살아나가는 이야기를 그린 이 책은 나에게 많은 궁금증과 의문을 주었다. 앞으로 책을 읽으며 생긴 몇 가지 질문에 대해 이야기 해 보려 한다.

첫 번째 궁금증, 주인공 봉아의 친구 정숙의 죽음이 의미하는 것은 무엇일까?

이 책 속에는 봉아, 은국, 상만, 길재, 진서, 학성을 포함한 많은 사람들이 등장한다. 앞의 여섯 명은 경기 중학교 밴드부원으로, 선생님 양진석의 지도를 받고있다. 유일한 여자 부원인 봉아에게는 정숙이라는 친구가 있었는데, 정숙은 폭격으로 인한 화재에 죽고 만다. 오랜 시간 함께 했던 친구가 죽는 것은 남겨진아이에게 많은 충격을 준다. 봉아 또한 그랬다. 정숙의 죽음으로 봉아는 충격과동시에 전쟁을 실감하게 된다. 봉아에게 친구의 죽음은 남 일 같던 전쟁의 끔찍함과 두려움이 피부에 와 닿는 계기가 되었을 것이다. 생각해 보자면 정숙의 죽음은 또 다른 의미를 내포하고 있다. 라디오로 인민 공화국을 옹호하고 국방군이 된 아버지에게 김일성의 자애로움을 알렸던 정숙의 죽음은 인민군이 추락하고 있다는 사실과 함께 국군의 기세가 올라가고 있다는 것을 간접적으로 의미한다. 처음 기세 그대로 통일까지 성공할 수 있을 것만 같았던 인민군이 서서히추락하고 있는 과정을 이야기하고 있다.

두 번째 궁금증, 아이들이 전쟁을 놀이로 인식한다고 표현한 이유는?

'아직 삶으로 내던져지지 않은 아이들만이 전쟁을 추억했다. 머리 굵은 녀석 하나가 허리춤에 차고 있던 냄비를 머리에 뒤집어쓰고 나뭇가지를 번쩍 치켜들었다.

"국군할 사람 여기!" 아이들은 부리나케 전투를 준비했다. 제가끔 무기를 준비하고 눈치껏 국군 편에 붙어야 했다. 승패는 이미 결정되어 있었다.'

아이들에게 전쟁은 피부에 와 닿지 않는 어른들만의 싸움으로 인식 되었을 것이다. 아이들이 아직 현실에 직면하지 않았기 때문이다. 전쟁으로 인해 다치고,배를 곯고, 가족을 잃지 않았던 아이들에게 전쟁은 유치한 놀이로 밖에 보이지 않는 것이다. 한편으로는 아이들의 생각이 곧 부자와 권력자들의 생각과 비슷하다고 느꼈다. 예를 들자면 대한민국의 초대대통령이었던 이승만이 있다. 그는 거짓된 라디오 방송으로 국민들을 안심시키고, 자기 혼자 부산으로 피난을 갔다. 심지어 시민들이 서울에서 피난을 가기 위해 거쳐야 했던 한강대교를 폭파시켜 800명의 무고한 사람들이 죽게 되었다. 그는 이렇듯 대통령으로서 국민을 눈곱만큼도 생각하지 않는 모습을 보였다. 과연 그에게 전쟁이 공포스럽고 두려운, 자신의 생사를 좌우하는 존재였을까?

세 번째 궁금증, 왜 인물을 14살, 17살 청소년으로 설정하였나? 그 효과는?

요즘의 청소년과 과거의 청소년은 천지 차이이다. 모든 청소년이 다 그렇지는 않지만 과거의 14살이 자신의 목숨을 지키기 위해 '어린 빨갱이' 소리를 들을 때 현재의 청소년들은 친구들과 놀고 예쁜 옷과 화장품을 사기에 바쁘다. 17살도 마찬가지다. 의용군에 입대하며 자신의 신념에 따라 살려고 노력했던 과거의 17살과 달리 현재의 17살은 대입을 준비하며 시험과 학원에 시달린다. 이러한 청소년들이 읽는 소설에 굳이 14살, 17살 주인공들을 등장시킨 이유는 무엇일까?

이것은 아마도 청소년의 흥미와 관심을 이끌어내고, 전쟁의 참담함과 가혹함을 나타내기 위한 것이라고 생각한다. 청소년을 대상으로 한 소설이기에 청소년의 관심과 흥미를 이끌어내는 것은 아주 중요하다. 많은 청소년들이 이 책을 읽으며 "내가 봉아였다면?", "나라면 선뜻 의용군에 입대할 수 있었을까?" 와 같은 자신과 동떨어진 시대에 대한 질문을 했을 것이다. 그리고 그것은 청소년들에게 책의 내용을 더 잘 이해하고, 몰입하게 만드는 효과를 주었을 것이다.

나가는 말

나는 책 속 인물 중 '은국'이 가장 마음에 들었다. 가장 당당하고 자주적인 삶을 살았기 때문이다. 은국은 아버지의 격렬한 반대에도 불구하고 자신의 신념에 따라 의용군 입대를 시도한다. 그리고 결국 부산으로 가는 안정적인 삶을 포기하고 기차에서 뛰어내려 자신의 길을 찾는다. 요즘 많은 청소년들이 부모님이 정해놓은, 부모님이 바라는 꿈을 따르도록 내몰려진다. 나는 성적과 시험의 부담감과 스트레스에 눌린 그들에게 〈그 여름의 서울〉을 추천하고 싶다. 책을 읽고 자신의 삶에 대해 다시 생각해 보는 기회를 가진다면 그들에게 새로운 길을 찾는 계기가 될 것 같다. 많은 청소년들이 책 속 은국이의 모습을 통해 자신만의 주체적인 삶과 꿈을 찾기를 기대한다.

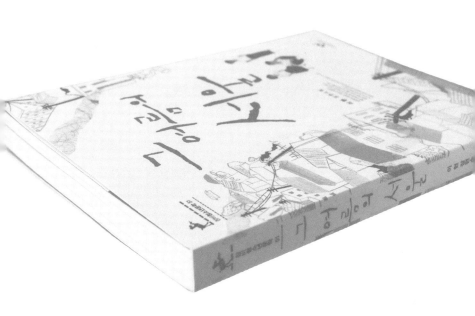

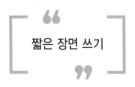
양심을 지키는 일
선택의 상황에 놓인 한 인물이 나오는 장면

그 누구보다 한 발 앞서길 바라는 **주정은**(1학년)

난 백수현, 고등학교 1학년이다. 난 친구가 많은 편도, 적은 편도 공부를 잘 하는 것도 못 하는 것도 아니고 운동을 잘 하지도 못 하지도 않고 집이 부자거나 가난하지도 않는 정말 평범하고도 평범한 한 고교생이다. 근데 우리 반이 좀 특이한 편이다. 공부 좀 한다는 애들은 정말 잘하고 못하는 애들은 엎어져 졸기만 하니…… 난 정말 이것도 저것도 아닌 셈이다.

어느 날 학교에서 멍 때리고 있는 나에게 누군가 다가왔다. 그는 일진 선배들과 함께 다니는 일진 놈인 강승우이다. 그는 이전에 내가 복도를 지나다 앞을 보지 못하고 부딪혔던 같은 반 아이인데 오늘 그는 내게 따라오라고 했다. 그리고 난 강승우를 따라 공포의 장소라는 화장실로 향했다. 그곳에는 강승우 뿐만이 아닌 다른 2, 3학년 일진선배들도 있었다. 그리고 나에게 3학년 선배가 무서운 제안을 하였다. "너, 우리 승우랑 부딪힌 자식이지? 그에 대한 빚이라 치고 우리 좀 도와. 싫음 말고. 싫으면 우리한테 그에 대한 빚이라 치고 맞던가." "도, 도와드리겠습니다." 겁을 먹은 난 그 말을 거절할 수 없었다. 그 이야기는 내일 좀 돈이 있어 보이는 1학년이 있는데, 그 애를 따라다니면서 돈을 빼앗겠다는 것이다. 이야기가 끝나고 수업종이 쳤다. 교실에 기진맥진으로 들어와 긴장이 다

그 여름의 서울

풀린 나는 수업 따위 듣는 둥 마는 둥 하곤 집으로 간 후 밥도 먹지 않고 바로 자버렸다.

"모두 다 왔지? 쫓아갈 애는 저기 저 빨간 가방이다. 기억해라."라고 3학년 선배가 말했다. 그 친구가 이제 막 집에 가려는 것인 것 같다. 밤 11시. 인적도 드문 시간이다. 제일 먼저 나와 강승우 1학년부터 나가서 작전장소로 데려오는 것이다. 2, 3학년 선배가 나와 그 친구에게 폭력을 휘두르며 아이는 돈이란 돈은 전부 내밀며 빌었다. "도, 돈이 되는 거라면 뭐든지 드릴 테니 제발 보내주세요. 흐-윽"라면서 그 친구는 울면서 손을 비볐다. 3학년 선배는 그 친구의 값비싼 물건이란 물건은 다 챙기면서 말했다. "너, 오늘 일 아무한테도 말하지 마라. 말하면 내가 너 가만 안둬. 잘 생각해. 너 이름이 뭐야." "1학년 9반 16번 이승현입니다아."라고 말하는 승현이의 목소리는 떨고 있었다.

결국 그 친구는 아무에게도 이야기 하지 않았고, 조용히 묵묵히 지내는 것 같다. 하지만 난 왠지 마음 한 구석이 너무 무겁고 하루 종일 긴장되어 마음을 졸였다. 마치 나의 양심이 버려진 것 같은. 하지만 그 이유는 학교가 끝나고도 찾지 못하였다. 학교를 마치고 집에 가는 길에 2학년 선배가 승현이에게 돈을 또 받는 것을 보았다. 아마 이제 승현이가 누군지 아니까 그러는 듯 싶다. 난 집에 가다가도 승현이가 울던 모습이 잊혀지지 않았다. 이러다간 아무것도 할 수 없을 것 같다. 난 이제 선택이 두 가지 밖에 없었다. 승현이가 울면서 힘들어 하는 걸 계속 보고 있을 것인지 아니면 생활안전부에 가서 자수를 할 것인지. 어차피가도 난 공범자일 것이다. 하지만 내가 두렵다고 승현이를 힘들게 할 수는 없지 않을까……어쩌면 좋지……승현이가 3년 넘도록 계속 힘들도록 둘지 내가 그나마 덜어줄지.

난 고등학생이 된 이상 스스로 선택해야 했다. 그래서 나의 생각을 가다듬고 결국 학교 생활안전부로 가 사실을 말하였다. 원래 내가 하고 싶었던 내가 진짜 선택하고 싶었던 길을 선택하였고 난 나의 양심을 지켰다.

그 여름의 서울

피아니스트? 과외교사!

선택의 상황에 놓인 한 인물이 나오는 장면

주말이 세상에서 제일 좋은 **이현지**(1학년)

우리집은 여덟명의 동생, 우리 엄마, 아빠, 할머니, 할아버지 그리고 나 총 13명의 대식구이다. 먹고살기 바쁜 집안이지만 나에게는 꿈이 있다. 이화여자전문학교를 졸업하여 피아니스트가 되는 것이다. 길거리에서 우연히 피아노 소리를 들었는데 그 소리가 내 마음을 흔들어 놓았다. 그 뒤로부터 나는 마음속에 피아니스트라는 꿈을 품게 되었다.

남들은 다 내게 "너가 무슨 피아니스트니? 그냥 과외교사나 해!" "너 같은 형편에 피아노라니 꿈이 너무 크다."이렇게들 말하지만 나는 피아노가 정말 좋다. 작년에 이화여자전문학교에 음악과가 개설되었다는 소리를 들은 후에는 더더욱 꿈을 포기할 수가 없었다. 이렇게 꿈만 꾸던 나에게 청천벽력 같은 일이 닥쳤다. 산책을 하고 돌아오는 길이었다. 옆에서 수근수근거리는 소리에 뭔가 느낌이 이상해 귀를 기울여서 들어보았다.

"쟤가 그 옆집 최씨 딸이네. 아이구 이쁘장하게 생긴 것이 나이도 어린데 어쩔꼬."

"형님 왜 그러시는데요?"

"아니 그 최씨네가 이번에 지센가 뭔가하는 돈을 다음달까지 못 내면 최씨가 잡혀간단다이가. 이게 다 그 나쁜 일본놈들 때문이지. 온갖 것에다가 세금을 붙여 가지고…….우리가 뭔 죄를 지었길래 이러노."

다음 달까지 지세를 못 내면 우리 아버지가 잡혀가신다니 믿을 수 없었다. 아니 믿기 싫었다. 그래서 나는 우리집까지 어느 때보다 빠르게 뛰었다. 가보니 어머니가 우시고 계셨다. 뛰면서 든 온갖 의심들이 다 날라가고 허무함만 남았다. 그날 뒤로부터 나는 미친 듯이 돈을 벌기 시작했다. 나의 가장 아끼던 비녀도 팔고 돈이 될 수 있는 거라면 무엇이든지 다 했다. 그렇게 두 달이 지나고 지세를 다 내었다. 하지만 내 꿈은 사라지고 어디서부터 시작해야될지 무엇을 해야 될지 모르겠다. 장녀, 첫째라는 두 단어가 주는 부담감은 정말 컸다. 결국엔 내 특기인 공부를 살려 과외교사라는 직업을 갖게 되었다.

"안녕하세요, 새로운 과외교사입니다."

"아, 어서오세요. 은주네 방은 이층으로 올라가셔서 가장 먼저 보이는 방이에요."

어색한 대화를 나누고 들어간 은주의 집은 정말 넓고 상상도 못할 만큼 좋았다. 그 중에서도 가장 마음에 드는 부분은 은주의 방에 놓인 피아노였다. 그동안 접었던 꿈이 다시 되살아나는 것만 같았다. 은주와 친해진 나는 가끔씩 피아노도 치며 놀았고 행복한 나날들을 보냈다. 그렇게 7년이라는 시간이 지나고 동생들도 다 하나씩 직업을 가지게 되면서 우리 집은 평화를 되찾았다. 어느 날 집에 가다가 문득 한 피아니스트의 인터뷰 소리가 텔레비전을 통해서 나오고 있었다.

"무엇이든 쉬운 건 없어요. 지금은 이렇게 높은 자리에 올라서 있지만 저도 엄청나게 힘들게 올라온 자리랍니다. 처음에는 가족들이 다 반대를 했거든요. 하지만 매일 밥도 거르면서 연습하던 저를 보고 '아, 얘는 정말 피아노가 아니면 안 된다'라고 생각하셨나 봐요. 결국엔 찬성해 주셨죠. 그리고 요즘은 팍팍 밀어주시고요, 하하!"

그 여름의 서울

집에 돌아온 나는 다시 꿈에 대해 생각해보게 되었다. 그리고 나의 꿈을 이루자는 다짐을 하였다. 나는 대학등록금을 위해 동생들의 손도 빌리고 과외교사 일도 하며 음식점에 가서 아주머니들도 도와주며 열심히 일을 하였다. 그리고 1933년, 결국엔 꿈에 그리던 이화여자전문대학교에 입학하였다. 내 주위에는 온통 잘 사는 집 아이들밖에 없었지만 그 아이들에게 기가 눌리지 않기 위해 더 열심히 연습하고 노력하였다. 4년 뒤, 난 전체 수석으로 졸업을 하였고 우리 집안의 자랑스러운 첫째로 기억될 수 있었다.

자신의 감성을 표현하는 예술가를 사랑하는 **박세향**(3학년)
소파와 혼연일체 되어 사는 **전영진**(3학년)
외 인문학 동아리 친구들 공동작

작품 소개

영진 이번에 우리는 이현 작가님의 〈그 여름의 서울〉이라는 소설을 읽었습니다. 이현 작가님은 어쨌거나, 내일은 오늘보다 더 멋질 거라는 대책 없는 믿음으로 〈짜장면 불어요〉, 〈로봇의 별〉, 〈플레이볼〉, 〈푸른 사자 와니니〉, 〈일곱 개의 화살〉 그리고 청소년소설 〈우리들의 스캔들〉, 〈영두의 우연한 현실〉, 〈오! 나의 남자들!〉, 〈1945, 철원〉을 쓰셨어요. 자, 그럼 우리 이 소설에 대해서 본격적으로 이야기 해봐요.

나현 〈그 여름의 서울〉은 한국전쟁을 청소년의 시각으로 보여주는 소설이였어요. 한국전쟁을 다루는 소설은 많지만 청소년을 주인공으로 전쟁 속에서 어떻게 살고 어떤 생각을 했는지 이야기하는 소설은 많지 않았어요.

세향 맞아요. 우리 또래의 인물들이 주인공인 만큼 더 생생하고 현실감 있게 와 닿았어요. 전쟁중에도 사람들의 삶은 계속되고 있고 특히 당시 청소년들의 생각과 생활을 엿볼 수 있는 소설이었어요.

김정수 선생님 은국이, 봉아, 상만이, 학성이, 길재 등 각각 인물들마다 자신만의 사상을 가지고 신념대로 살아가는 모습이 신기하기도 했어요.

진하 한편으로는 주인공들이 겪었던 전쟁의 참혹한 현실이 안타깝기도 했구요.

인물 소개

세향 그럼 우리 각각 등장인물이 되어서 소설 속으로 한 발짝 더 들어가 볼까요? 저는 은국이 친구 상만이를 맡을게요.

나현 저는 남자 주인공인 은국이를 맡을게요.

진하 저는 여자 주인공인 봉아를 맡을게요.

영진 저는 은국이 아빠인 황기택을 맡을게요.

김정수 선생님 저는 봉아의 삼촌인 양진석을 맡을게요.

줄거리 소개

나현(은국) 서울이 인민군에게 점령당한 날에 저는 가족들과 떨어져 피란 가지 못하고 혼자 남게 되었지요.

진하(봉아) 저는 그 당시 서울의 감옥에 갇혀 있던 혁명가였던 어머니가 변절한 뒤 세상을 떠났다는 소식을 접하고 도망치듯 서울로 오게 되었어요.

김정수 선생님(양진석) 저는 밴드부 지도 교사로 봉아, 은국과 함께 여관에서 지내게 되었지요. 그렇게 우리는 인민군 편에 서서 의용군 지원을 독려하는 연합 밴드부에서 활동하게 되었지요.

나현(은국) 전쟁 중이었지만 조금씩 서울은 일상을 찾아가고 있었어요.

세향(상만) 그러던 중 극우 단체에 속해 있으며 좌익학생들을 탄압하는 일에 앞장 섰던 제가 서울에 숨어 있었다는 사실이 밝혀졌지요. 그리고 학교 강당에 숨어있다는 것이 밝혀져 도망치다가 그만 죽고 말았지요.

영진(황기택) 안타깝군요. 삼가 고인의 명복을 빌게요.

세향(상만) 고마워요.

나현(은국) 저는 아버지 황기택이 서울을 빠져나가지 못하고 숨어 있다는 사실을 알게 됐어요.

전영진(황기택) 저는 공산주의자들을 때려잡겠다며 은국이에게 인민군이 아닌 저를 따라오라고 강요 했지요.

나현(은국) 그때 저는 저의 신념과 아버지에 대한 애정 사이에서 갈팡질팡 하다가 처음으로 제 길을 선택하여 전쟁에 나가는 의용군에 지원하게 되었어요.

김정수 선생님(양진석) 밴드부 학생인 상만이를 저는 모른 척 할 수가 없었지요. 결국 상만이가 학교 강당에서 잡히면서 저 또한 반동을 숨겨주었다는 죄목으로 체포되었어요.

나현(은국) 인천 상륙 작전이 감행된 날, 저는 다시 아버지와 대치했고, 아버지가 봉아의 목숨을 걸고 협박해서 할 수 없이 아버지 앞에 무릎을 꿇고 말았어요.

영진(황기택) 여자 한 명에 무릎을 꿇다니요. 자식 키워봤자 소용없다더니만⋯. 옛말 틀린 거 하나 없 어요.

진하(봉아) 전차를 타고 가던 중에 의용군 궐기 대회에서 전쟁터로 나가자고 선동하며 연설하던 저를 알아본 여학생과 그 엄마에게 봉변을 당해서 이들을 피해 전차에서 뛰어내렸어요. 그러다가 국방색 트럭에 그대로 들이받아 버렸지요.

나현(은국) 봉아야, 하늘나라에서 다른 남자 만나지 말고 날 기다릴 수 있겠니?

진하(봉아) 그래, 기다리고 있을게.

나현(은국) 전 부산으로 가는 기차를 타고 아버지의 세계로 깊이 들어가거나, 기차에서 내리는 두 가지 갈림길에 섰어요. 문득 스스로를 부끄러워하며 살 순 없다는 생각이 들었어요. 선택의 기회란 누군가 주는 게 아니라 스스로 만드는 것이라고 생각하며 지금이 바로 그 순간이라고 직감했지요. 저는 기차에서 뛰어내려 기차와 반대 방향으로 달려갔어요.

그 여름의 서울

인물이 인물에게

나현(은국) 그럼 이제 서로에게 궁금했던 질문들을 해볼까요? 저부터 시작 할게요. 아버지, 아버지는 왜 제가 반항을 많이였는데도 포기하지 않고 저에게 기대를 걸었던 이유가 무엇인가요?

영진(황기택) 하나밖에 없는 아들이기도 하고 이제 17살이니 많이 반항할 때라는 생각이 들었었지. 이 시기만 지나면 착한 아들로 돌아올 것이라는 기대가 있었고, 아들이 편하게 살았으면 하는 마음에 포기할 수 없었어.
상만아, 너는 자유수호학생단이라는 단체의 중심인물로 우익 활동을 열심히 하였지. 좌익학생들을 탄압하는 일에 적극적으로 앞장 서서 인민군이 서울로 들어왔을 때 나처럼 숨어 다녔지. 은국이와는 친한 친구 사이였는데 서로 다른 길을 걸으면서 은국이가 너를 멀리하였을 때 어떤 기분이 들었니?

세형(상만) 그래도 한때는 같은 밴드부 멤버였는데 사상이 다르다는 이유만으로 멀리하는 모습을 보니 전쟁이 사람들의 생활에 미치는 영향을 더 실감하게 되었어요. 우리가 다시 예전처럼 돌아갈 수 있을까? 다시 친해지는 의미에서 은국이에게 질문 하나 할게. 너는 봉아와 연합 밴드부 활동을 같이 하며 많이 친해졌는데 봉아에 대해 어떻게 생각해?

나현(은국) 전쟁이 일어난 뒤 원년멤버는 아니지만 봉아와 많은 시간을 보내게 되었지. 봉아를 가까이에서 계속 지켜봤는데 참 강단 있는 친구였어. 이런 시국에서도 자신의 신념과 의지가 참 강했지. 한편으로는 아버지, 어머니를 전쟁 중에 다 잃어버린 절망적 상황에서도 흔들리지 않고 살 길을 찾아 애쓰는 모습이 안쓰러웠어. 그러면 봉아야, 너는 나를 어떻게 생각해?

진하(봉아) 너가 부모님에게서 벗어나 스스로 판단하고 선택하여 살아가려 한다는 점에서 동질감을 느꼈어. 혼란스러운 전쟁 속에서 청소년으로 살아가면서 같은 꿈을 꿨던 좋은 친구라고 생각해. 세상 속에 혼자 던져진 듯한 암흑 속에서 나도 너에게 어느 순간부터 의지하고 있었던 것 같아.

김정수 선생님(양진석) 흠, 그리고 보니 밴드부 할 때부터 둘이 심상치 않았어. 그러면 은국아 원년 밴드부였던 3명의 친구인 상만, 길재, 학성에 대한 너의 생각은 어때?

나현(은국) 우선, 상만이는 한때 누구보다 가까운 동무였어요. 하지만 시간이 지나자 정치 깡패들의 수하가 되어 있었고 그때부터 전 상만이를 멀리하기 시작했던 것 같아요. 그러다 상만이가 사람을 죽였다는 소문을 듣게 되었고 상만이와 말을 하던 중 그것이 사실이라는 것을 짐작하게 되고 많이 실망했어요. 한편으로 공산주의자를 죽도록 싫어하는데 왜 그렇게까지 싫어해야하나 싶은 마음이 들기도 했어요.

세향(상만) 우리 다시 친해지긴 힘들 것 같아. 너가 나를 그렇게 생각하는 줄 몰랐어. 실망이야.

나현(은국) 큼큼. 두 번째로 길재는 참 차분한 친구였어요. 만약 전쟁이 일어나지 않았다면 길재는 정말 큰 인물이 되어 저의 눈앞에 나타났으리라 확신해요. 내가 부산으로 가는 기차를 타기 전, 길재가 저에게 침을 뱉었지만, 저는 화가 나기보다 그저 전쟁의 아픔과 길재에 대한 미안함만이 남았지요. 학성이는 원칙을 지키는 것을 기본으로 하여 세상을 바로잡고 싶어하는 친구였어요. 끝내 의용군에 들어가는 모습을 보며 마음이 아팠어요.

다음은 아버지께 질문을 할게요. 우리는 친일 악질 지주 집안사람이었어요. 좌익 인사들에게 가혹하게 한 이유는 무엇이며 스스로 당신이 살아온 삶에 대해 어떻게 생각하나요?

영진(황기택) 나는 항상 내가 속해 있는 곳에서 열심히 살았을 뿐이야. 일제강점기에 친일파가 된 것도 지금 판사가 되어 부와 권세를 누리는 것도 다 나와 나의 가족이 부와 권세를 누리며 살기 위한 방법이었을 뿐이고, 좌익 인사들에게 가혹하게 한 이유 또한 내가 살기 위해선 어쩔 수 없었어. 친일을 한 이력을 가지고 해방된 조국에서 살기 위해서는 비판의 화살을 다른 쪽에 돌리게 해야 했지. 많은 사람들이 나의 삶을 보고 비난하겠지만, 나는 딱히 나의 삶이 잘못되었다고 생각하지 않아.

그럼 양진석 선생님께 질문 하나 할게요. 선생님은 상만에게 "상만아, 솔직히 말해서 공산주의가 틀린 소리는 아니잖아. 똑같이 먹고 똑같이 입자는데, 그거야 말로 옳은 말 아니냐?"고 말합니다. 그런 선생님이 선택하신 이념은 공산주의인가요? 그렇다면 공산주의를 선택하신 이유는 무엇인가요?

김정수 선생님(양진석) 제가 공산주의를 선택해서 공산주의자가 된 것은 아닙니다. 단지, 서울이 인민군의 치하가 되었으니 거기에 대해서 협조하는 것입니다. 하지만 저 같이 먹고 살기 힘든 평범한 사람들 입장에서 똑같이 분배한다는 공산주의 사상은 한줄기의 빛과 같았습니다. 일제 시대 일제의 억압에서 해방을 꿈꿨던 많은 사람들이 민족 해방을 외쳤던 사회주의 사상에 빠져들었듯이 말입니다. 공산주의 이념이 현실에 제대로만 실천이 되었다면 반대하지 않고 그 이념을 지지하였을 것입니다.

마지막으로 봉아에게 질문 하나 할게. 봉아야 14살의 나이로 연합밴드부 일원으로 의용군 자원 궐기

대회에 참가하여 입대를 독려하고 앞장서서 선동을 했잖아. 네가 그렇게 행동하는 이유가 궁금하고 그런 용기가 어디서 나오는지 궁금해.

백진하(봉아) 전쟁 속에서 서울을 지배하는 것이 어느 쪽인가에 따라 하루아침에 태세를 바꾸는 사람들을 보고 생각했어요. '어찌됐든 살기 위해서는 인민군의 편에서 싸워야겠구나.' 라고 말이에요. 그 당시 인민군 쪽이 압도적으로 이기고 있었고, 저는 인민군의 승리를 예상했기 때문에 그렇게 용기를 가지고 선동을 할 수 있었어요. 그리고 혁명군인 어머니가 변절한 것에 대한 일종의 보상 심리라고도 볼 수 있을 거에요.

마무리

영진 지금까지 우리는 〈그 여름의 서울〉에 나오는 등장인물이 되어 이야기를 해보았어요.
이야기를 하다보니 한 민족끼리 전쟁 때문에 이렇게 많은 사람들이 서로 싸우고 다치고 죽고 하는 것이 참 마음이 아파요.

세향 우리나라가 세계에서 유일한 분단 국가인만큼 하루 빨리 평화적 통일이 되었으면 좋겠어요.

나현 맞아요. 오늘 이렇게 한국전쟁을 소재로 한 소설에 대하여 이야기 나누다보니 서로 싸워야 하는 우리나라의 현실이 너무 안타까웠어요.

진하 기억하지 않는 역사는 반복된다고 하죠. 역사를 소재로 한 소설을 통해 우리 친구들이 우리의 역사에 관심을 가졌으면 해요. 역사를 통해 과거를 되돌아보고 현재를 생각하며 미래를 바라볼 수 있기를 바랄게요.

김정수 선생님 역사를 잊은 민족에게 미래는 없습니다. 이 말은 우리가 올해 청소년 인문학 특강 주제를 〈소설, 역사를 품다〉로 정한 이유입니다.
이상으로 라운드 테이블 방식 소설 수다를 마치겠습니다

피란 수도 부산을 걷다

부산은 한국전쟁 기간 1,023일 동안 대한민국의 수도였다. 1950년 6월 25일 북한군이 선전포고 없이 38도선을 넘어 내려왔다. 서울은 3일 만에 점령당하였고 전쟁이 시작된 지 두 달도 안 되어 낙동강이 최후 방어선이 되었다. 대한민국 정부는 대전과 대구를 거쳐 부산까지 밀려 내려왔다. 인천 상륙작전과 국군의 반격, 중공군의 개입 등으로 전쟁은 길어졌고 1,023일동안 부산은 피란수도로서의 역할을 하였다.

 부산을 걷다보면 곳곳에 피란 수도의 모습을 발견할 수 있다. 세월이 흐름에 따라 본래 건물의 용도가 바뀌어 남은 곳도 있고 아쉽게도 사라져 버린 곳도 있다. 우리는 '부산 원도심 투어' 중 '응답하라 피란 수도 1023'에 참여하였다. 피란 마을인 아미동 비석 문화 마을에서 시작하여 임시수도 대통령 관저(현 임시수도 기념관), 부산 임시 수도 정부청사(현 동아대 석당 박물관) 등을 문화해설사와 함께 둘러보고 40계단, 보수동 책방골목을 느리게 걷는 특별한 시간을 가졌다.

일본인 묘지에 지어진 집, 아미동 비석 문화 마을

아미동 비석문화마을은 한국전쟁 당시 넘쳐나는 피란민들을 수용하기 위해 형성된 마을로 일본인 공동묘지에 세워진 마을이다. 아미동 근처에 일본인 거주지가 들어오면서 빈민촌이었던 이곳에 일본인 화장장과 공동묘지가 들어섰다. 광복 후 일본인들이 미처 조상묘를 관리하지 못하고 우리나라에서 떠나고 5년간 이 곳은 방치되었다. 그러다 전쟁을 피해 고향을 떠나 피란민들이 부산에 왔지만 거주할 집을 구할 수가 없었다. 부산항과 부산역을 통해 밀려들어온 피란

민들은 산비탈, 다리 밑, 하천 근처 등에서 살아야 했다. 이 당시 부산역 앞에서 공무원이 피란민에게 주소가 적힌 쪽지와 천막을 주면 그 쪽지에 적힌 주소로 가서 정착해야 했다. 갈 곳이 없던 피란민들은 '아미동 산 ○번지'라는 주소가 적힌 쪽지를 받으면 그 곳에 가서 살아야 했다.

우리는 구서역에서 지하철을 타고 토성역에서 내려 마을버스를 타고 산상교회 앞으로 갔다. 그 동네는 '아미동'이라고 했다. 산상교회 앞에는 수십 년간 보존된 일본인의 납골묘가 그대로 있었다. 일본은 우리나라처럼 공동묘지가 아니라 불교식 화장과 납골 문화가 발달하였다. 피란민들이 당시 집을 지을 건축 자재가 없어 일본인들의 묘비로 축대를 쌓는데 사용한 흔적이 그대로 남아있다. 납골묘의 기단은 평평하여 집을 짓기에 적절하였고 집의 옆면과 천장은 자갈치 시장의 박스나 판자, 골판지 등을 가지고 와서 지었다고 한다. 글씨가 적혀있는 묘비들이 실제로 집 담장 곳곳에 박혀있는 모습을 보고 정말 신기하기도 하고 소름끼치기도 했다. 좁디좁은 골목 사이사이를 지나다 보니 흔하게 볼 수 있는 것이 묘비였다.

비석문화마을 골목을 걷다 보니 피란을 와서 공동묘지 위에 집을 짓고 살아야 했던 피란민들의 절망과 애환이 전해져 왔다. 죽음과 삶이 공존하는 곳이 이곳이다. 하루하루를 견뎌내야 했던 그 삶은 얼마나 고통스러웠을까. 최근 '아미동 행복마을'이라는 이름으로 마을재생사업이 이루어져 마을이 밝아지고 주거환경이 좋아졌다고 한다. 처음에는 마을에 찾아오는 사람들에게 거부 반응을 나타 냈던 주민들도 요즘에는 웃으며 대한다고 한다. 골목을 거닐며 미안한 마음에 조심스럽게 사진을 찍던 마음이 조금은 편해지는 것 같다. 1950년대에 태극도 신도들과 한국전쟁 피난민들이 모여서 이루어진 감천문화마을 이 바로 옆에 있 으니 천천히 걸어보면 어떨까.

아미동, 구름 전망대

그 뒤 조금 더 높은 곳으로 이동했다. 곧 '구름 전망대'라는 곳이 나타났다. 구름 도 쉬어갈 만큼 오르막길에 있다고 해서 붙여진 이름이다. 그곳에서 내려다 보 니 아미동 전체가 한 눈에 보였다. 한마디로 장관이었다. 군데군데 산이 보였고 멀리서 보니 조그마한 집들이 틈이 없을 정도로 빼곡히 수 놓여 있었다. 멀리로 시선을 옮기니 용두산 타워도 보였고 민주공원에서 봤던 위령탑도 볼 수 있었 다. 우리가 산의 중턱을 지나는 도로인 '산복도로'에 와 있구나 하는 실감이 들 었다.

　　　　　　　　　　　길 위에서 역사를 배우다

다큐멘터리 1세대 사진작가 '최민식 갤러리'

구름 전망대에서 조금 머물다가 아래로 다시 내려오니 '최민식 갤러리'가 나왔다. 건물(아미문화학습관)의 3층에는 마을기업에서 운영하는 카페가 있고 2층에 최민식 갤러리가 있었다. 우리는 '최민식'이라는 말을 듣고 영화배우를 먼저 떠올렸지만 국내의 손꼽히는 사진작가인 최민식 작가의 사진을 전시해놓은 곳이었다. 작다고 하면 작을 수 있는 공간에 흑백 사진들이 전시되어 있고 최민식 작가의 유품도 볼 수 있었다. 감미로운 노랫소리에 곁들여 사진들을 감상하니 시간이 참 빨리 갔다.

그런데 이곳에 '최민식 갤러리'가 왜 있을까 궁금하였다. 전쟁과 가난으로 굴곡진 서민들의 삶을 가감없이 카메라에 담아낸 우리나라 다큐멘터리 1세대 작가이기 때문이었다. 피란민들의 애환이 깃든 아미동과 한평생을 '인간'이라는 주제로 살았던 그의 삶은 이어져 있는 듯하다. 해설사님이 우리에게 사진 한 장을 가리키며 물으셨다. "저 사진에 나오는 여인이 아기에게 젖을 물리면서 두 손을 뒤로 하고 있는 이유가 뭘까요?" 가리킨 사진은 자갈치 시장에서 생선을 팔다 아기에게 젖을 물리는 여인의 사진이었다. 그 이유는 아기에게 손이 닿으면 생선비린내가 풍길까 걱정되어서이다. 낮은 곳에서 서민들의 다양한 삶과 애환을 다룬 사진들은 하나하나 표정이 있고 말을 하고 있었다. 곳곳에 최민식 작가가 생전 남긴 말들이 적혀 있었다. 하나하나 놓칠 수 없는 명언이었지만 특히 기억에 남는 말이 있다. "가난과 불평등 그리고 소외의 현장을 담은 내 사진은 '배부른 자의 장식적 소유물'이 되는 것을 단호하게 거부한다."

이승만 대통령 관저, 임시수도 기념관

최민식 갤러리에서 조금씩 내려가다 보니 게시판(칠판) 형식의 방명록이 있었다. 친구들과 그곳에 분필로 이름을 적은 게 무척 재미있고 기억에 남는다. 마을

을 방문한 사람들을 위해 이런 큰 방명록을 게시해 두는 것도 하나의 아이디어
다. 칠판에 남겨진 그림과 글을 사진 찍어 보관해 두면 이것이 이 마을의 이야기
를 기록하는 하나의 방법이 아닐까 생각하였다.

이곳에서 임시수도 기념관까지는 꽤나 시간이 걸렸다. 가는 길에 일본인 화장
장 자리(현재 천주교 아파트)와 일본인 장례식장 자리(현재 아동보호센터)도 보
았다. 많이 걷다보니 다리도 너무 아프고 다들 지쳐서 임시수도 기념관에 도착
하자마자 쓰러졌다.

임시수도 기념관에는 한국전쟁 당시 임시 수도 대통령 관저로 사용되었던 건물
의 모습이 생생하게 드러나 있었다. 1층과 2층으로 이루어져 대통령이 업무를
보는 공간, 서재, 식당, 욕실 등 다양한 공간이 있었다. 마치 아파트 모델하우스
를 보는 느낌이었다. 이곳은 일제강점 때 경상남도 도지사 관사로 지어진 건물
이었다. 한국전쟁 중 부산이 임시수도로 지정되면서 대통령 관저(부산 경무대)
로 사용되었다고 한다. 실제로 이승만 초대 대통령이 지냈던 건물이라고 하니
정말 신기했다. 임시수도 기념관은 전쟁 중에 중요한 정치적 의사 결정과 외교

길 위에서 역사를 배우다

문제를 지휘하던 역사적으로 중요한 곳이었다. 근처에 있는 '임시수도 기념 거리'와 당시의 '전차'를 함께 볼 것을 추천한다.

임시수도정부청사, 동아대 석당 박물관

동아대학교 석당 박물관으로 이동하여 '임시 수도 정부 청사'에 대한 설명을 들었다. 일제강점기에 경남도청이었던 건물은 전쟁으로 임시수도 정부청사로 사용을 했다고 한다. 서울이 수복된 후, 다시 경남도청으로 사용되다가 부산지방검찰청으로 사용되었다. 이곳이 최근까지도 부산지방검찰청으로 사용되었다는 점이 정말 신기했다. 동아대는 박물관으로 전환하는 과정에서 건물이 가진 역사 그대로를 복원하기 위해 많은 노력을 다했다고 한다.

피란별곡, 40계단

40계단은 계단 수가 40개여서 붙여진 이름이다. 본래 40계단의 폭이 많이 줄어들어 옛 모습을 잃었고 본래의 자리에서 25m 떨어진 지금의 자리에 40계단이

다시 만들어져 '40계단'로 불리고 있다. 전쟁 중 피란민들은 부산항이 내려다 보이는 산비탈에서 임시 판자촌을 짓고 살았다. 이 40계단을 오르내리며 항구로 일을 나가고 물건을 사오고 헤어진 가족들을 기다리고 만났을 것이다. 생계를 위해 구호 물자를 내다파는 장터가 만들어지기도 했다. 한번 올라도 숨이 가쁜 가파른 이 계단을 하루에도 수십 번 오르락 내리락하지 않았을까. 계단을 올라 멀리 영도다리와 항구를 바라보며 떠나온 고향 생각에 눈물 짓는 피난민의 모습과 그들의 고단했던 피난살이의 시름들이 구체적인 영상으로 다가왔다. 아는 만큼 보이고 보이는 만큼 느낀다고 했던가. 부산에 오래 살면서도 내가 얼마나 부산에 대해 잘 모르고 있었는지 깨달았다. 주변에 아코디언을 켜는 사람, 뺑 튀기 장수와 귀를 막는 아이들, 물동이를 이고 가는 여인 등의 조각상이 설치되어 있다. 40계단 문화관에 가면 한국 전쟁 당시 피란민들의 자료들이 잘 전시되어 있다고 한다.

중앙동은 다양한 활동을 하는 예술인들이 모여 있는 공간인 '또따또가'가 있다. '또따또가'의 작은 간판을 이정표 삼아 곳곳에 숨어 있는 예술공간을 찾아 나서는 것도 또 하나의 재미이다.

얼마 전 갔던 초량 이바구길에 있는 168계단도 피란민들의 애환이 서린 곳이다. 168계단은 산복도로에서 부산항까지 가장 빨리 내려갈 수 있는 지름길이다. 이 계단으로 물을 길어 나르던 사람들의 모습이 떠오르며 마음이 짠했다. 일자리를 구하러 항구에 모여든 사람들이 하루에도 수십번 이곳을 또 지나갔을 것이다. 전쟁이 끝난 후에도 이곳의 삶은 크게 바뀌지 않고 계속되었을 것이다. 최근 모노레일이 운행되면서 마을의 명물이 되어 많은 사람들이 이곳을 찾고 있다. 원래 고령인 마을 주민들을 위해 만들어진 것이지만 관광객들을 유치하는 일석이조의 역할을 톡톡히 하고 있다. 힘겨운 삶의 대명사였던 계단이 이제 그 마을의 대표 관광 상품이 되는 것을 보니 이상한 기분이 들었다. 근처에 한국전쟁 중 가

난하고 아픈 사람들을 무료로 치료해 주며 인술을 베풀었다는 장기려 박사 기념관(더 나눔)이 있으니 꼭 들러 보았으면 좋겠다.

전쟁 중 학구열로 형성된 보수동 책방 골목

피란민들은 경제적으로 어려운 삶을 살았지만 공부에 대한 열의는 식지 않았다. 부산에 있던 학교와 피란 온 학교까지 보수동 뒷산에 노천 교실과 천막 교실을 만들었다. 많은 학생들과 지식인들이 학교를 가기 위해 보수동 골목을 지나갔다. 전쟁 중에 책을 내다 팔거나 책을 사려는 사람들이 하나둘 생겨나면서 자연스럽게 보수동 골목은 책방 거리가 되었다. 당시 보수동과 인근 동광동에 인쇄소와 출판사가 들어선 것이 오늘날에도 그대로 남아 번성하고 있다.

남포동을 찾는 사람들은 이곳을 꼭 들리며 인증샷을 찍는다. 예전에는 서점만 있었지만 작은 문화공간들이 조금씩 생겨나며 작은 변화를 꾀하고 있다. 헌 책을 사고 파는 이곳이 우리에겐 마냥 낯설고 새로웠다. 하지만 책을 사지는 않고 구경만 하거나 사진만 찍고 가는 관광객들 때문에 장사가 안 된다는 이야기를 들었다. 책방 골목이 오래 살아남을 수 있기를 마음속으로 바라며 우리는 오늘의 긴 여정을 마무리하였다.

길 위에서 역사를 배우다

피란수도 부산, 세계유산 등재 후보지로 추천

최근 부산시가 한국전쟁 당시 피란수도였던 부산을 대표하는 건축, 문화 자산을 유네스코 세계 유산 목록에 올리려고 한다는 기사를 읽은 적이 있다. 역사와 문화적 가치가 공존하는 피란수도 부산을 느리게 걸으며 세계유산으로 꼭 남겨 기억하고 보존해야 겠다는 생각이 들었다. 비록 3시간 이상을 걷고 새로운 것들을 배우고 사진 찍고 기록하느라 힘이 들었지만, 역사가 살아 숨 쉬는 여러 장소에 가보며 느낀 점 또한 많았다. 다음에 또 이런 역사문화체험이 있다면 다시 참여하고 싶다.

글 / 항상 치킨을 먹고 싶은 **박나현**(2학년), 뉴이스트를 좋아하는 **지해인**(2학년)
사진 / 배진영을 보고 싶은 **이송학**(2학년), 임영민을 보고 싶은 **전지현**(2학년)

5월의
당신을 기억하다

네 번째 그날들

5월의 소년,
당신을 기다리겠습니다

체육 잘하는 **김서현**(1학년)

1980년, 비상계엄확대조치에 대해 반대하는 광주시민들을 무자비하게 학살했던 5·18 광주 민주화 운동을 기억하십니까? 1979년 10월 26일 군사정변을 통해 집권한 박정희 정부의 유신체제가 무너지고, 전국에는 비상계엄령이 내려집니다. 정국의 혼란을 틈타 박정희 정권의 비호를 받던 전두환 신군부 세력은 12·12 군사쿠데타를 일으키며 군사권 및 정치실권을 장악하게 되었습니다. 전두환 세력이 정치에 관여하게 되자, 또다시 군사정권이 들어설 것을 염려하는 서울의 시민들은 5월 15일, 서울역을 시작으로 민주화를 외치는 시위를 시작하게 됩니다. 그러나 전두환 세력은 그들의 시위를 막기 위하여 휴교령, 계엄령 전국 확대, 국회 폐쇄라는 강경한 대응을 하게 됩니다. 신군부는 대학생들을 중심으로 전국에서 날로 거세지는 민주화 시위를 진압하는 과정에서 전라남도 광주 시민들에 대한 무차별적인 군사작전을 벌입니다. 이에 광주시민들도 자체적으로 무장하여 군부대에 맞서는 등 대규모 유혈사태가 빚어집니다. 평화적 시위로 시작하였던 광주시민들의 시위는 계엄군의 학살과 폭력으로 인해 씻을 수 없는 상처로 남게 되었습니다. 그러나 광주시민들의 숭고한 희생은 대한민국

민주화의 큰 디딤돌이 되었습니다.

5·18 광주 민주화 운동을 배경으로 한 소설이 한강의 〈소년이 온다〉입니다. 각 장마다 다른 인물들의 시선을 통해 이야기를 전개하여 일반 역사책들과는 달리 더 와 닿고 공감되는 책입니다. 열흘간 있었던 광주민주화 운동의 당시 상황뿐만 아니라 그 이후 남겨진 사람들의 이야기까지 들려주는 소설로서, 공감하지 않을 수 없는 책이었습니다. 이야기는 정대를 찾기 위해 상무관에서 일을 하기 시작한 동호로부터 시작합니다. 2장에서는 총을 맞고 죽은 정대의 영혼 시점에서 서술되고, 3장에서는 동호와 함께 시신 수습을 도왔던 은숙이 어른이 되어 출판사에 취직한 후 있었던 일에 대한 이야기, 4장은 동호가 죽던 날 밤, 계엄군과 싸우기 위해 도청에 남았던 한 남자의 시점에서 전개되며, 시민군이었던 진수의 자살에 대해 다룹니다. 5장에서는 동호, 은숙과 함께 시신 수습을 했던 선주가 시민군들의 증언을 받아 책을 쓰고자 하는 작가의 인터뷰 요청을 받고, 마지막 6장은 동호 어머니가 동호를 그리워하는 가슴 아픈 이야기입니다.

우리는 '5·18 광주민주화운동 관련 영상 시청, 릴레이 줄거리 말하기, 한 줄 평, 인상 깊은 구절 낭독, 인물 분석, 인물 그림 그리기, 질문 만들기, 월드카페 대화' 등의 활동을 통해 〈소년이 온다〉에 한걸음 깊이 들어갔습니다. 5월의 소년을 만나러 광주역사문학기행도 다녀왔습니다.

제목 〈소년이 온다〉의 의미는 무엇일까요? 동호는 여러 사람들이 집에 가라고 하였음에도 왜 끝까지 도청에 남아 있었을까요? 작가가 각 장에 시점을 바꾸어 서술한 이유는 무엇일까요? 작가가 우리에게 전하려고 하였던 메시지는 무엇일까요? 그날의 희생자들과 남겨진 사람들의 이야기, 그 날의 광주로 들어가 봅시다!

시대
읽기

1979년 10월 26일 18년간 지속된 박정희 독재정권이 무너짐으로써 억눌렸던 민중들의 민주화에 대한 열망은 더욱 거세졌다. 하지만 이런 환호도 잠시, 이번에도 군인들은 또다시 군사 쿠데타를 일으켜 정권을 잡게 되었다. 1979년 12월 12일 일명 '12·12사태'라 불리는 군사 쿠데타의 주인공은 박정희를 암살한 김재규를 조사했던 합동수사본부의 전두환과 노태우였다.

이들은 젊은 군인 세력(신군부)이었다. 소식을 들은 국민들은 거리로 나섰고, 서울역 앞에는 무려 10만 명의 학생과 시민이 모여 시위를 벌이기 시작했다. 이에 신군부 세력은 기다렸다는 듯 전국에 계엄령을 선포하고, 대학생들의 민주화 시위를 막기 위해 강제로 휴교령을 내렸다. 민주주의의 상징인 국회의사당 앞에는 탱크가 배치되었고 주요 정치인들은 잡혀갔다. 민주화의 상징이었던 김대중을 내란을 일으킨다는 죄로 감옥에 가두고, 박정희 독재 정권에 항의하다 국회의원직을 박탈당한 김영삼을 자택에 감금하였다. 10여 년의 이승만 독재, 약 18년의 박정희 독재를 끝낸 대한민국을 총을 든 군인들이 또다시 점령하였다.

전국은 다시 서슬 퍼런 군사 독재에 얼어붙어버렸다. 이에 반발한 전국의 대학생들이 다시 한 번 일어나게 되었고 경찰들을 피해 민주화를 위한 투쟁을 시작하였다. 1980년 5월 18일 아침, 광주 전남대학교에서는 휴교령이 내려진 학교로 들어가려는 학생들과 이를 막으려는 군인들 사이에 실랑이가 벌어졌다. 당시 군인들이 너무 과격하게 대학생들의 시위를 진압하게 되었다. 그들은 마치 전투 중에 적군을 대하듯 무자비하게 대학생들을 막아섰다. 군인들이 쿠데타를 일으킨 것에 대해 가뜩이나 시선이 좋지 않은 상황에서 이런 불상사까지 생기자 소문은 금세 퍼져나갔다.

이윽고 5월 20일, 수많은 광주 시민들이 신군부의 계엄령에 항의하며 거리를 가득 메웠다. 이런 상황에서 전두환의 신군부 세력은 광주에 주둔한 군인들에게 발포 명령을 내렸다. 군인들은 거리를 가득 메운 시민들을 향해 사격을 가하였다. 이에 분노한 광주 시민들은 시민군을 조직해 군인들과 맞서 싸웠으나, 이런 민주화 항쟁의 모습을 전두환 정권은 북한의 간첩들이 광주로 내려와 시민들을 선동해서 폭동을 일으켰다고 연일 뉴스와 신문을 통해 국민들에게 알렸다. 그럴수록 광주 시민들은 더욱 단결해 저항을 했다. 그러나 광주에 주둔한 계엄군들은 지나가는 임산부와 노인, 중학생까지 닥치는 대로 사살하는 만행을 저질렀다. 광주에서 일어난 사건으로 인해 당시 사망자를 포함한 피해자만 4,000명이 넘었다고 한다. 5·18 광주 민주화운동을 무력으로 진압한 전두환은 통일주체국민회의라는 기구를 만들어 제11대 대통령이 되었다.

작품 읽기

〈소년이 온다〉는 피카소의 그림 같다. 모든 것을 알고 보는 것이 아니라면 쉽게 이해하기 어렵다. 하지만 이해를 하게 된다면 무한한 감동과 우리 민족의 아픔을 느낄 수 있다. ★★★★★
- 송주희(1학년)

〈소년이 온다〉는 여름날 새벽 5시 20분과 같다. 여름에는 새벽 5시 30분에 해가 뜨는데 이 책은 해가 뜨기 전 가장 어둡고 아픈 역사에 대해 말하고 있기 때문이다. ★★★★☆
- 이원정(1학년)

〈소년이 온다〉는 옷장이다. 옷장은 닫혀있을 때 안에 무엇이 들었는지 하나도 모르지만, 열어서 뒤지면 잘 알 수 있듯이 이 책도 그냥 보면 하나도 모르겠지만 자세히 읽으면 알 수 있기 때문이다. ★★★★★
- 김서현(1학년)

〈소년이 온다〉는 4D영화이다. 그저 보고 듣기만 했던 2D영화와 달리 그 시대에 있었던 것처럼 보고 듣는 것뿐만 아니라 긴장감이나 감정 등 모든 것을 생생하게 느낄 수 있었기 때문이다. ★★★★★
- 이현지(1학년)

〈소년이 온다〉는 위로이다. 어둡고 차가웠던 5·18 그날에 파괴된 사람들과 영혼들, 남은 사람들과 지금 그날을 기억하는 사람들까지 섬세한 고백으로 위로를 해주는 것 같아서이다. ★★★★☆
- 신현주(2학년)

〈소년이 온다〉는 5·18 사건 속 여러 사람을 볼 수 있는 책이다. 왜냐하면 같은 사건을 여러 시점으로 표현하여 많은 사람들의 생각을 알 수 있기 때문이다. ★★★★☆
- 이송학(2학년)

〈소년이 온다〉는 파운데이션이다. 민주주의의 기초인 광주민주화 운동을 다루었기 때문이다. ★★★★☆
- 박나현(2학년)

〈소년이 온다〉는 과거의 우리이다. 왜냐하면 16살 소년 동호와 같이 우리와 나이가 비슷한 청소년들의 시점으로 그 당시 살았던 청소년들의 일상과 생각을 엿볼 수 있기 때문이다. ★★★★☆
- 조윤정(2학년)

〈소년이 온다〉는 마음이 먹먹해지는 책이다. 왜냐하면 등장인물들이 겪은 일들을 사실적으로 알게 되면서 자연스레 마음이 불편해지고 먹먹해지기 때문이다. 등장인물들이 겪게 되는 비극적인 상황을 인물들의 내면 묘사와 함께 볼 수 있었고, 힘들고 아픈 상황들을 잘 느낄 수 있었다. 엄청 쑥쑥 잘 읽었다. ★★★★☆
- 김수련(3학년)

〈소년이 온다〉는 국화꽃이다. 왜냐하면 당시 죽어나간 광주 시민들의 마음을 어루어 달래고 보듬어주는 장례식의 따뜻한 한 송이의 국화꽃과 같은 책이기 때문이다. 생생하고 꼼꼼한 묘사들이 너무 예뻐서 책의 내용이 더 가슴 깊이 스며들 수 있었다. ★★★★★

– 나예조(3학년)

〈소년이 온다〉는 우리가 꼭 기억해야 할 역사이다. 왜냐하면 5·18 민주화 운동은 고통스럽지만 그럼에도 외면해서는 안 되는 사건이기 때문이다. 사실적인 묘사가 소름끼치면서도 기억에 깊게 남았고 광주 민주화 운동에 대해 다시 한번 생각해보게 해준 책이었다. ★★★★★

– 이유진(3학년)

〈소년이 온다〉는 5·18 아픔의 치료약이다. 왜냐하면 5·18로 고통 받았던 사람들을 조금이나마 치유해줄 수 있는 책인 것 같기 때문이다. 총 6장으로 이루어져 여러 시점이 계속 바뀌는 점이 흥미로웠지만, 한 편으로는 헷갈리는 부분도 있었다. ★★★★☆

– 장주연(3학년)

〈소년이 온다〉는 파도이다. 왜냐하면 잔잔하고 조용히 흘러가는 듯하면서도 어느 순간 커다란 파도처럼 깊고 거센 감정이 나를 덮치기 때문이다. 등장인물들의 심리가 절절하게 묘사되어 있다. 특히 기울임체로 된 글은 그 감정이 심화되어서 그 글을 읽는 나까지 생생하게 느낄 수 있도록 도와준다. 각 장마다 시점이 바뀌는데 그 때문에 다양한 시점으로 5·18 민주화 운동을 볼 수 있었지만 조금 이해하기가 어려웠다. ★★★★☆

– 정재은(3학년)

줄거리

1980년 5월 광주의 열흘과 그 이후 남겨진 사람들의 이야기를 담은 작품이다.

1장 어린 새
알 수 없는 서술자가 소년 '동호'를 지켜보며 서술한다. 시간적 배경은 1980년 5월의 광주다. 적십자 병원에 안치되어 있던 희생자들이 상무관에 옮겨져 합동 추도식이 진행되고 있다. '정미 누나(정대의 누나)'가 집에 돌아오지 않자 동호는 친구 '정대'와 함께 찾아 나선다. 같이 길을 가던 친구 정대가 군인들의 총에 맞아 쓰러지는 것을 보고 동호는 혼자 도망친다. 정대를 찾으러 상무관에 간 동호는 그곳에서 시신들을 닦고 관리하는 일을 하는 '은숙'과 '선주'를 만나고 시신을 수습하는 일을 돕는다. 주검들의 혼을 위로하기 위해 초를 밝히던 동호는 정대의 처참한 죽음을 떠올리며 괴로워한다.

2장 검은 숨
총을 맞고 죽은 정대의 영혼 시점에서 서술된다. 정대의 몸은 다른 몸들과 함께 묵묵히 흔들리며 트럭에 실려 갔다. 정대는 자신의 몸이 수많은 시신들과 함께 덤불숲에 쌓여 불태워지는 모습을 지켜본다. 그러는 동안 누나의 죽음을 직감하고 누가 자신을 죽였는지, 누가 누나를 죽였는지, 왜 죽였는지에 대해 끊임없이 되뇐다. 정대는 썩어가는 자신의 시체를 증오한다. 시신이 다 타서 없어지자 자유롭게 떠돌아다닐 수 있게 된 정대는 동호에게 찾아가려 하지만 그 순간 동호가 죽었다는 사실을 알게 된다.

소년이온다

3장 일곱 개의 뺨

1장에서 동호와 함께 시신 수습을 도왔던 20대가 된 여고생 은숙의 시점이다. 출판사에 취직한 은숙은 5월의 광주에서 혼자 살아남았다는 죄책감에 시달리며 살아간다. 은숙이 일하는 출판사는 희곡집을 출판하려 하지만 검열에 의해 내용이 전부 삭제 당한다. 은숙은 이 희곡집을 번역한 사람이 어디 있는지 추궁 당하며 조사를 하는 사내에게 일곱 대의 따귀를 맞는다. 극단은 이 희곡을 가지고 광주의 희생자들을 추모하는 연극을 감행한다. 처벌을 피하기 위해 대사를 읊는 대신 입모양으로만 내용을 전달하는 방법을 선택한다. 연극을 보던 은숙은 도청에 마지막까지 남아 희생된 동호를 떠올리며 뜨거운 눈물을 흘린다.

4장 쇠와 피

동호가 죽던 날 밤, 계엄군과 싸우기 위해 도청에 남았던 당시 스물 세 살의 교대 복학생이었던 한 사내가 주인공이다. 당시 마지막까지 도청에 남았던 시민군들은 총을 소지하고 있었지만 군인들을 향해 차마 쏘지 못하고 체포된다. 동호와 한 조였던 김진수도 당시 체포되어 조사실에서 끔찍한 고문에 시달렸다. 사내는 어느 겨울 김진수와 마주쳤다. 사내와 김진수는 감옥에 함께 있던 김영재가 정신병원에 가게 되었다는 이야기를 나눈다. 김진수와 사내는 살아남았다는, 아직도 살아있다는 치욕과 싸운다. 이들은 당시의 트라우마에 시달리며 일상의 삶을 괴로워한다. 진수는 결국 자살하게 되고, 사내는 지울 수 없는 상처와 기억을 안고 살아간다.

5장 밤의 눈동자

1장에서 동호, 은숙와 함께 시신 수습을 도왔던 선주가 주인공이다. 선주는 시민군들의 증언을 모아 책을 쓰고자 하는 한 작가의 인터뷰 요청을 받는다. 그러나 선주는 인터뷰 요청을 내켜하지 않는다. '윤(작가)'은 만나서 증언하기 힘들면 녹음기를 보낼 테니 녹음을 통해 도와달라고 편지를 보낸다. 선주는 십대 때 여공으로 열악한 환경에서 일하며 노조원들과 함께 시위를 했던 일, 이로 인해 끌려 가 성고문을 받았던 일이 지금도 트라우마로 남은 일 등을 떠올린다. 당시의 기억을 떠올리는 것이 너무 힘들었던 선주는 결국 인터뷰 요청을 거절한다. 같이 노동운동을 하다가 고통스러운 상황을 피하기 위한 선택으로 오랫동안 소식을 끊고 지냈던 '성희 언니'가 있는 병원을 찾아간다.

6장 꽃 핀 쪽으로

죽은 동호를 그리워하는 '동호 어머니'의 시점에서 전개된다. 동호 어머니는 시민군이 도청을 최후로 사수하던 그 날 밤, 동호를 데리러 도청에 가지만 끝내 아들을 데리고 나오지 못한다. 어머니는 그 때의 기억으로 죄책감에 시달린다. 그 후로 5·18 민주화운동 유가족들과 함께 집회에 나가 시위를 한다. 오랜 시간이 흘러도 아들의 모습이 생생하게 기억된다.

에필로그 눈 덮힌 램프

동호네가 살던 집의 전주인 딸이 5·18 광주 민주화 운동을 취재하며 느꼈던 이야기이다. 어떻게 이 책을 쓰게 되었는지, 어떤 말을 하고 싶었는지에 대한 작가의 생각이 나타난다.

동호

중학교 3학년이다. 16살이다. 짧게 머리를 깎았다. 안경을 쓴다. 기름한 눈매를 가졌다. 어깨가 좁다. 앳된 얼굴을 가졌다. 몸이 호리호리하다. 앞니가 살짝 벌어졌다. 하늘색 체육복에 교련복 윗도리를 입고 있다. 상무관에서 시신을 수습하는 일을 돕는다. 마음이 여리다. 자신이 맡은 일을 열심히 한다. 정대에게 미안해하고 죄책감을 가진다. 도청에 마지막까지 남아 있다가 죽는다.

정대

중학교 3학년이다. 16살이다. 동호의 친구이다. 학년에서 키가 제일 작아 초등학생같다. 단춧구멍 같은 눈에 콧잔등이 번번하다. 귀여움이 있다. 공부보다 돈을 벌고 싶어 한다. 누나 때문에 할 수 없이 인문계고 입시 준비를 한다. 겨울에 볼이 빨갛게 트고 손등에 사마귀가 있다. 누나 몰래 신문 수금 일을 한다. 거리에서 군인들의 총에 맞고 죽어 덤불숲에 버려진다. 누가 자신을 죽였고 누가 누나를 죽였고 왜 죽였는지 묻는다. 악취를 뿜으며 썩어가는 자신의 몸을 증오한다.

은숙

과거 수피아 여고 3학년이다. 덧니가 있어 귀엽게 생겼다. 곱슬머리에 긴 머리이다. 화장을 하지 않는다. 시민자치가 시작된 도청에 일손이 필요하다는 말을 듣고 왔다가 시신들을 수습하는 일을 맡았다. 다른 사람을 도와주려는 마음이 깊다. 자신이 맡은 일을 열심히 한다. 대학 생활 중 사귄 친구가 없다. 대학 졸업을 포기한다. 현재는 24살 출판사 직원이다. 조사실에서 희곡집을 번역한 자가 누군지를 취조당하고 사내에게 일곱 대의 뺨을 맞는다. 검열과에 제출한 가제본의 내용 대부분에 먹줄이 그어져 있다. 도청의 그 날 밤 혼자 살아남는 것에 대해 죄책감을 느낀다. 죽은 동호를 생각하며 마음 아파한다.

선주

과거 양장점 미싱사이다. 어깨까지 내려오는 머리카락을 지녔다. 노릇노릇 핏기 없는 피부에 몸이 가늘어 조금 허약해 보인다. 눈매는 야무져 보인다. 목소리가 또렷하다. 정이 많다. 성실하다. 예민한 인상이다. 십대 때 여공으로 열악한 환경에서 일하며 노조원들과 함께 시위를 했다. 경찰에 끌려 가 성고문을 받았다. 이로 인해 트라우마를 가지고 있다. 시민 자치가 시작된 도청에 일손이 필요하다는 말을 듣고 왔다가 시신들을 수습하는 일을 맡았다. 다른 사람을 도와주려는 마음이 깊다. 자신이 맡은 일을 열심히 한다. 현재 사무실에서 녹취하는 일을 한다. 윤의 인터뷰 요청을 거절한다.

소년이 온다

김진수

스무살이다. 깊게 쌍꺼풀진 눈이며 속눈썹이 길다. 여자애처럼 예쁘장하다. 허리와 팔다리가 가늘다. 얼굴이 창백하다. 솜털이 있다. 서울에서 대학을 다니다 휴교령 때문에 광주로 내려왔다. 다른 사람을 도와주려는 마음이 깊다. 광주 민주화 운동에서 희생자 파악과 시신 관리를 총괄한다. 어린 동호의 안전을 걱정한다. 단호한 면이 있으며 책임감이 강하다. 감옥에서 변칙적인 고문을 당한다. 수감 되었을 때 7년형을 선고받는다. 석방 후 고문 후유증에 시달리다 결국 자살한다.

나

23살의 교대 복학생이다. 초등교사가 인생의 목표이다. 김진수에게 죄책감을 가진다. 수감 당시 9년 형을 선고받는다. 도청을 사수할 때, 소회의실 조원들을 지휘한다. 출소 후 택시 기사를 하겠다고 다짐한다.

동호 어머니

동호를 걱정하고 그리워한다. 동호의 학생증을 잘라 지갑에 넣고 다닌다. 동호의 주검을 직접 묻는다. 동호가 죽고 유족들과 함께 시위에 참여한다.

인상 깊은 장면과 그 이유

자정 무렵이었던 것 같아. 가냘프고 부드러운 무엇이 가만히 나에게 닿아온 것은. 얼굴도 몸도 말도 없는 그 그림자가 누구의 것인지 몰라 난 잠자코 기다렸어. 혼에게 말을 거는 법을 생각해내고 싶었지만, 어디서도 그 방법을 배운 적 없다는 걸 깨달았어.

아마 그 혼도 방법을 모르는 것 같았어. 서로에게 말을 거는 법을 알지 못하면서, 다만 온 힘을 기울여 우리가 서로를 생각하고 있다는 것만은 느낄 수 있었어. 마침내 체념한 듯 그것이 떨어져나가자 난 다시 혼자가 되었어. (48쪽)

> 영혼들이 자신들의 싸늘한 시체 옆에서 같이 죽어간 그들에게 닿으려 하지만 결국 닿지 못한 것이 슬프고 안타까웠고, 그 혼이 무슨 말을 하려 했을지 궁금했기 때문이다.
> —신현주(2학년)

눈을 감을 수 있다면.

수십개의 다리가 달린 괴물의 사체처럼 한덩어리가 된 우리들의 몸을 더이상 들여다보지 않을 수 있다면. 깜박 잠들 수 있다면. 캄캄한 의식의 밑바닥으로 지금 곤두박질칠 수 있다면.

꿈속으로 숨을 수 있다면.

아니, 기억 속으로라도.

종례가 유난히 길던 너의 반 복도에서 서성이며 너를 기다리던 작년 여름으로. 네 담임이 앞문으로 나오는 걸 보고 가방을 고쳐들던 순간으로. 다른 애들은 다 나오는데 네가 안 보여 교실로 들어갔다가, 칠판을 지우고 있는 너를 큰 소리로 부르던 순간으로.(54쪽)

> 정대가 죽어가는 자신의 모습을 보며 스스로를 혐오하는 모습이 마음 아팠다. 사람이 너무 힘든 일을 겪고 있을 때 행복했던 시절을 떠올리거나 앞으로 행복할 미래를 떠올리는 경우가 있다. 미래가 없는 정대가 돌아갈 수 없는 행복했던 과거 시절을 떠올리는 것이 안쓰러웠다.
>
> ―이원정(1학년)

> 나도 이런 경험이 있었는데, 당시의 상황을 굉장히 문학적으로 잘 표현한 것 같아서 좋았다. 그때를 생각하자면 '쥐구멍으로라도 숨고 싶다'라는 생각을 했는데 쉽게 오가는 말이 위의 표현처럼 바꾸어 있다는 점이 신기했고 또한 공감이 많이 갔다. 다른 이유에서는 어떻게 상황이 저런 생각을 하게끔 만들었나 하는 안타까움이 들었기 때문이다.
>
> ―박나현(2학년)

～～～～～～～～

썩어가는 내 옆구리를 생각해.
거길 관통한 총알을 생각해.
처음엔 차디찬 몽둥이 같았던 그것,
순식간에 뱃속을 휘젓는 불덩어리가 된 그것,
그게 반대편 옆구리에 만들어놓은, 내 모든 따뜻한 피를 흘러나가게 한 구멍을 생각해.
그걸 쏘아보낸 총구를 생각해.

차디찬 방아쇠를 생각해

그걸 당긴 따뜻한 손가락을 생각해.

나를 조준한 눈을 생각해.

쏘라고 명령한 사람의 눈을 생각해. (57쪽)

자신이 왜 죽는지도 모르고 죽은 광주 사람들의 억울함과 자신을 죽인 사람들에 대한 분노가 생생하게 나타났지만, 자신이 죽은 상황에서도 이성적으로 침착하게 생각하려는 것이 보여서 인상 깊었다.
— 전영진(3학년)

차갑다는 표현과 따뜻하다는 표현이 계속하여 대조되며 사람이 사람을 죽이는 모습을 표현한 것이 인상 깊었다.
—이유진(3학년)

공터의 축축한 모래흙에, 거기 드리워진 검푸른 숲그늘에 어른거리며 나는 생각했어. 어떻게, 어디로 가야 할까. 괴롭지 않았어, 썩어가던 내 거뭇한 얼굴이 이제 깨끗이 사라질 것이. 아깝지 않았어, 그 치욕스러운 몸이 남김없이 불타버릴 것이. (63쪽)

이유도 모르고 죽은 정대의 혼이 생각하는 것을 보고 얼마나 억울할까, 이게 나라인가 싶기도 하고 자신이 타들어가는 데 아깝지 않다고 표현하는 마음이 얼마나 무서웠을까, 힘들었을까 싶어서 너무 슬프고 안타까웠다.
—박세향(3학년)

소년이온다

그러나 열아홉살의 여름이 지나자 누구도 그녀에게 그런 말을 하지 않았다. 이제 그녀는 스물네살이고 사람들은 그녀가 사랑스럽기를 기대했다. 사과처럼 볼이 붉기를, 반짝이는 삶의 기쁨이 예쁘장한 볼우물에 고이기를 기대했다. 그러나 그녀 자신은 빨리 늙기를 원했다. 빌어먹을 생명이 너무 길게 이어지지 않기를 원했다.(85쪽)

> 남들의 눈부신 기대에 응하는 그녀의 태도가 너무 냉담했다. 두 가지의 태도가 서로 비교되며 약간은 슬픈 느낌이 들었고, 그로 하여금 기억에 오래 남게 하였다.
> −나예조(3학년)

분수대에서 물이 나와서는 안된다고 생각합니다. 제발 물을 잠가주세요. 손바닥에서 배어나온 땀으로 수화기가 끈적끈적했다. 예에, 의논해보겠습니다. 민원실 직원들은 인내심 있게 그녀를 웅대했다. 꼭 한번 나이 든 여사무원이 말했다. 그만 전화해요, 학생. 학생 같은데 맞지요. 물이 나오는 분수대를 우리가 어떻게 하겠어요. 다 잊고 이젠 공부를 해요.(97쪽)

> 시민들이 군인들에게 학살 당한 사건이 사람들에게 금방 잊히고 아무 일 없었다는 듯이 일상생활로 돌아갈까 봐 매일 전화를 하는 것 같다. 물이 나오는 분수대를 잊고 공부하라는 말이 광주에서 벌어지는 일에 신경 쓰지 말고 모른 척 하면서 자신이 할 일을 하라는 뜻인 것 같아서 인상 깊었다.
> 황선주(1학년)

당신이 죽은 뒤 장례식을 치르지 못해
내 삶이 장례식이 되었습니다. (99쪽)

당신이 죽은 뒤 장례를 치르지 못해,
당신을 보았던 내 눈이 사원이 되었습니다.
당신의 목소리를 들었던 내 귀가 사원이 되었습니다.
당신의 숨을 들이마신 허파가 사원이 되었습니다. (100쪽)

봄에 피는 꽃들, 버드나무들, 빗방울과 눈송이들이 사원이 되었습니다.
날마다 찾아오는 아침, 날마다 찾아오는 저녁들이 사원이 되었습니다. (101쪽)

'습니다'로 끝나는 문장들이 반복되어 시를 읽는 것 같은 느낌이 들었다. 당신의 장례식을 치르지 못한 것에 대해 자신이 대신 아파하고 슬퍼하며, 당신을 잊지 못한다는 것을 자신의 삶의 일부분으로 생각하여 표현한 것이 인상 깊었다.

─황혜성(2학년)

멀건 콩나물국에서 콩나물을 골라 먹다 말고 멈칫 나를 보던 눈. 그가 콩나물을 다 먹어버릴까봐 긴장하고 있던 나를, 우물거리는 그의 입술을 혐오하며 쏘아보고 있던 나를 묵묵히 마주 바라보던, 나와 똑같은 짐승이었던 그의 차갑고 공허한 두 눈.(107쪽)

한 끼의 식사를 먹으면서도 2인 1조로 조를 짜서 먹는다는 것이 충격적이었다. 그 와중에서도 콩나물국 하나를 사이에 두고 동료가 다 먹어버릴까봐 긴장하면서 밥을 먹는 게 얼마나 고통스러울 지를 짐작할 수 있게 해주었기 때문이다.

─이송학(2학년)

소년이온다

나중에 알았습니다. 그날 군인들이 지급받은 탄환이 모두 팔십만발이었다는 것을. 그때 그 도시의 인구가 사십만이었습니다. 그 도시의 모든 사람들의 몸에 두 발씩 죽음을 박아넣을 수 있는 탄환이 지급되었던 겁니다.(117쪽)

> 한 명당 두발씩, 나이가 적든 많든 남자든 여자든 상관없이 그냥 다 죽이려고 했던 것이 아닐까란 생각이 들어 소름이 돋고 무서웠다. 꼭 그렇게 다 죽여야만 하였던 걸까, 그들이 무슨 잘못을 했기에 그런 고통을 당했어야 했을까. 그런 생각이 들어 그들이 안타깝고 슬프다.
> —정재은(3학년)

우, 우리는…… 주, 죽을 가, 각오를 했었잖아요.
김진수의 공허한 눈이 내 눈과 마주친 것은 그때였습니다.
순간 깨달았습니다. 그들이 원한 게 무엇이었는지. 우리를 굶기고 고문하면서 그들이 하고 싶었던 말이 무엇이었는지. 너희들이 태극기를 흔들고 애국가를 부른 게 얼마나 웃기는 일이었는지, 우리가 깨닫게 해주겠다. 냄새를 풍기는 더러운 몸, 상처가 문드러지는 몸, 굶주린 짐승 같은 몸뚱어리들이 너희들이라는 걸, 우리가 증명해주겠다. (119쪽)

> 죽을 각오를 하고 행한 일이었는데 어느 순간부터 죽음에 연연하게 되고 이제는 아예, 그들이 원하는 대로 움직이고 있었다는 사실을 깨닫게 된 그가 안타깝다. 한편으로는 죽을 각오를 했음에도 불구하고 여윈 김진수를 대상으로 살기 위해 발버둥친 게 이기적으로 보였다.
> —조가은(1학년)

군인들이 광주의 시민들에게 고문을 가하고 굶게 하면서 하고 싶었다는 말이 '태극기를 흔들고 애국가를 부른 게 얼마나 웃기는 일이었는지'라는 게 충격적이었다.

-김서진(1학년)

어떤 기억은 아물지 않습니다. 시간이 흘러 기억이 흐릿해지는 게 아니라, 오히려 그 기억만 남기고 다른 모든 것이 서서히 마모됩니다. 색 전구가 하나씩 나가듯 세계가 어두워집니다. 나 역시 안전한 사람이 아니란 걸 알고 있습니다. (134쪽)

나에게도 아물지 않는 기억이 있었는지 생각하게 되고 과연 나는 안전한 사람인지 생각하게 되어서 집중을 하게 된 구절이었다.

-조윤정(2학년)

나는 싸우고 있습니다. 날마다 혼자서 싸웁니다. 살아남았다는, 아직도 살아 있다는 치욕과 싸웁니다. 내가 인간이라는 사실과 싸웁니다. 오직 죽음만이 그 사실로부터 앞당겨 벗어날 유일한 길이란 생각과 싸웁니다. 선생은, 나와 같은 인간인 선생은 어떤 대답을 나에게 해줄 수 있습니까?(135쪽)

자신이 잘못한 일이 아닌데 자신이 살아남았다는 것에 치욕을 느끼는 게 안타까웠고 이 모든 것을 끝낼 수 있는 게 죽음이라는 것이 너무 슬펐다. 마지막 문장은 같은 인간이지만 다른 삶을 살았다는 느낌을 강하게 받아서 인상적이었다.

-이현지(1학년)

소년이온다

19:30

그 소리를 듣고 있었어.

소리 때문에 깼지만 눈을 뜰 용기가 없어서, 눈을 감은 채 어둠을 향해 귀를 세우고 있었어.

고요히, 더 고요히 울리는 발자국 소리.
느린 춤의 스텝을 연습하는 아이처럼, 반복해서 제자리를 딛는 두 발의 가벼운 울림.

명치를 죄어오는 통증이 느껴졌어.
공포 때문인지, 반가움 때문인지 알 수 없었어.
마침내 난 몸을 일으켰어.
소리가 들리는 쪽으로 걸어가 문 앞에서 멈췄어.
방이 건조해 문고리에 걸어뒀던 물수건이 어둠 속에 희끗하게 드러나 있었어.

소리는 거기서 들린 거였어.
거기서 물방울들이 끝없이 떨어져 장판 바닥을 흠뻑 적시고 있었어.
(138쪽~139쪽)

> 긴장감이 고조되는 부분이었고, 영화처럼 그 주위 장면들이 연상되는 구
> 절이어서 집중해서 읽었기 때문이다.
> −2학년(지해인)

Q1. 형, 누나가 집에 가라는 말을 함에도 동호가 마지막까지 도청에 남아있었
던 이유는 무엇일까요?

Q2. 동호가 5·18 민주화 운동 희생자들의 입관을 마친 뒤 추도식에서 유족들
이 애국가를 부르는 것, 군인들이 죽인 사람들에게 애국가를 불러주는 것, 태
극기로 관을 감싸는 것 등에 대해 의문을 가진 이유는 무엇일까요?

Q3. 민주화를 외치는 사람들이 시민군이 되어, 진압하는 군인들에 맞서 싸울
수 있었던 이유는 무엇일까요?

Q4. 분수대는 무엇을 상징할까요?

Q5. 시민군은 총을 받았는데도 왜 군인들을 향해 쏘지 못했을까요?

Q6. 양심이 왜 세상에서 가장 무서운 것이라고 표현했을까요?

Q7. 작품 곳곳에 기울임체를 쓴 이유와 그것이 의미하는 것은 무엇일까요?

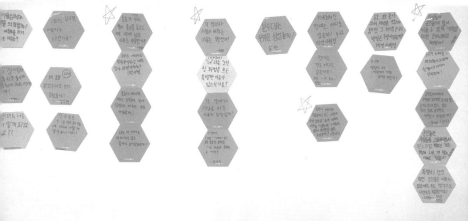

질문 만들기

Q8. 작품에 따옴표를 쓰지 않은 이유는 무엇일까요?

Q9. 각 장마다 시점을 바꾼 이유는 무엇일까요?

Q10. '너'라는 2인칭 화법을 쓴 이유는 무엇일까요?

Q11. 각 장의 제목은 1장 어린 새, 2장 검은 숨, 3장 일곱 개의 뺨, 4장 쇠와 피, 5장 밤의 눈동자, 6장 꽃 핀 쪽으로, 에필로그 눈 덮인 램프이다. 각 장 제목의 의미는 무엇일까요?

Q12. 이 책의 내용을 통해 생각해 봤을 때, 인간의 본성이 어떻다고 생각하나요? 인간의 본성은 선할까요? 악할까요?

> 월드카페 대화

소년이온다

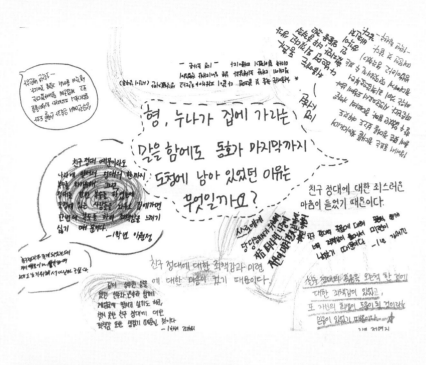

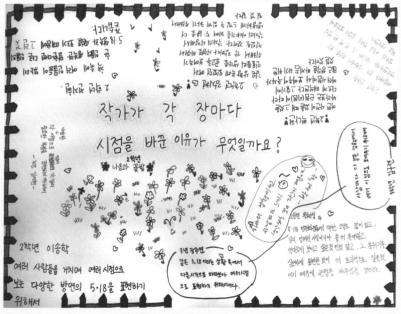

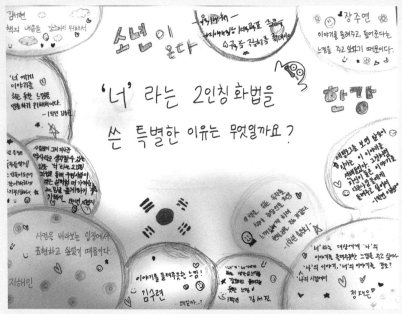

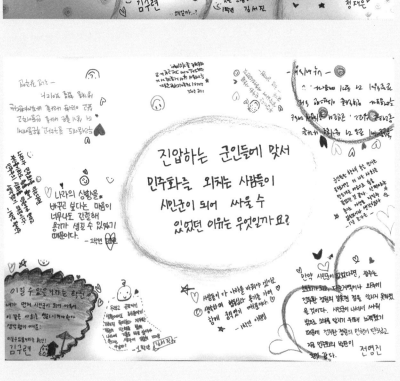

소년이온다

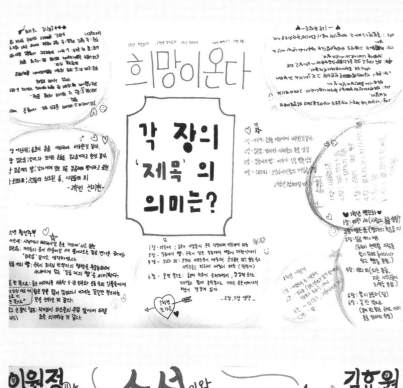

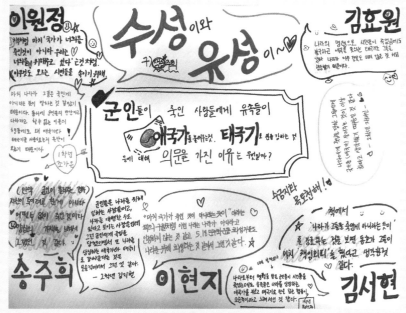

작가
읽기

1987년 6월 9일, 연세대 정문 시위 도중 최루탄 파편을 맞고 사망한 이한열이 신었던, 삼화고무 타이거 270mm 오른쪽 운동화가 28년의 세월을 이겨내고, 2015년 2월 26일 복원 전문가의 작업실로 옵니다. 〈L의 운동화〉는 이 복원 과정을 그린 소설입니다. 복원가는 'L의 운동화'의 복원을 두고 고민합니다. 물질의 차원에서는 어느 수준까지 복원해야 하는가, 비물질적인 차원의 이야기들은 어디까지 담아내어야 하는가 등. 이 소설은 단지 운동화 복원을 넘어 역사를 기억하고 복원하는 방식에 대한 근본적인 질문을 던지고 있습니다. 이런 점에서 김숨의 〈L의 운동화〉는 한강의 〈소년이 온다〉와 만납니다. 한강의 〈소년이 온다〉 또한 1980년 광주를 기억하고 복원한 소설이기 때문입니다.

운동화 하나를 복원하는 과정에도 수많은 예술적·윤리적·역사적 문제가 끼어듭니다. 하물며 여전히 현재적 의미를 지닌 역사를 기억하고 복원하는 문제는 이보다 더 복잡한 문제들에 휘말릴 것입니다. 역사 교과서 국정화 문제로 일어난 국가적 갈등을 생각해보면 이를 잘 알 수 있습니다. 그렇다면 문제가 많으니 이를 외면해야 할까요? 우리는 많은 사례들을 통해 알고 있습니다. 외면하고 회피한 역사의 문제는 다시 반복된다는 것을 말입니다. 논란이 많다는 것은 회피의 핑계가 아니라 직면해야 될 이유를 제공합니다. 그래야 동일한 잘못들을 우리가 반복하지 않을 수 있습니다. 한강이 30년이 훨씬 지난 시점에서 다시 1980년 광주를 소설에 담은 데에는 이런 이유가 있었을 것이라 생각합니다.

군인들이 압도적으로 강하다는 걸 모르지 않았습니다. 다만 이상한 건, 그들의 힘만큼이나 강렬한 무엇인가가 나를 압도하고 있었다는 것입니다.

양심.

그래요, 양심.

세상에서 제일 무서운 게 그겁니다

이것은 한 번 깨끗해지고 한 번 높아진 존재가 다시 다른 사람처럼, 속물처럼, 책에 나오는 우리를 학살한 군인들처럼 살아갈 수가 없다는 뜻입니다. 그것을 아예 보지 못하면 죄의식이나 가책을 느끼지 않겠지만 이미 많은 사람들 속에서 그것을 한 번 느꼈던 사람은 그것에 대해서 눈을 돌릴 수가 없다는 것입니다. 양심이라는 것이 내 속에 자라기 시작하고, 그것이 꽃 피기 시작하면 그것에서 눈을 돌릴 수가 없는 것입니다.

한강은 〈소년이 온다〉에서 1980년의 광주만이 아니라, 민주화 운동 이후의 30여 년의 시간이 담긴 광주를 그리고 있습니다. 제대로 역사를 기억하고 복원하지 않은 결과 우리는 1980년의 광주를 다른 장소와 시간에서 다시 만나게 됩니다. 당시와 비슷한 양상의 희생들, 여전히 반성하고 처벌받지 않는 권력들의 모습들을 우리의 삶 곳곳에서 쉽게 발견합니다. 1980년 5월 광주는 역사적 과거가 아니라 우리의 현재입니다. 1980년의 광주는 긍정적인 의미에서든 부정적인 의미에서든, 역사 속에서 늘 다시 태어나는 기억임을 〈소년이 온다〉는 보여주고 있습니다. '광주'는 망각과 기억 사이, 그 어딘가에서 늘 숨쉬며, 우리의 삶을 만들고 있는 것입니다.

소년이온다

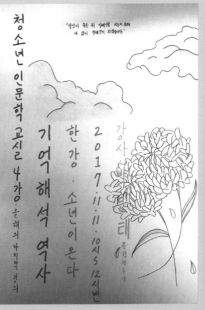

청소년 인문학 교실 4강 · 올해의 마지막 강의

기억해석 역사

'인간이 죽은 뒤 기억만이 나만 남아 내 삶이 현재까지 되었습니다.'

강사 박은태 · 문학평론가

2017 · 11 · 11 · 10시 ~ 12시 반

한강 · 소년이 온다

기 억 해 석 역 사

TRACK LIST 트랙·리스트

01. 일시_ 2017년 11월 11일

02. 시간_ 10시 ~ 12시 10분

03. 강사_ 박은태 (문학평론가)

04. 대상도서_ 한강, 〈소년이 온다〉

바께쓰에 맛있는거 있읍니다. 컴—인.

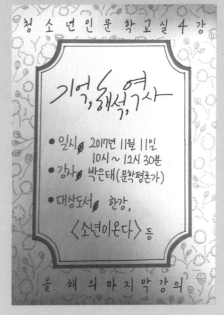

청 소 년 인 문 학 교 실 4 강

기억, 해석, 역사

● 일시 ✎ 2017년 11월 11일
　　　　10시 ~ 12시 30분
● 강사 ✎ 박은태(문학평론가)
● 대상도서 ✎ 한강,
　　　　〈소년이온다〉등

올 해 의 마 지 막 강 의

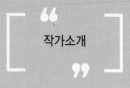

1970년 늦은 11월에 태어났다. 연세대 국문과를 졸업한 뒤 1993년 『문학과 사회』에 시를 발표하고, 이듬해 서울신문 신춘문예에 단편소설 〈붉은 닻〉이 당선되어 작품 활동을 시작했다. 장편소설 〈검은 사슴〉, 〈내 여자의 열매〉, 〈그대의 차가운 손〉, 〈채식주의자〉, 〈바람이 분다, 가라〉, 〈희랍어 시간〉, 〈소년이 온다〉, 소설집 〈여수의 사랑〉, 〈노랑무늬영원〉, 〈흰〉, 시집 〈서랍에 저녁을 넣어 두었다〉 등이 있다. 만해문학상, 황순원문학상, 동리문학상, 이상문학상, 오늘의 젊은예술가상, 한국소설문학상을 수상했다.

한강 작가는 〈채식주의자〉로 "탄탄하고 정교하며 충격적인 작품으로, 독자들의 마음에 그리고 아마도 그들의 꿈에 오래도록 머물 것이다."라는 평가를 받으며 한국인 최초로 2016년 영국 맨부커 인터내셔널상을 수상했다. 2017년 〈소년이 온다〉로 "살아있는 이미지들이 독자의 구미를 당기고, 소설을 다 읽을 때까지 손을 떼지 못하게 한다."라는 평가를 받으며 이탈리아 말라파르테 문학상을 수상했다.

한 강

강사 / **박은태**
삶과 세계의 다양하고 숨은 의미들을 잡다하게 공부하고 이야기하고픈 인문학자 겸 작은 도서관 주인장이다.

기억, 해석, 역사

동호가 5·18 민주화 운동 희생자들의 입관을 마친 뒤 추도식에서 유족들이 애국가를 부르는 것, 군인들에게 애국가를 불러주는 것, 태극기를 감싸는 것 등에 대해 의문을 가진 이유는 무엇일까요?

1980년 5월의 광주는 잘 준비되어 폭발한 민주화 운동은 아니었습니다. 1979년 박정희 대통령이 갑자기 서거하면서 우리사회는 희망과 혼돈이 섞인 시기를 맞이했습니다. 신군부라 불리는 정치군인들은 이 시기를 희망 대신 혼돈으로 규정하며 정권을 탈취하려고 합니다. 광주가 그 혼돈을 제거하고 정권을 잡기

위한 장소로 선택됩니다.

1980년 5월 민주화를 갈망하는 광주의 시민 앞에 선 사람들은 신군부가 내려 보낸 군인들이었습니다. 그 군인들은 최정예 부대라 불리는 공수특전단이었습니다. 이들에게 광주의 시민은 '적'이었습니다. 실탄 사격은 물론이고, 장갑차와 헬기 등이 동원되었습니다.

자신들이 낸 세금으로 길러지고 운용되었던 자국의 군대와 군인이 자신들을 무찔러야 하는 적처럼 취급하고 학살하는 것을 지켜본 광주 시민들의 심정은 어떠했을까요? 그래서 광주시민들은 군인들에게 너희가 총구를 겨눈 사람들은 적이 아니고, 너희가 죽인 사람이 빨갱이가 아니라는 것을 말하기 위해 애국가를 부르고 태극기로 관을 쌌던 것이라 생각합니다. 나아가 이런 시민들을 때리고 잡아가고 죽이는 '당신'들이 바로 이적행위를 하는 대한민국의 적이라는 항의와 절규가 애국가와 태극기에 들어 있지 않았을까요?

소년이온다

민주화를 외치는 사람들이 시민군이 되어, 진압하는 군인들에 맞서 싸울 수 있었던 이유는 무엇일까요?

〈변호인〉이라는 영화에서 주인공은 뉴스에 나오는 시위 장면을 보며 시위 학생들을 욕합니다. 어느 날 주인공이 자주 가는 국밥집 아주머니의 아들이 국가보안법 위반으로 잡혀갑니다. 뉴스에서 이 사건을 다루는 방식을 보며, 그는 뉴스가 사실만을 말하는 것은 아니라는 것을 알게 됩니다. 세상의 진실을 알게 된 주인공은 그때부터 변합니다. 진실을 알고 그에 맞는 양심이라는 것이 마음에 들어오는 순간입니다.

광주 민주화 운동에 참여하였던 사람들에게도 이런 순간이 있었다고 봅니다. 시민군에 참여했던 사람들은 그리 특별한 존재들은 아니었습니다. '동호', '은숙', '진수'와 같은 중·고·대학생들, '선주'처럼 공장 등에서 일하였던 노동자들 그리고 평범하였던 시민들이었습니다. 그들은 현대화된 무기로 무장한 최정예 군인들과 맞섰습니다. 그리고 이런 과정에서 그들은 시민으로서 그리고 인간으로서 비극적이지만 아름답고 진실된 순간을 경험하게 됩니다. 이를 경험한 순간 그들의 내부에는 (이 소설의 표현으로 하면) '양심'이라는 것이 빛나게 자리하게 됩니다.

자신의 존재가 아름답게 빛나던 순간을 경험한 사람은 이로부터 도망치기가 어렵습니다. 도망치는 순간 그는 비겁한 패배자가 되거나 무력한 희생자가 되어야 하니까 말입니다. 아마도 시민군으로 도청에 남았던 그들도 무서웠을 겁니다. 분명 그러하였을 겁니다. 그러나 바로 이 '양심'으로 표현되는, 그들 내부에 있었던 인간적 존엄성과 빛이 그들을 그 자리에 남게 하였고, 군인들에게 저항하게 하였던 것이 아닐까 생각합니다.

그렇다면 '나'나 '여러분들'은 저렇게 할 수 있을까요? 그건 아무도 모릅니다. 우리 자신들까지도 말입니다. 다만 그들이 특별한 존재들이 아니었듯, 우리 역시 그들처럼 될 수 있다는 것만은 말씀드릴 수 있습니다. 아닐 수도 있고요.

이 책의 내용을 통해 생각해 봤을 때, 인간의 본성이 어떻다고 생각하나요? 인간의 본성은 선할까요? 악할까요?

이 소설을 통해 작가가 인간의 본성을 어떻게 보았는지를 말하는 것은 좀 애매한 부분이 있습니다. 사실 본성이라는 것은 현상을 설명하기 위해 만들어지는 경우가 많습니다. 성선설은 선한 인간의 행위를, 성악설은 인간의 악한 행위를, 정해진 본성이 없다는 주장은 인간의 선하거나 악한 행위를 설명하기 위해 만들어진 개념들입니다. 즉 지금 있는 현실을 설명하기 위해 만들어진 것이 본성이라는 개념입니다.

1980년 광주에는 시민을 학살한 잔인했던 군인들도 있었고, 이에 맞서 싸웠던 용감하고 아름다웠던 사람들도 있었습니다. 그리고 군인들 중에서도 특별히 잔인했던 사람이 있었던 반면, 양심때문에 괴로워하며 잘못된 행위를 소극적이나마 회피하고자 했던 군인들도 있었습니다. 그리고 그들은 일상에서는 보통 사람의 얼굴을 하고 살았을 존재들이었습니다.

〈소년이 온다〉에서 말하고자 하는 인간에 대한 이야기는 다음과 같은 것이 아닐까 합니다. 인간은 선한 행동을 하기도 하고, 악한 행동을 반복하기도 합니다. 그리고 이는 '기억'과 관련이 있습니다. 기억하고 이를 반성하여 보존하는 것을 제대로 하지 못한다면, 잘못은 반복되고, 이 반복은 역사로 고착됩니다. 베트남에서 저지른 잘못이 광주에서 반복되고, 광주를 잊고 지우고자 했던 태도가 용산과 세월호 등을 통해 다시 나타나고 있다고 작가는 말하고 있습니다. 즉 인간의 본성 그 자체보다 중요한 것은 사람들이 자신의 행동, 나아가 역사를 기억하고 이 속에서 반복해야 할 것과 반복되지 말아야 할 것을 제대로 기억하고 보존하고 반성하는 것입니다.

각 장마다 시점을 바꾼 이유는 무엇입니까?

각 장마다 시점이 바뀐 것 같지만, 이 소설의 기본 시점은, 여러분이 학교에서 배우는 용어로 말하면, 전지적 작가 시점입니다. 전지적 서술자가 각 장마다 그에 알맞은 옷을 입고 서술하는 위치와 방식을 다양하게 변화시키고 있는 것입니다. 전지적 서술자는 인물의 외부에도 내부에도 그리고 이 두 위치에 동시에 있을 수 있기 때문입니다. 중요한 것은 왜 이런 방식을 사용했는가일 것입니다. 소설의 인물 중에는 이미 죽은 사람들(강동호, 김진수), 죽었지만 여전히 시신조차 발견되지 않은 사람들(박정대, 박정미), 나이가 들어 이제 기억하는 것조차 힘든 인물(강동호의 어머니), 많은 시간이 지났지만 여전히 '1980년'을 살아가는 인물들(김은숙, 임선주 등)이 있습니다. 이들의 상처와 기억들을 드러내기 위해서는 그에 맞게 다양한 서술 방식이 필요했고, 여러분의 질문처럼 각 장마다 시점을 바꾼 것이라 생각합니다. 목소리를 낼 수 없는 인물들에게는 목소리를 빌려주거나(1인칭) 말을 걸어주고(2인칭), 상처와 아픔을 제대로 드러내지 못하는 인물들은 옆에서 가만히 지켜보며 내면을 비추는(3인칭) 방식을 사용하고 있습니다. 흡사 '영매', 우리말로 하면 '무당'과 같은 역할이지요. 추측컨대, 이 수많은 인물들에게 자신을 내어준 작가 '한강'은 이 소설을 적으며 많이 아팠을 것이라 생각합니다. '무병(巫病)'에 걸린 사람처럼.

기억, 해석, 역사

만두를 좋아하는 만두같이 생긴 방랑 15세 **황혜성**(2학년)

1980.5.18.

지금으로부터 37년 전 1980년 5월 광주는 시민들의 함성과 피로 물들었다. 지금은 사람들에게 잘 알려져 있고, 영화로도 개봉되어 많은 관심을 받고 있지만, 그 당시에는 세상 밖으로 알려지지 않았고, 알면 안 되는 역사였다. 우리는 10월 한 달간 한강 소설가의 〈소년이 온다〉를 읽고 5·18 광주 민주화 운동 당시의 사람들을 만나보았다. 각 장마다 시점이 다르고 표현방식이 보통 소설과는 달라 이해하기가 어려웠다. 그래서 11월 11일, 소설에 대한 이해를 돕고, 1년 동안의 강의를 정리할 박은태 문학평론가의 '기억, 해석, 역사'라는 강의를 들었다. 내용을 풀어서 설명을 들으니 더 이해가 쉬웠고, 생생하게 와 닿았다.

역사를 해석하고 기록하는 방법

강의는 5·18 민주화 운동을 주제로 한 동영상을 보며 시작했다. 동영상이 끝나고 김정수 선생님의 간단한 줄거리 설명이 끝난 뒤 강사 선생님의 강의를 들었다. 처음엔 역사를 해석하고 기록하는 방법에 대해 말씀하셨다. 우리 사회에서 이슈가 되고 있는 일본군 강제 '위안부' 문제. 이 문제는 해방 이후 수 십 년간 세상 밖으로 나오지 않다가 1991년 김학순 할머니의 용기 있는 증언으로 알려지게 되었다. 광주 민주화운동 또한 사건의 진실이 그 당시에는 알려지지 않다가 몇 년이 지난 후에야 알려지게 되었고 아직도 밝혀지지 않은 부분이 있다고 한다. 그리고 작년에 화제가 되었던 국정교과서 논란 등, 역사는 있는 그대로 우리에게 전달되지 않는다. 사실의 선택과 배제, 역사가의 가치 판단 등에 의해 변형되고 심지어는 왜곡되어 우리에게 전달되는 경우가 많다. 이러한 이유는 무엇일까? 선생님께서는 역사를 기록하는 사람의 개인적인 판단, 시대의 요구나 윤리적 틀 등 다양한 요인들에 의해 기록은 달라지기 때문이라고 하셨다. 신군부는 당시의 광주사건을 철저히 왜곡하고 숨겼다. 그로 인해 사람들은 한 동안 광주에 대해 왜곡된 진실을 사실로 믿어왔다.

〈소년이 온다〉 파헤치기

다음으로 한강의 〈소년이 온다〉의 내용에 대해 각 장마다 풀어서 설명해 주셨다. 1장 '어린 새'는 당시 시위에 참가한 15살 동호의 이야기이다. 그 당시 동호와 같은 나이를 보냈던 사람들(이한열과 박종철)의 사진과 광주 민주화 운동 당시 '동호'와 같은 소년의 사진을 보여주었다. 나와 같은 나이의 소년들이 역사의 현장에 있었다는 것이 크게 다가 왔다. 2장 '검은 숨'에서는 군인들에게 죽임을 당하고 시체는 불태워진 15살 정대의 혼의 관점에서 쓰인 내용이다. 3장 '일곱 개의 뺨'부터는 1980년 5월 이후 '5·18 생존자'들이 각기 살아가는 내용을 담았다. 3장은 5·18 당시 동호와 같이 도청에서 시신 수습을 맡았던 은숙의 이야기다. 5·18이후 5년이 흘렀고, 은숙은 출판사 직원이 되어 있다. 4장 '쇠와 피'에는 도청에서 마지막까지 남아 싸우던 김진수와 교대 휴학생인 '나'가 5·18이 남긴 상처 속에 괴로워 하며 삶을 살아가는 내용이 담겨 있다. 5장 '밤의 눈동자'는 동호, 은숙과 함께 도청에서 시신 수습을 하였던 선주의 이야기다. 시간적 배경은 2002년 무렵이다. 광주와 관련된 책을 쓰고자 하는 한 작가에게 당시의 상황에 대한 인터뷰 요청을 받지만 선주는 거절한다. 20년이 지났지만 선주에게 '광주'는 여전히 현재진행형이다. 마지막 6장 '꽃 핀 쪽으로'는 동호 어머니의 시점에서 아들을 잃은 슬픔에 대해 서술하고 있다. 시간적 배경은 2010년쯤이다. 우리가 중요하게 생각하지 않고 지나쳤던 내용들을 선생님은 꼼꼼히 따져가며 우리에게 말씀해주셨다. 강의를 들으며 책에서 찾지 못했던 새로운 의미들을 찾을 수 있었다.

〈소년이 온다〉의 인문학적 의미

선생님은 〈소년이 온다〉가 담고 있는 인문학적 의미에 대해 여러 역사적 사실을 근거로 들어 설명해주셨다. 첫 번째는 인간의 본성에 관한 것이었다. '과연 광주에서 사람들을 무참히 살해한 군인들은 흔히 말하는 사이코패스들인가' 라는 내용과 '시민들이 군인들에 맞설 수 있었던 힘은 무엇이고 어디에서 왔을까' 라는 내용들이었다. 강사님은 PPT로 나치의 유대인 학살 과정에 가담했던 한 장교의 심리테스트 결과를 보여주셨다. 검사 결과는 지극히 정상인이었고, 정신과 의사조차 아주 정상적인 사람이라고 판단했다고 한다. 그런네 이런 사람이 왜 그러한 대학살에 아무런 죄의식 없이 가담했을까? 그는 자신의 일을 성실히 했을 뿐이라 했단다. 심지어 그는 자신이 버는 돈만큼의 일을 하지 못할까봐 불안했고, 못했을 때 죄책감을 느꼈다고 한다. 일상생활의 관점에서 보면 아주

성실한 사람이라 할 수 있다. 우리가 아는 나치의 학살에 참여한 사람들, 광주의 군인들이 이런 사람들이었다. 그런데 왜 그들은 역사의 한 순간에 그런 악행을 저지르는 인물이 되었을까? 그것은 스스로의 윤리적 기준을 확립하지 못하고 스스로를 성찰하는 습관을 가지지 못하였기 때문이다. 그들은 자신의 행동을 스스로 판단하지 않고 국가의 부름, 상관의 지시에 맹목적으로 복종하였던 것이다. 강사님은 5·18 당시의 상황과 〈소년이 온다〉에 묘사된 모습들은 악은 어떤 것인가에 대해 다시 생각해 보게 한다고 했다. '악의 평범성'이라고 했던가? 그렇다면 총을 든 군인들에게 맞설 수 있었던 시민들이 보였던 용기와 힘의 원천은 무엇이었을까? 소설에서는 이를 '양심'이라는 단어로 설명하고 있다.

군인들이 압도적으로 강하다는 걸 모르지 않았습니다. 다만 이상한 건, 그들의 힘만큼이나 강렬한 무엇인가가 나를 압도하고 있었다는 겁니다.
양심.
그래요, 양심.
세상에서 제일 무서운게 그겁니다. (114쪽)

그리고 나도 책을 다 읽고 궁금증을 느끼게 된 것 중 하나인데, 왜 작가가 책 제목을 〈소년이 온다〉로 지었을까? 최근 박근혜 전 대통령 탄핵사건 등 정치적인 문제에서 우리나라의 시민들은 자신의 목소리를 내고 있다. 그리고 광장으로 나왔다. 내용과 성숙도에서 차이가 있지만 시민들이 주체가 되어 사회를 변화시키려 하고 있다는 점에서는 5·18과 동일하다. '동호'의 순수했던 혼, 5·18 희생자들의 꿈이 사회가 좀 더 바람직한 방향으로 나아가기를 바라는 작가의 소망이 제목에 담긴 것은 아닐까라고 선생님께서 말씀하셨다. 작품에 숨은 의미들을 하나하나 살펴보니 색다른 느낌이었다.

질의응답

강연의 마지막은 인문학 동아리 친구들, 강연에 참가한 학생과 학부모님들이 질문하는 질의응답 시간이다. 우리가 생각하고 의견을 나눈 질문들 중 강사님에게 질문한 것은 4가지였다. 그중 가장 기억에 남는 질문은 '광주시민들이 군

소년이온다

인들에게 끝까지 맞서 싸울 수 있었던 이유는 무엇인가요?'이다. 선생님은 그들이 단지 희생자로 남고 싶지 않았고 나아가 광주의 일들을 누군가의 기억에 남기고 싶었기 때문이 아닐까라고 하셨다. 만약, 죽음이 두려워 사람들이 군인들에게 저항하지 않고 현실을 그대로 받아들였다면 그들은 단지 사회의 불안을 조장했던 불순분자나 희생자 정도가 되었을 뿐이고, 5·18은 이후 민주화운동의 불씨가 되지 못했을 것이다. 그래서 '그날' 광주사람들은 스스로의 존엄을 지키기 위해 나아가 이를 역사에 기억시키기 위해 죽음을 무릅쓰고 그 자리를 지켰던 것은 아니었을까라고 선생님은 추측한다고 말씀하셨다. 나도 개인적으로 가장 궁금했던 질문이었는데, 이번 강의를 들으며 그 해답의 실마리를 찾을 수 있었다.

소설, 역사를 품다

이번 강연은 다른 강연들과는 다르게 작가님이 직접 오신 강연은 아니지만 5·18민주화운동과 한강의 〈소년이 온다〉를 새롭게 이해할 수 있는 기회가 되었다. 많은 책을 접해본 강사 선생님께서 민주화와 관련된 책도 여러 권 추천해주셔서 읽어봐야겠다는 생각이 들었다. 인문학 동아리 친구들과 함께 공부한 주요 역사적 사건들과 관련 활동들을 총정리하는 시간이 되어 더 뜻 깊기도 했다.

역사에 관심이 많은 나에게는 올해 인문학 주제인 '소설, 역사를 품다'가 흥미로웠다. 1년을 보내고 나니 내가 몰랐던 숨겨진 사실들에 대해 더 자세히 알게 되어 좋은 기회였던 것 같다. 내년에도 다른 주제와 소설을 연관 지어 새로운 것들에 대해 한 걸음 더 나아가게 되는 공부를 했으면 좋겠다.

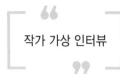

〈소년이 온다〉를 읽은 독자에게 어떤 말을 건네고 싶나요?

책 쓰기를 끝까지 미루다가 마지막 페이지를 썼고 마지막 문장이 '죽지 말아요' 입니다. '5·18 광주 민주화 운동(이하 5·18)' 모든 생존자들에게 하고 싶었던 말입니다. 우리 자신 모두에게 죽지 말고 살아가자고 하고 싶었던 말이기도 합니다.

〈소년이 온다〉의 모티브가 된 '5·18'은 작가에게 어떤 사건이었나요?

5·18은 인생을 바꿔 준 중요한 계기가 된 사건입니다. 어렸을 때부터 인간에 대한 근본적인 질문을 던지면서 살아왔습니다. '5·18'은 인간의 두 가지 양면성 을 보여준 사건이라고 생각합니다. 인생을 많이 바꿔준 중요한 계기가 됐습니다. '5·18'을 다시 떠올리게 된 직접적인 계기는 2009년 발생한 '용산 참사' 소식이었습니다. '용산 참사' 뉴스를 보며 '5·18'이 다시 일어나는 것이라는 생각이 들었습니다. '5·18'은 이제 광주에서 일어난 일에 국한된 단어가 아니라 광범위한 의미를 가진 보통명사가 됐습니다.

34년이 지난 지금, 광주 이야기를 다시 꺼낸 건 어떤 이유에서였나요?

원래 쓰려던 소설이 있었습니다. 인생의 가장 밝은 파편들을 모아 놓은 소설이 었습니다. 그래서 제가 살아온 여러 삶 속에 들어가서 찬란했던 기억들을 끄집어내려고 했는데, 진척이 되지 않았습니다. 인생을 껴안을 수 없다는 의심이 들었고, 무언가가 내 앞을 막아선다는 느낌을 받았습니다. 왜 이럴까? 오랫동안 생각을 했는데, 들여다보니 그 안에 광주가 있었습니다.

'5·18'이 일어나기 몇 달 전, 우리 가족은 아버지가 중학교 교사를 그만두시며 광주를 떠났습니다. 당시에 광주에는 없었지만 광주에 있던 친척으로부터 이야기를 많이 들었습니다. 인간으로서 상상할 수 없는 일들, 끔찍한 폭력성을 가진 인간을 마주하게 됐습니다. 밝은 이야기를 하고 싶었지만, 인간의 어두운 면을 끄집어내지 못한다면 결국 밝은 소설도 쓸 수 없다고 생각했습니다.

작가 한강에게 〈소년이 온다〉는 어떤 소설인가요?

대학 때부터 소설과 시를 쓰기 시작한 이후로 제가 어떤 사회적인 맥락의 작품을 쓰리라곤 상상도 못했습니다. 하지만 대학시절 어떤 이유에선지 모르지만 '현재가 과거를 도울 수 있는가, 산자가 죽은 자를 도울 수 있는가'라는 2개 문장을 반복적으로 썼었습니다. 〈소년이 온다〉를 쓰면서 그 문장들을 계속 반복적으로 생각하게 됐습니다. 잔혹한 폭력을 되새김질하면서 그분들이 느꼈을 것을 이해하려고 하면서 쓰다 보니 점점 인간에 대한 신뢰를 잃게 됐습니다. 그때 저를 인간의 참혹과 잔인함, 폭력에서 인간의 존엄으로 나아가게 해줬던 것이 '소년'입니다.

〈소년이 온다〉는 '5·18'을 모티브로 하지만 저에게는 인간 폭력과 존엄성에 대한 확장이기도 합니다. 〈소년이 온다〉는 '5·18'을 다루고 있지만 자료수집 과정에서 좀 더 확장했습니다. 인간이 저지른 다른 수많은 죄들에도 적용해보고 생각해보고 싶었습니다. 인간의 폭력을 다루면서 시작했지만 궁극적으로는 인간의 존엄성에 대해 이야기를 발전시키고 싶습니다.

작가 한강에게 글쓰기는 어떤 의미가 있나요?

〈소년이 온다〉는 1980년 5월 광주에서 죽은 한 소년에게 바치는 소설입니다. 근본적인 질문의 중심부에 접근해가고 있음을 느끼며 썼습니다. 인간에 대한 근본적인 질문을 자신에게 던졌던 바로 그 시간을 정면으로 통과하지 않으면 어디로든 가지 못할 것 같다는 절박한 마음으로 소설에 매달렸습니다. 어떻게 보면 소설을 쓰는 일은 서성거리기와 비슷한 데가 있습니다. 뜨겁거나 서늘한 질문을 품은 채 앞으로 나아가거나 다시 뒤로 돌아가고, 때로는 출발했던 자리로 되돌아오기도 합니다. 결국 어떤 길을 걸어왔는지는 시간이 많이 흐른 뒤에야 되짚어 볼 수 있습니다. 저는 앞으로도 천천히 계속 쓸 것입니다. 뜨겁거나 서늘한 질문들을 품고 나에게 주어진 삶 위에서 끈질기게 서성거릴 것입니다.

작품에서 인간의 선한 모습을 다룰 생각은 없나요?

저는 인간의 선함을 간절하게 믿고자 하는 사람입니다. 〈소년이 온다〉 출판 직후 읽었던 어떤 작가의 에세이를 읽으면서 왜 〈소년이 온다〉를 쓰면서 그렇게 고통스럽고 힘들어했는지 이유를 깨달았습니다. 그 이유는 인간의 선함을 믿고 사랑하기 때문이었습니다. 이 책을 읽고 고통과 슬픔을 느꼈다면 그 또한 인간을 사랑하기 때문입니다.

이 소설을 쓰면서 인간의 훼손돼서는 안 되는 것들이 훼손됐던 시간들을 들여다보며 고통을 많이 느꼈습니다. 나 자신을 위해서가 아니라 그냥 울기도 많이 했는데, 최근 한 번역자가 쓴 글을 읽었습니다. 걸프전이 일어났을 때, 폭격이 일어나 수많은 민간인들이 죽었다는 뉴스를 듣고 버스를 탔는데 계속 눈물이 났다고 합니다. 이 눈물의 의미가 뭘까? 생각해봤는데, 인간에 대한 사랑이라는 걸 깨달았다고 합니다. 이 글이 나에겐 최근에 들은 어떤 말보다 위로가 됐습니다. 〈소년이 온다〉를 쓰면서 느낀 고통이 '인간에 대한 사랑이구나'를 느꼈습니다. 다시 소설을 쓴다면 여기에서부터 시작하지 않을까 싶습니다. 예전에 쓰려던 소설은 못 쓸 것 같습니다. 아직 형태는 없지만, 사랑에서 출발하는 이야기를 쓰게 될 것 같습니다.

취재를 하면서 소설을 준비한 시간까지 합하면 1년 반을 〈소년이 온다〉와 함께 했습니다. 소설을 쓰면서 벌 받는 느낌을 받았다고 고백했는데, 무슨 의미인가요?

실제로 있었던 일들을 배경으로 하니까 내가 누가 되지 말아야겠다는 책임감이 컸습니다. 인간으로서 마주하기 어려운, 인간의 가장 어둡고 참혹한 지점을 계속 들여다봐야 했기 때문에 그게 어려웠습니다. 현실은 내가 상상했던 것보다 훨씬 잔혹했습니다. 잔인한 것도 더 많았지만 사실만큼 못 썼습니다. 소설로 쓸 수 있는 한계였습니다. 더 잔인한 이야기를 쓰는 게 작가로도 힘들었겠지만 독자가 수용하기 어려울 거라고 생각했습니다. 소설에 모든 걸 쓰진 못했지만, 작품 때문에 읽어야 했던 수많은 자료를 봐야 하는 게 가장 힘들었습니다.

소설이 6장으로 이뤄졌는데, 각 장의 화자와 시점이 다릅니다.

장에 따라 느낌을 약간 다르게 해야겠다는 생각을 했습니다. 일단 소년이 나와야 하니 소년의 이야기를 썼고, 다른 인물들을 생각하는데 오랜 시간이 걸렸습니다. 한 달 정도 고민하면서 배열을 구성했습니다. 오래 생각해서 그런지, 결정이 난 건 한 순간이었습니다. 2장까지는 죽은 소년의 이야기니까, 3장에서는 그래도 숨을 쉬어야 하지 않을까 생각했습니다. '은숙'이도 고통을 받긴 하지만, 고문을 겪거나 그러진 않았으니까요. 어쩌면 우리랑 가장 가까운 평범한 사람이기 때문에 잠깐 숨을 돌리고 가는 게 맞다고 생각했습니다. '은숙'은 여고 3학년 때, 5·18을 겪었습니다. 이후 작은 출판사에서 편집자로 일하는데, 담당 원고의 검열로 경찰서에 끌려가 '일곱 대의 빰'을 맞습니다. 지금은 검열이 사라졌지만, 여러 형태의 검열은 아직도 남아있습니다.

3개월간 광주에서 취재를 했는데요, 소설과 현실이 어느 정도 일치하나요?

사건 자체는 현실에 기반하고 있지만, 인물이 일대일로 대응되진 않습니다. 동일방직 사건은 현실에 있었던 일이지만, 소설에 등장하는 '선주'가 광주에 있었던 건 아닙니다. 친동생이 광주에서 3년 정도 살았는데, 마지막 1년 동안에 내가 〈소년이 온다〉를 쓰면서 동생 집에 자주 묵었습니다. 만약 80년대, 90년대에 이 작업을 했더라면 힘들었을 테지만, 여러 단체에서 정리를 많이 해놓아서 자료를 찾는데 어렵지 않았습니다. 여러 사람들을 만나 물어도 보고, 묘지도 몇 번 다녀왔습니다. 글을 쓰다 잘 안 써지면 찾아가고, 종교는 없지만 기도도 하고 그랬습니다.

집필하면서 가장 쓰기 고통스러웠던 장면은 무엇인가요?

한 장을 끝날 때마다, '아 이제 그만하면 좋겠다'는 생각을 했습니다. 각 장마다 힘든 순간들이 늘 있었습니다. 1장에서는 정대가 총을 맞는 장면은 실제로 있었던 일입니다. 집단으로 총이 발포돼서 수많은 사람들이 쓰러져 있는데, 시체라도 구하자고 맨몸으로 뛰어드는 사람이 수없이 많았다고 합니다. 군인 측 증언에 따르면, 계속 총을 쏘는데도 불구하고 동료를 데리고 가기 위해 주저 없이 달려드는 사람들이 많았다는 것입니다. 이 경험을 평생 못 잊는다고 합니다. 정대 이야기를 쓸 때는 '오늘은 이만큼 써야지'하고 작업실에 갔다가, 세 줄 이상 못 쓰고 그대로 돌아오는 경우가 많았습니다. 몇 시간 동안 아무 것도 안 하고 있어야 할 때도 많았습니다.

'소년이 온다'라는 제목이 독자에게 주는 여운이 큽니다.

가장 마지막에 나온 제목입니다. 처음 생각한 건 '여름의 당신'이었습니다. 봄이 지나고 여름이 왔지만, 소년이 건너가지 못한 여름을 말하고 싶었습니다. 소설에서 소년을 계속해서 '너'로 부르지 않나요. 여름이라는 계절이 생명의 계절이기도 하지만, 잔혹함이 있으니까요. '당신'으로 말하고 싶었는데 너무 낭만적으로 보일 것 같고 성격이 전혀 다른 소설로 느껴질 수도 있을 것 같아, 제목을 다시 생각했습니다. '여름의 동호'라는 제목도 생각했는데 출판사에서 거절했습니다(웃음). 나는 동호가 누군지를 아니까 '당신'보다 더 애틋하고 가까운 느낌이지만, 독자들은 '동호'를 모르는 상태에서 소설을 읽게 되니까. 며칠 밤을 고민해서 '소년이 온다'로 결정했습니다.

어떤 독자들이 〈소년이 온다〉를 읽었으면 하는 바람이 있나요?

젊은 독자, 어린 독자들이 많이 읽어주면 좋겠습니다. 광주가 이제 점점 언급이 안되고 있습니다. 교과서에도 자세한 정황이 나오지 않고 교육되지 않으니 자연스럽게 모두가 모르게 됩니다. 유년시절에 조금이라도 경험을 했으면 그래도 알 텐데, 지금 사회는 이런 걸 알리려는 분위기 자체가 아니니까요. 왜곡된 이야기를 듣기 쉬우니까 자라나는 세대가 위험하다는 생각이 듭니다.

참고한 자료

채널 예스 인터뷰–만나고 싶었어요

뉴스 1–소설가 한강 〈소년이 온다〉 배경 5·18, 내게도 악몽, 2016. 9. 2.

서울경제–소설가 한강 '소설 통해 인간에 대한 근원적 질문 계속할 것', 2016. 3. 1.

국민뉴스–소설가 한강 〈소년이 온다〉는 광주에서 죽은 한 소년에게 바치는 작품, 2016. 3. 1.

독자
읽기

80년의 5월 그리고 우리

잔디밭에 누워 구름을 바라보고 싶은 **김지현**(2학년)

이유 없는 죽음

'그렇지, 네가 나와 함께 있었는데. 차가운 몽둥이 같은 게 갑자기 내 옆구리를 내려치기 전까지. 내가 헝겊 인형처럼 고꾸라지기 전까지. 아스팔트가 산산이 부서질 것 같던 발소리들, 고막을 찢는 총소리들 속에서 내가 팔을 뻗어올릴 때까지. 옆구리에서 솟구친 피가 따뜻하게 어깨로, 목덜미로 번지는 걸 느낄 때까지. 그때까지 네가 함께 있었는데.' (49쪽)

군중 속에서 함성을 지르고 태극기를 흔들다, 계엄군의 총에 맞아 죽은 정대가 혼이 되어 되짚던 생각이다. 친구인 동호는 정대가 총에 맞아 쓰러지는 모습을 보고도 도망가고 말았다. 1980년 5월 18일, 광주 민주화운동에 대해서 어렴풋이 알기만 하던 나에게 이 책은 너무나도 생생하게 다가왔다. 어쩌면 살아가며 한 번도 느끼지 못할 감정일 수 있기에 더 깊은 인상을 준 책이다. 그저 민주주의를 염원했던 그 날의 광주 사람들은 왜 꺾인 장미 꽃잎처럼 힘없이 죽어가야만 했을까. 책을 읽으며 생긴 궁금증을 차근차근 풀어보려 한다.

동호가 5·18 민주화 운동 희생자들의 입관을 마친 뒤 추도식에서 유족들이 애국가를 부르는 것, 군인들이 죽인 사람들에게 애국가를 불러 주는 것, 태극기로 관을 감싸는 것 등에 대해 의문을 가진 이유는 무엇일까?

군인들이 시민들을 죽인 것은 그들이 모두 평범한 시민들이 아닌 폭도라는 이유였다. 그러나 애국가를 부르거나 태극기로 관을 감싸는 행위는 폭도에게는 하지 않는다. 보통 나라를 위해 의로운 죽음을 맞은 사람들에게 하는 행동인 것이다. 유족들은 자신의 남편, 아내, 소중한 아들, 딸이 폭도임을 인정하지 않았다. '폭도'는 나라가 그들의 행동을 정당화하기 위해 붙인 말일 뿐이었다. 이런 상황 속에서 동호는 마음이 혼란스러웠다. 시민들을 죽인 나라, 그들을 의로운 죽음으로 대우하는 유족들 가운데서 무엇이 맞는 것인지 어린 마음에 잘 이해가 되지 않았을 것 같다. 동호는 연이어 '나라가 그들을 죽인 게 아니라는 듯이'라는 말을 한다. 나라가 그들을 죽였지만 시민들에게는 잘못이 없었다. 유족들은 그런 이들을 위로해주고 싶은 마음이 있었을 거라는 생각이 든다.

작가가 각 장마다 시점을 바꾸거나 '너'라는 2인칭 시점을 사용한 이유는 무엇일까?

80년 5월의 사건에 대해 이야기한 책들은 윤정모의 〈누나의 오월〉, 임철우의 〈봄날〉 등 다양한 작품들이 있었다. 그 책들을 모두 읽어보지는 못했지만 〈소년이 온다〉처럼 여러 시점을 한 책에 모아 둔 작품은 흔하지 않은 것 같다. 역사 속에 고립되었던 80년 5월의 광주는 상상도 잘 되지 않는 희미한 역사인 듯했다. 그러나 각 장마다 시점을 바꾸어 서술함으로써 일어난 지 얼마 되지 않은 생생한 역사로 다가오게 해 주었다. 나 역시 이 책을 읽으며 등장인물들이 내 귀 옆에서 속삭이는 것 같았고, 5·18 광주의 광경이 선연했다.

또한 '너'라는 2인칭 시점을 통해서는 신비감이 조성되었다. 2인칭 시점을 통해서 정대의 영 같은 죽은 영이 남은 사람들을 계속 지켜본다는 느낌이 들게 해 주는 것 같았다. '너'라는 화법은 우리가 곁에 있는 인물에게 말을 건네는 듯한 느낌이 들어 친근하고 애틋하다. 결국 이런 특성들 덕분에 〈소년이 온다〉는 다른 광주 관련 소재의 책들과 차별화되고, 독보적인 분위기의 책으로 자리매김할 수 있었던 것 같다.

5·18을 통해서 작가는 인간의 본성을 어떻게 보고 있을까?

5·18에는 인간의 두 가지 면이 모두 드러나 있는 것 같다. 사람들을 무자비하게 학살하는 군인들을 볼 때 인간의 본성은 악한 쪽일 것이다. 책에는 '나'가 인간의 본성에 대해 고민하는 부분이 나온다.

'그러니까 인간은, 근본적으로 잔인한 존재인 것입니까? 우리들은 단지 보편적인 경험을 한 것뿐입니까? 우리는 존엄하다는 착각 속에 살고 있을 뿐, 언제든 아무것도 아닌 것, 벌레, 짐승, 고름과 진물의 덩어리로 변할 수 있는 겁니까? 굴욕당하고 훼손되고 살해되는 것, 그것이 역사 속에서 증명된 인간의 본질입니까?' (134쪽)

이 구절을 읽다 보면 나도 모르게 주인공 '나'의 말에 공감하여 '인간은 원래 그런 존재인가' 하고 수긍할지도 모르겠다. 그러나 나는 이 구절을 읽으며 오히려 계속 되묻는 것에서 인간이 잔인한 존재는 절대 아니라는 확신을 가지고 있다는 느낌이 들었다. '나'는 인간의 선한 본성을 믿기 때문에 더욱 그 잔인한 학살, 인간이 도저히 할 수 없을 것 같은 군인들의 행동을 이해할 수 없는 것이다. 또

도청에 남아서 끝까지 민주주의를 지켜내겠다고 결의하는 광주 시민들의 모습을 봐도 그렇다.

'김진수와 나를 포함해 열두 명이 한조가 되어 이층 소회의실에 모였습니다. 처음이자 마지막이라고 생각하고 통성명을 했습니다. 각자 간단한 유서를 써서 이름과 주소를 적고는 찾기 쉽도록 셔츠 앞주머니에 넣었습니다.' (110쪽)

이들은 죽음도 각오하고 민주주의를 지켜내겠다는 하나의 신념을 위해 모였다. 악한 본성을 가지고서는 도저히 할 수 없는 일이다. 이 책은 군인들보다 이런 선한 시민들의 모습을 더 많이 그리고 있다. 나는 이런 부분들을 읽으며 작가는 인간의 본성을 선하다고 보고 있다고 느꼈다.

큰 울림을 준 책

인간이 휘두른 폭력, 이기심과 욕심으로 인해 무고한 광주 시민들은 무참히 짓밟혔다. 작품은 적나라하게, 또 누구든 읽다 보면 빠져들 수 있게, 솔직하게 사람들의 이야기를 전한다. 나는 광주의 5월에 대해 잘 알지 못한 상태에서 책을 접했지만 한 장, 두 장 읽어가면서 책의 내용 속으로 깊이 빠져들었다.

책을 읽으며 '이 사람들은 어떻게 이렇게 할 수 있었을까'라는 생각을 가장 많이 하였다. 나라면 용기 있는 행동을 할 수 없었을 것 같다는 생각 때문이었다. 그렇지만 그렇게 행동한 이유, 진심이 하나 둘 이해되면서 나까지 가슴이 벅차올랐다.

〈소년이 온다〉는 처음 읽기엔 어렵게 느껴질지도 모른다. 그렇지만 마침내 책을 온전히 이해했을 때 큰 울림을 준다. 누구든 일생에 한 번 쯤은 꼭 읽었으면 하는 책이다.

꽃 핀 쪽으로
- 5월에 피어난 안개꽃

임영민을 보고 싶은 **전지현**(2학년)

1980년 5월 18일 광주 민주화 운동, 사람들은 5·18을 어떻게 기억하고 있을까? 〈소년이 온다〉에서는 한강 작가의 특유의 섬세한 표현들로 그 날의 광주를 그리고 있다.

5·18의 비극과 그들의 삶 그리고 동호

〈소년이 온다〉는 1980년 5월에 일어난 광주 민주화 운동에 대해 이야기하고 있다. 소설은 1장~6장 그리고 에필로그로 구성되어 있다. 작품에 등장하는 인물들은 모두 그 사건과 관련된 사람들이다. 주인공이라 할 수 있는 동호는 중학생 소년이다. 동호는 자신의 집에 누나와 함께 세 들어 살고 있는 정대와 시위 행진에 참여하다 군인들의 총격을 받는다. 정대는 총에 맞아 쓰러지고, 놀란 동호는 다른 사람들과 함께 자리를 피한다. 그 길로 정대와 소식이 끊겨버린 동호는 정대의 시체를 찾기 위해 도청에 간다. 그 곳에서 진수 형, 은숙 누나, 선주 누나를 만나게 되고 그들과 함께 시신을 수습하는 일을 돕게 된다. 5월의 이야기는 여기서 시작된다.

〈소년이 온다〉의 기억

'썩어가는 내 옆구리를 생각해.
거길 관통한 총알을 생각해.
처음엔 차디찬 몽둥이 같았던 그것,
순식간에 뱃속을 휘젓는 불덩어리가 된 그것,
그게 반대편 옆구리에 만들어놓은, 내 모든 따뜻한 피를 흘러나가게 한 구멍을
생각해.
그걸 쏘아보낸 총구를 생각해.
차디찬 방아쇠를 생각해.
그걸 당긴 따뜻한 손가락을 생각해.
나를 조준한 눈을 생각해.
쏘라고 명령한 사람의 눈을 생각해.' (57쪽)

2장 '검은 숨' 정대의 이야기에 나오는 구절이다. 정대는 시위행진에 참여했다가 군인이 쏜 총에 맞고 죽게 되었다. 그래서 정대의 시신에서 영혼이 빠져나온다. 그 영혼은 시간이 지날수록 기억이 사라지기 때문에 기억을 유지하기 위해서는 머릿속으로 끊임없이 되뇌인다. 위의 장면은 기억을 반복하던 중 자신이 죽게 되는 장면을 떠올리는 부분이다. 자신이 죽는 장면을 떠올리며 괴로워하는 정대가 안타깝고 안쓰러웠다. 자신이 왜 죽었는지 명확한 이유도 알지 못하고 떠도는 영혼이 된 정대가 얼마나 억울하고 분할지 가슴 아팠다.

5월에 피어난 안개꽃

처음 책을 보고 가장 눈에 들어왔던 것은 책표지에 있는 꽃이었다. 다른 책들과는 다르게 표지 전체가 꽃으로 구성되어 있었다. 처음에는 꽃의 이름도, 표지를 꽃으로 한 이유도 궁금하지 않았다. 주의 깊게 보지도 않았고 굳이 의미를 부여하지 않기 때문이다. 6장 '꽃 핀 쪽으로'의 구절 중 '엄마아, 저기 밝은 데는 꽃도 많이 폈네. 왜 캄캄한 데로 가아, 저쪽으로 가, 꽃 핀 쪽으로.' 관심 없던 표지가 이 구절을 읽고 궁금해졌다. 표지의 꽃은 안개꽃이다. 맑은 마음, 깨끗한 마음, 사랑의 성공이라는 꽃말을 가지고 있다. 6장의 마지막 구절은 표지의 안개꽃을 생각나게 했다. 안개꽃이 마치 광주의 희생자들을 위로하는 듯한 느낌을 주었다. 더 이상 어두운 곳으로 가지 말고 순수하고 밝은 곳으로 가라는 의미가 담긴 표지라고 생각하였다.

나에게 다가온 〈소년이 온다〉

이 소설을 읽으며 좋기도 하면서 아쉬운 점이 있었다. 바로 시점이다. 〈소년이 온다〉는 각장마다 시점이 바뀐다. 시점이 바뀌면서 내용을 이해하는데 애를 먹었다. 이 부분은 누구 이야기지? 누가 말하고 있지? 꼭 여러 인물의 시점을 통해 이야기를 진행해야 하나? 동일한 인물이 서술자였다면 작품을 이해하기가 좀 수월하지 않았을까 라는 생각을 하였다. 하지만 아쉬운 점이 장점이기도 했다. 한 인물의 시선으로만 이야기가 진행되었다면 다른 사람의 생각과 감정을 알 수 없었을 것이다. 그러나 각장마다 시점이 바뀌면서 여러 인물들의 시선을 통해 상황을 보고 느낄 수 있었다. 5월의 광주가 생생하게 다가왔다.

5월의 광주와 〈소년이 온다〉의 의미

광주는 대한민국 민주주의 실현의 시금석이며, 6월 항쟁의 뿌리가 되었다. 그러나 5월의 광주는 너무나 비극적이고 참혹했다. 사실적으로 그려진 소설 속 인물들 덕분에 당시의 광주가 생생히 다가왔다. 친구를 잃은 동호, 영문도 모른 채 죽어간 정대, 시간이 지나도 잊히지 않는 기억들, 괴로움을 이기지 못한 진수의 이야기, 그리고 선주, 아들을 잃은 어머니.
그들을 통해 현재의 내가 행복하게 살아가고 있음에 감사한다.

나는 5·18 계엄군입니다

푸른색을 좋아하는 중학생 **이원정**(1학년)

사람 많이 죽이셨겠네요. 그 질문이 가장 무섭습니다. 사실입니다. 사람 많이 죽였습니다. 아직도 나는 제대로 생활 할 수 없습니다. 밤에 자는 것도 힘들고 곤봉 같은 막대기를 보는 것도 힘듭니다.

1980년 봄이었습니다. 내 나이 22살, 나는 계엄군이었습니다. 처음엔 나에게 곤봉만 주었습니다. 머리를 때리라고 했습니다. 나는 광주에서 태어나고 자라났습니다. 내가 때리는 이가 친구의 아버지 혹은 형, 동생일수도 있었습니다. 하지만 어렸던 나는 그저 그들을 죽이지 않으면 내가 죽는다는 그 사실이 너무 무서웠습니다. 그렇게 곤봉으로 여러 사람들의 머리를 때렸습니다. 처음에는 내가 때린 사람 머리 숫자를 세고 때린 숫자만큼 나도 벽에 머리를 쳤습니다. 그러나 인간이 참 간사합니다. 곧 그만두었습니다. 내가 죽을 것 같았기 때문입니다. 그 이후 나는 더욱 더 잔인해졌습니다.

아직도 똑똑히 기억합니다. 금남로에서 차량 시위가 시작되었을 때 곤봉을 들고 유리창을 깨고 차 안의 사람들을 끄집어내어 두들겨 팼습니다. 아직도 나는 곤봉이란 단어만 들어도 끔찍합니다. 저에게 전남도청은 여러 의미로 다가옵니다. 지금은 국립아시아문화전당이라고 부르더군요. 이름이 바뀌어서 좋았습니다. 이제 사람들 사이에서 전남 도청이라는 단어는 나오지 않을 것 같았습니다.

저는 '전남도청'이라는 단어만 들어도 치가 떨립니다. 전남도청에서 얼마나 많은 일이 있었는지 당신은 모릅니다.

전남도청 앞에서 최루탄을 쏘았습니다. 앞이 안보이니 군중들이 헤매는 틈을 타 곤봉으로 머리를 내리쳤습니다. 또 하루는, 전남도청 안에서 끔찍한 일이 일어나는 것을 목격하였습니다. 앞사람 가랑이 사이에 머리를 박고 뒷사람은 자신의 가랑이 사이에 머리를 박아 동그랗게 원을 만들었습니다. 그리고는 그 위에 공수부대원 5명 정도가 올라갑니다. 그런 후 군화 뒤축으로 허리를 밟고 돕니다. 쓰러지면 욕을 하며 때립니다. 그런 후 다시 세워서 돕니다. 군홧발로 찍습니다. 나중에 안 사실인데 그 일을 겪은 사람은 척추가 깨졌다고 합니다. 상처난 등에 스프레이로 글자를 적었습니다. '방화', '살인', '폭도' 라고. 밟으며 돌아다니다가 이런 말을 하였습니다. "너희들을 죽여도 괜찮지만 살려서 평생 불구로 만들겠다."

나는 돈이 없었기에 더욱 잔인해졌습니다. 특별히 잔인하게 행동한 군인에게는 상부에서 포상금을 주었기 때문입니다. 맷값을 주면서 사람을 패라는데 안 팰 이유가 없다고 생각하였습니다. 나는 짐승이 되어가고 있었습니다. 나는 아직도 그때의 나를 혐오합니다.

그러던 어느 날 도청 앞에서 집단 발포를 하였습니다. 12시가 좀 넘었을 무렵 시위대가 차량돌진을 시작하였습니다. 공수부대의 저지선이 무너졌습니다. 공수부대 차량과 장갑차가 퇴각하였습니다. 그러던 중 병사 하나를 쳤고 그가 죽었습니다. 그때 내 정신이 돌아왔습니다. 지금 내가 무슨 짓을 하고 있는 걸까.

그렇게 나는 힘겹게 나 자신을 혐오하며 37년을 살아왔습니다. 그때의 트라우마로 나는 아직까지 정신병원에서 상담을 받고 약을 먹습니다. 최초 발포 명령자는 잘 살고 있을까요? 나는 이렇게 고통에 몸부림 치는데 그 사람은 잘 살까요?

이 지독한 악몽 속에서

친구들과 놀러 다니는 것을 좋아하는 소녀 **조가은**(1학년)

어떻게 그 지옥 같은 곳에서 혼자 살아남을 수 있었는지 모릅니다. 나조차도 어떻게 살아남았는지는 모릅니다. 저는 단지 스무 살의 풋풋한 새내기 대학생이었습니다. 평소같이 등교를 하고 있었는데, 갑자기 학교에 휴교령이 내려졌습니다. 자세한 이유는 몰랐지만 오랜만에 생긴 여유에 기쁜 마음으로 친구들과 광주에 놀러갔습니다. 하지만 광주의 모습은 제가 생각하던 모습과는 많이 달랐습니다.

부상자들이 상무관 안을 가득 채웠고, 제 친구 중 한 명도 슈퍼에 다녀오다가 계엄군에게 잡혀 억울하게 세상을 떠난 뒤였습니다. 알고 보니 광주시민들이 군사정권의 정치 개입을 막기 위해 항쟁 중인 모양이더군요. 바깥의 모습은 차마 두 눈을 뜨고 볼 수 없을 정도로 참혹했습니다. 제가 살던 서울은 너무나도 평화로웠는데 말이죠. 별 생각 없이 내려왔던 광주지만 제 친구를 위해서라도 계엄군들과 싸워야겠다는 생각이 들었습니다.

저는 친구들과 함께 시민군이 되었습니다. 계엄군이 온다던 그날 밤 우리는 도청에 남아있었습니다. 도청에 남은 사람들 중, 절반 이상은 미성년자였습니다. 우리의 목표는 수십만의 시민들이 모일 때까지 버티는 것이었습니다. 질 확률이 더 높았지만, 어쩌면, 어쩌면 버틸 수도 있을 거라고 생각했습니다.

소년이온다

하지만 제 생각은 불과 몇 분 뒤에 산산조각 나버렸습니다. 계엄군이 도청 계단을 올라오는 모습을 보았음에도 아무도 방아쇠를 당기지 않았습니다. 아니, 당기지 못했습니다. 우리들은 총 한발도 쏴보지 못한 채 그대로 수감 되었습니다. 힘든 고문을 버티며 힘든 나날을 보내던 어느 날, 이상한 기분이 들었습니다.

주위를 둘러보니 친구들의 눈은 텅 비어 공허했고, 눈의 초점조차 제대로 잡히지 않았습니다. 이제서야 알았습니다. 아, 나 혼자 살기위해 발버둥 쳤구나. 그 순간만큼 내가 한심하게 느껴진 적은 없었습니다. 정신을 차린 지 얼마 되지 않은 날, 제 친구들이 고문을 당하다 모두 세상을 떠났습니다. 성탄절에 모두를 석방 시켜준다는 소문이 돌아 함께 기뻐했던 제 친구들이, 언제나 함께일 것 만 같던 제 친구들이, 하나 둘 세상을 떠나고 결국 제 곁에는 아무도 남지 않았습니다.

나는 증오합니다. 친구들에게 광주에 가자고 했던 나를. 나는 증오합니다. 계엄군에게 억울하게 죽는 친구를 바라보기만 했던 나를. 나는 증오합니다. 살기위해 발버둥 치며 친구들을 내쳤던 나를. 너무나도 증오합니다.

왜 그랬을까요. 나만 아니었으면, 모두 살 수 있었을 텐데. 내가 내 손으로 친구들을 죽인 것만 같습니다. 내가 죽인 것과 다를 게 없다는 생각에 하루도 편히 잠들지 못했습니다. 자려고 침대에 누우면 친구들이 생각났고, 세상은 바뀌었지만 가끔 경찰이라도 보는 날엔 온몸에 소름이 돋아 몇 분 동안 멍하니 서있기만 합니다.

내가 그때 광주에 가자고 하지 않았더라면, 군인들을 향해 방아쇠를 당겼더라면, 그때 그 계엄군들을 죽였더라면, 내 삶은 달라졌을까요? 이렇게 악몽에 시달리며 살아남은 것에 대한 죄책감을 가질 필요는 없었겠지요? 나는 도대체 언제쯤 행복해 질 수 있을까요? 혹시 누군가 저를 지켜보고 있다면, 염치 없지만 친구야, 나를 보고 있다면, 이 지독한 악몽 속에서 나를 구출해줘.

5월의 그 날, 그 곳, 그리고 소년

프롤로그

영화 「택시운전사」로 인해 5·18 광주 민주화 운동에 대한 사람들의 관심이 높아진 요즘, 인문학동아리 '귀를 기울이면'은 광주로 문학역사기행을 떠났다. 한 달동안 한강 소설가의 〈소년이 온다〉를 읽고 함께 이야기를 나누고 글을 쓰고 5·18 관련 영상을 보았다. 문학기행자료집을 만들며 졸업여행을 가는 기분으로 설레기도 하였다. 이번 여행을 통해 우리는 민주화 운동의 시발점이 된 광주에 대해 더 깊이 알아볼 수 있었고, 5·18 사적지들을 탐방함으로써 그때 그 시절 광주시민들의 희생과 아픔을 몸과 마음으로 되새길 수 있는 기회가 되었다.

1일차 일정

부산 출발 → 전남대학교 → 점심 식사→ 금남로 → 오월길 걷기(5·18 민주화 운동 기록관, 상무관, 옛 전남도청) → 미션 수행 → 국립아시아문화의전당 해설사와 함께 하는 투어 (방문자 센터 → 민주평화교류원 → 어린이문화원 → 문화정보원→ 예술 극장→ 하늘공원) → 저녁 식사 → 숙소 배정 및 분임 토의 → 자유시간 → 취침

1980년 광주로 향하다

6:00 아직 해도 다 뜨지 않은 이른 새벽, 눈도 떠지지 않은 채 분주하게 나갈 채비를 하였다.

6:40 약속시간이 다가오자 학생들이 하나둘씩 버스에 오르기 시작했다. 이른

아침임에도 불구하고 학생들의 얼굴은 1박 2일의 여행에 대한 설렘과 기대감으로 가득했다.

7:00 버스의 출발과 동시에 우리의 문학기행도 시작되었다.

5·18 민주화 운동의 시발점, 전남대학교

4시간 동안 달리고 달려 도착한 첫 일정지에는 빨갛게 물든 단풍나무 길과 전남대학교 정문이 우리를 반겼다. 한참을 헤매 찾은 5·18 기념관은 잠겨있어 관람

하지 못해 아쉬웠다. 그러나 들어올 때부터 우리를 반겨주었던 단풍나무 길이 아쉬운 마음을 달래주었다. 다시 한참을 헤매 돌아온 정문에서 선생님께 학년별로 흰 티를 하나씩 받았다. 우리는 처음에 '이걸 입고 다녀야 하나?', '유니폼인가?'라고 생각했다. 알고 보니 그 흰 티는 오늘 하루 동안 광주 사람들에게 '당신에게 평화

란 무엇입니까?'라고 물어보고 직접 그 답을 받아오는 미션이었다. '재미있겠다'라는 생각도 들었지만 한편으로는 처음 보는 사람들이 답을 해줄까라는 생각에 막막하기도 했다.

떡볶이를 먹다 만난 인연

점심을 먹기 위해 전남대 정문에서 학년별로 헤어진 뒤, 우리는 10분 거리에 있는 감탄떡볶이를 먹으러 가기로 했다. 택시 안에서 우리들의 대화를 들은 아저씨는 '부산에서 왔니?' 라고 물으시며 광주의 유명한 음식 중 하나인 떡갈비를 추천해주셨다. 그렇게 10분을 달려 감탄떡볶이집에서 도착하였다. 부산에서 5·18 민주화 운동에 대해서 공부하러왔다고 하니 '고맙다'고 하시며 서비스를 많이 주셨다. 떡볶이를 먹던 중 한 손님이 들어오셨고, 우리는 그 분에게 미션인 "당신에게 평화란 무엇입니까?"를 물어보았다. 그 손님은 자신을 시인이라고 소개하며, 미션의 취지가 무척 좋다고 말한 뒤 티셔츠와 함께 우리 사진을 찍었다. 점심시간으로 주어진 1시간 동안 만난 여러 인연들은 앞으로 광주를 생각할 때마다 떠오를 것 같다.

29개의 사적 그리고 광주의 역사를 따라서

광주에는 5·18 민주화 운동의 주요 장소들에 그 장소들의 의미를 설명해둔 29개의 사적이 있었다. 우리는 시간 관계상 29개의 사적을 다 돌아보지는 못하고, 사적 제 1호인 전남대학교, 전 MBC 건물, 구 전남도청, 상무관, 5·18 민주화 운동기록관 등을 돌아보았다. 지금은 다른 건물로 대체되었거나 깨끗한 건축물들로 복구되어있는 것을 보니 이 장소에서 그런 잔인한 일들이 일어났다는 것이 잘 실감이 나지 않았다.

5·18 민주화 운동 사적지가 원형 그대로 보존되어 있었다면 더 많은 사람들에

길 위에서 역사를 배우다

게 그 당시의 현실을 알릴 수 있었을 텐데 그렇지 않은 것 같아 안타까웠다. 우리는 자리를 옮겨 5·18 민주화 운동 기록관으로 향했다. 이곳에는 5·18 민주화 운동 관련 기록물이 보관, 전시되어 있다. 그 세계사적 중요성을 인정받아 2011년 5월 유네스코 세계기록유산으로 등재되었다. 들어가자마자 우리 눈에 보인 것은 옛 광주은행 유리창 총탄 자국이었다. 창문에는 어린아이가 붙인 것으로 보이는 스티커가 있었다. 그것을 보니 5월의 광주에서는 남녀노소 할 것 없이 무차별적으로 계엄군에게 공격을 받았던 것 같다. 책으로 배울 땐 크게 실감나지 않았던 그 당시의 상황이 가슴 속 깊숙이 와 닿았다. 우리는 기록관을 돌아다니며 문화해설사님의 여러 가지 설명을 들었는데, 그 중 가장 기억에 남는 것은 '박금희'라는 분과 여기저기 찌그러져 있는 큰 그릇이다. 박금희라는 분은 고등학생이었는데 다친 사람들을 위해 헌혈을 하고 돌아가는 길에 총에 맞았다고 한다. 자신이 헌혈한 피보다 훨씬 많은 피를 흘리며 다시 헌혈을 한 병원으로 돌아가게 되었다고 한다. 그 모습을 본 의사들이 망연자실 했다고 하니 당시의 비극적 상황이 눈앞에 선했다. 그리고 여기저기 찌그러진 그릇은 아주머니들이 광주를 위해 싸우는 시민군들을 위해 주먹밥을 만들어 나누어 주실 때 쓰던 것이다.

광주 사람들은 세상에서 고립된 상황에서도 약탈이나 범죄 없이 다함께 나누는 대동세상의 모습을 보여주었다. 이러한 광주 사람들의 정신과 힘으로 인해 지금의 민주화가 이루어질 수 있었던 것이 아닐까?

나는 상무관과 분수대가 지금도 그대로
있을까 궁금하였다. 상무관은 한강의
소설 〈소년이 온다〉에서 동호가 친구
정대의 죽음을 목격하고 시신들을 관리
하는 일을 돕던 곳이다. 상무관은 개방
되지 않고 있었지만 그 앞에 설명이 되
어 있었다. 5·18 당시 희생된 시신들을

임시로 안치한 곳이다. 출입구 유리를 통해 내부를 보니 바닥을 뜯어 새로 만들
어 두어 당시 흔적을 찾아 볼 수 없었다.
5·18 당시 사진을 보면 분수대를 에워싸고 시민들이 시위를 하는 장면이 나온
다. 〈소년이 온다〉에도 등장하는 분수대를 실제 보니 신기하고 역사의 현장에
와 있는 느낌이 들었다.

민주와 광주의 정신이 살아있는 국립아시아문화의전당

'국립아시아문화의전당'은 지상 4층, 지하 4층으로 이루어진 건물이다. 이곳은
아시아문화 교류와 콘텐츠의 창, 제작, 전시, 공연, 유통이 이루어지는 복합문
화시설이다. 이름을 처음 들었을 때 웅장하고 높은 건물일 줄 알았는데 새로 지
어진 건물인 문화정보원, 문화창조원, 예술극장, 어린이문화원이 지하에 위치
해 있다고 해서 의아했다. 해설사님은 이곳이 1980년 5·18민주화운동 당시 시
민군들이 마지막까지 계엄군에 맞서 싸운 옛 전남도청 자리라고 설명하였다.
국립아시아문화의전당을 지으며 옛 진남도청 건물의 많은 부분이 철거되었다.
옛 전남도청 본관과 회의실, 구 전남경찰청 본관, 민원실, 상무관, 구 전남도청
별관 등 총 6개의 보존 건물만 지상에 현재 남아 있다. 건축가는 '그 어떤 것도
5·18 정신보다 더 높은 것은 없다'는 생각으로 민주의 성지인 옛 전남도청과 분

수대, 상무관 등을 보존하고 그것을 부각시키기 위해 주요 건축물을 지하에 건립하였다고 한다. 국립아시아문화전당은 미래를 향해 도약하는 세계로 열린 창이라는 취지로 만들어졌지만 광주정신을 상징하는 공간이기도 하다. 이러한 역사성과 장소성이 함께 공존하며 과거와 현재, 미래가 이어져 기억되는 공간이 되었으면 좋겠다. 현재 남아있는 주요 건축물의 내부는 5·18 당시와 비교하여 그 원형이 많이 훼손되어 있는 상태이다. 5·18 현장에 대한 역사적 가치와 기억의 공간이라는 장소성을 중심에 두고 현재 복원 작업에 대한 이야기가 진행 중이라니 그나마 다행이라는 생각이 들었다.

우리가 국립아시아문화의 전당에서 가장 기억에 남았던 장소는 어린이 도서관과 각 나라의 인기 검색어를 물로 나타내주는 인공폭포였다. 어린이들에게 세계 여러 나라의 동화를 소개하고 세계의 인기 검색어를 물로 내려 보내는 인공폭포가 참신했다. 독일 미디어 아티스트 율리어스 포프의 작품인 '비트. 폴'은 떨어지는 물방울의 속도를 조절해 그 순간 인터넷상에서 가장 많이 검색되는 단어를 한국어·영어·아랍어 등 8개 국어로 보여주는 미디어 작품이다. 정보 과잉의 시대에 우리가 받아들일 수 없을 정도로 빠르게 생성되고 사라져 버리는 정보들을 작품으로 표현한 것이다.

당신에게 평화란 무엇입니까?

본격적으로 미션을 수행하기 위해 지나가는 사람들에게 '당신에게 평화란 무엇입니까?' 라는 질문을 던졌다. 사람들의 반응은 따뜻하게 대답을 해주시거나 그냥 차갑게 지나치시는 두 가지로 나뉘었다. 하지만 대다수 분들이 따뜻하게 진심으로 답해주어서 감사했다. 학생들이 묻는 것이라 대충 장난 식으로 적을 수 있음에도 불구하고 사랑, 자유, 행복, 치킨 등 등 여러가지 대답을 적어주셨다. 그중 가장 기억에 남는 대답은 던킨 도넛에서 만난 남자 두 분의 대답이었다. 미션 종료 시간을 앞두고 마지막으로 물어본 분들이었는데, 두 분 다 엄청 고민하시더니 한분은 '평화란 사실 정말 사소한 것이다'란 대답을 적어주셨고, 한분은 '평화란 음악이다'라는 굉장히 추상적인 대답을 적어주셨다. 그렇게 우리는 기분 좋게 숙소로 돌아왔다. 사람들의 따뜻한 대답들로 추운 날씨임에도 조금이나마 온기를 느낄 수 있었다.

하루를 마무리 지으며

숙소 로비에 있는 식당에 모여 오늘 진행한 미션의 결과를 발표하기로 하였다. 2017년도 인문학 동아리가 마무리되어가는 시점인 만큼 내년 인문학 동아리 주제에 대해서 각 학년별로 의견을 제출하였다. 가장 많이 나온 주제는 영화와 인권이었다. 우리는 이번 미션을 하면서 광주 사람들에게 많은 응원과 선물을 받았다. 우리 학년은 이러한 점을 토대로 느낀 점을 발표했다. 광주 사람들의 나눔의 정신은 광주민주화운동 당시의 대동 세상으로 불렸던 정신이 이어져 내려온 것은 아닐까 하는 생각이 들었다.

길 위에서 역사를 배우다

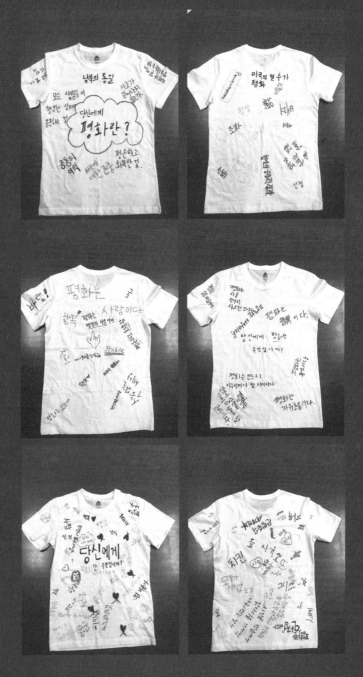

2일차 일정

기상 및 아침식사 → 국립 5·18 민주 묘지, 구묘 지 → 양림동 역사문화마을 → 점심 식사 → 양림 동 관광안내소 → 양림동 역사문화마을 탐방 (양 림 마을 이야기관 → 사직공원 사직단 → 사직 전 망타워 → 유진벨 기념관 → 김현승 시비 → 우일 선 선교사 사택 → 펭귄마을) → 부산 도착

무고한 영혼들의 쉼터

긴단한 아침식사와 짐정리를 마친 후 우리는 바로 국립 5·18 민주 묘지로 향했다. 국립 5·18 묘지에 들어가자마자 우리 눈에 보인 것은 중앙에 세워진 추모탑이었다. 추모탑 사이에는 큰 알이 하나 있는데, 그것은 새로운 생명의 부활을 뜻한다고 한다. 억울하게 죽은 희생자들이 그 알을 통해 부활한다는 것을 표현

길 위에서 역사를 배우다

하는 것 같아 마음이 뭉클했다. 묘지 안으로 들어가 문화해설사님이 희생자분들의 일화를 몇 가지 말씀해주셨는데 놀이터에서 신발을 줍다 오발탄으로 죽은 아이, 돌아오지 않는 남편을 찾아 나가다가 죽은 아내, 말을 못한다는 이유만으로 죽은 청년, 태어난 지 이틀 만에 아버지를 잃은 아이 등 차마 눈물 없이 들을 수 없는 이야기들이었다. 묘지에는 시신이 안치되어 있는 묘도 많았지만, 시신조차 찾지 못해 비석만이 그 자리를 지키고 있는 가묘들도 많았다. 희생자들의 시신을 다 찾는 날까지 우리는 5·18 민주화 운동에 대해 많은 관심을 가지고 기억해야 할 것이다. 우리는 한 사람의 죽음도 견디기 힘들어 한다. 그런데 이 많은 사람들의 죽음은 어떻게 감당해야 할까.

당신의 장례식을 치르지 못해 내 삶이 장례식이 되었습니다.
-〈소년이 온다〉중에서-

국립 5·18 묘지에서 구묘지로 가는 길에는 5·18정신을 담은 시들이 전시되어 있었다. 계엄군이 점령한 뒤, 상무관에 안치되어 있던 5·18 민주화 운동 당시 희생된 시신들은 청소차에 실려 망월동 시립묘지로 옮겨져 묻혔다. 1997년 국립 5·18 민주묘지가 조성되면서 5·18 희생자들의 무덤은 대부분 이장되었으며, 현재 여기 망월동 묘역에는 당시 희생자 가묘가 남아 있고 5·18이후 이 땅의 민주화를 위해 노력한 민족민주열사들을 안장하고 있다. 광주의 일을 전 세계에 알린 독일 기자 '위르겐 힌츠페터의 추모비'도 볼 수 있었다.

근대 역사의 길 위를 걷다

양림동은 광주 근대 역사가 남아있는 마을이다. 선교사들이 이곳에 살면서 선교활동을 하여 선교사 사택과 오래된 교회가 그대로 남아있었다. 당시 선교사들이 지은 100년 넘은 수피아 여중, 여고도 볼 수 있었다. 특히 수피아 여중, 여

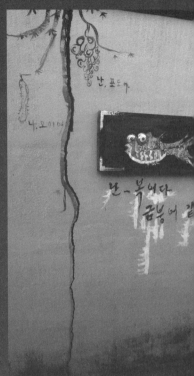

고의 역사와 우리 학교의 역사가 비슷해서 친근감이 들었다. 골목 투어를 하면서 가장 기억에 남는 두 장소는 사직 전망 타워와 펭귄마을이었다. 사직 전망 타워 맨 위층까지 올라가서 아래를 내려다 봤는데 광주라는 도시가 정말 아기자기해 보였다. 또 더 자세히 보기 위해 망원경으로 보니 어제 방문했었던 5·18 민주기록관도 보이고 상무관, 전남도청 등 5·18 민주화 운동의 주요 장소들이 보였다. 문학기행이 마무리 되어가는 즈음에 보니 지금까지의 일정이 정리되는 기분이 들었다.

그리고 마지막 일정지인 펭귄마을은 20분 남짓의 짧은 시간동안 방문하였다. 펭귄마을은 한 마을 노인이 버려진 폐품을 하나하나 수집해서 마을에 둔 것이 시초가 되었다. 펭귄마을에는 펭귄이 없다. 노인들이 다리가 불편해서 걷는 모습이 마치 펭귄같다고 해서 붙여진 이름이다. 골목 길 안은 옛날 물건들을 보기 좋

길 위에서 역사를 배우다

게 만든 장식품들과 펭귄마을이라는 이름에 맞게 펭귄 인형도 있었다. 온갖 다양한 시계들이 전시되어 있는 것과 벽에 금이 간 곳을 포도 줄기로 만들어 그린 그림이 인상 깊었다.

그렇게 친구들과 기념 사진을 찍고 5분 정도를 남기고 나와 마을 초입에 있는 평화의 소녀상을 보았다. 앉아있는 소녀상은 과거, 서있는 할머니는 현재 그리고 남은 의자에 앉아 사진을 찍는 사람들은 미래를 뜻하는 동상이라고 한다. 과거와 현재는 분리될 수 없고 서로 연결되어 있다. 밝혀지지 않은 진실이 규명되어 우리의 역사가 바로잡아 지는 날이 빨리 왔으면 좋겠다. 그것만이 일본군 강제 '위안부' 할머니들의 상처와 아픔을 조금이나마 치유해 줄 수 있을 것 같다. 소녀상을 보니 '역사를 잊은 민족에게 미래는 없다'라는 말이 떠올랐다.

에필로그

'문학기행' 이라고 하면 딱딱하고 재미없는 공부만 하는 여행이라고 생각했다. 하지만 이번 여행을 통해 문학기행도 충분히 즐길 수 있고, 알찬 여행이 될 수 있다는 생각이 들었다. 〈소년이 온다〉를 읽었을 때는 안타깝고 슬픈 일이라는 생각은 들었지만, 그 일이 마치 내 일같이 실감나게 느껴지지는 않았다. '백문이 불여일견'이라는 말이 있다. 이 말처럼 한 번의 문학기행은 책을 2번, 3번, 여러 번 반복해서 읽는 것 보다 더 실감나게 마음으로 와 닿게 해주었다.

1박 2일 밖에 안 되는 짧은 광주 여행이었지만 그 어떤 여행보다도 더 오래 우리의 기억 속에 다시 없을 추억으로 남을 것이라 생각한다.

글 /
환상과 망상에 빠져 사는 **김수련**(3학년)
자신의 감성을 표현하는 예술가를 사랑하는 **박세향**(3학년)
소파와 혼연일체 되어 사는 **전영진**(3학년)

에필로그

1

장주연이 〈갑신년의 세 친구〉에서 찾은 '세청년' 이야기

인문학동아리에서 근현대사의 출발점으로 잡은 갑신정변. 이 책을 읽기 전에는 역사시간에 배운 내용 정도만 알고 있었는데, 이 책을 읽고 나서 개화기 세 청년의 이야기를 알게 되었어. 비록 정변은 실패했지만 갑신년 세 친구가 새로운 세상을 꿈꾸며 개혁을 시도한 것을 생생하게 느낄 수 있어서 참 좋았어.

〈갑신년의 세 친구〉를 읽고 전영진이 '김옥균'에게

사람들이 당신이 너무 무책임하다고 말하더군요. 백성들의 민심도 모으지 못하고 일본에게 의지한 개혁이 무모하다고 말이에요. 그런데 모의재판에서 변호사 역할을 맡아 대본을 쓰다 보니 사람이라면 자신이 원하는 미래를 위해 조금은 조급해지고, 무모해질 수 있다는 것이 이해가 되더군요. 그런 무모한 일도 책임감과 리더십이 있어야 할 수 있는 거라고 생각이 들었어요.

〈갑신년의 세 친구〉를 읽은 이송학이 자신에게 날리는 일침

여기 나오는 개혁가들은 각자 자신의 신념을 확고하게 가지고 있었어. 그래서 나는 책을 읽고 평소의 내 게으른 성격을 바꾸고 싶었어. 앞으로 게으르게 살지 말자고 스스로 다짐해 봐.

역사에 궁금증이 있던 백진하에게 해답의 실마리를 준 〈갑신년의 세 친구〉

학교에서 읽는 교과서에 갑신정변에 대한 설명이 몇 줄 적혀있는 줄 아니? 나는 교과서에 나온 내용만으로 갑신정변을 이해할 수가 없었어. 하지만 〈갑신년의 세 친구〉를 통해 역사를 섬세하고 자세하게 읽어볼 수 있었지. 아주 큰 도움이 되었어.

〈푸른 늑대의 파수꾼〉을 읽고 이유빈이 '수인'에게

아버지를 위해 혼자 집을 떠나 식모살이를 하기로 결심한 것이 정말 대단해. 그리고 후지모토상과 다른 일본인들에게 멸시를 당하면서도 가수의 꿈을 잃지 않고 오시이레 속에서 노래를 부르는 너를 보고 나도 어떤 상황에서도 꿈을 잃지 않겠다고 결심했어.

〈푸른 늑대의 파수꾼〉을 읽고 김서현이 '오햇귀'에게

처음에는 태후에게 괴롭힘을 받았지만 시간여행을 하면서 과거와 미래를 변화시키려고 노력하는 모습을 보고 생각보다 넌 훨씬 용기 있고 대단한 아이라고 느꼈어.

김서현(1학년)을 초등학생에서 중학생으로 발돋움하게 해준 디딤돌, 〈푸른 늑대의 파수꾼〉

이 책을 읽음으로써 생각이 초등학생에서 중학생으로 발전한 것 같아. 10대의 관점에서 써서 우리의 공감대를 형성했을 뿐만 아니라 일본군 강제 '위안부' 이야기가 너무 충격이었기에 나의 평소 모습을 반성하고 내가 소중한 존재임을 알게 되었어.

주정은이 〈푸른 늑대의 파수꾼〉을 읽고 찾은 '유메' 이야기

이 책을 읽으면서 나는 독서와 역사 분야에 호감을 가지게 되었어. 내가 조금 더 빨리 태어나서 '유메'를 만났다면 '햇귀'처럼 자신감을 가질 수 있었을 것 같아. 이 책이 나의 성장에 많은 도움이 된 것 같아.

〈푸른 늑대의 파수꾼〉을 읽고 바뀐 신현주의 역사소설에 관한 생각

평소 책을 읽는 것을 별로 좋아하진 않았지만 지루할 줄만 알았던 역사소설도 읽기 쉽고 재밌다는 것을 알게 되었어. 역사소설에는 아픈 역사만 그려진 것이 아니라 그 속에 우리와 비슷한 또래의 수인이, 햇귀, 하루코, 유메의 이야기가 들어 있어 더 공감이 되고 좋았던 것 같아.

김지현이 〈푸른 늑대의 파수꾼〉에서 만난 동갑내기 친구

역사 소설에는 어른들만 등장할 것이라는 내 예상을 깨고 이 책에는 나와 동갑인 수인이와 햇귀가 등장했어. 가수가 꿈이라는 수인이의 명랑한 모습에 책이 술술 읽어지더라고. 지금 같은 학교에 다녀도 손색이 없을 것 같은데, 일제 강점기에 살았던 수인이의 기구한 운명이 정말 안타까웠어.

〈그 여름의 서울〉을 읽고 조가은이 '봉아'에게

봉아야, 너 많이 힘들었지? 솔직히 그 혼란 속에서 너만의 신념을 지니고 행동하기란 쉽지 않았을 거야. 그 충격도 16살인 너에게는 너무 컸고. 책 속에서 너는 결국 죽고 말았지만 꿋꿋이 너의 신념을 지켜낸 모습이 멋져. 네가 믿던 인민군은 추락했지만 나는 끝까지 너를 기억할게.

2017년 지금의 나는 이해하기 힘든 〈그 여름의 서울〉

솔직히 내가 60년 전 역사를 이해하긴 어렵잖아? 내 친구가 공산주의자라고 어느 날 총을 맞는데, 누가 그걸 생각이나 해봤겠어? 이래서 역사를 배우고 해석하는 게 힘들고 재미없나봐. 그래도 어쩌겠어. 역사공부를 해야 되는데…….

한국전쟁에 대해 아무것도 몰랐던 김효원에게 사전 역할을 해 준 〈그 여름의 서울〉

난 한국전쟁에 대해 아무것도 몰랐어. 그냥 1950년 많은 사람들이 죽었던 한국전쟁이 일어났다 정도. 이 책을 읽고 한국전쟁과 무척 가까워진 느낌을 받았어.

송주희에게 걸음마부터 달리기까지 알려준 〈그 여름의 서울〉

책 읽는 건 쉽지 않았어. 글을 느리게 읽어서 다른 아이들보다 뒤쳐지고 글로 내 생각을 표현하는 것도 많이 어려워했었지. 이 인문학동아리에 들어오지 않았다면 평생 책에 대해 토론하는 걸 두려워 했을 거야. 나에게 책은 읽는 사람을 기다려준다는 것을 알려주었어. 나 또한 점점 뛰는 방법을 알아가고 있고.

〈소년이 온다〉를 만난 김수련

책 읽을 시간이 없다는 게 핑계일지도 모르겠지만, 정말 읽을 시간을 만들기가 힘들었어. 하지만 인문학동아리를 하면서 시간을 내고 좋은 책을 많이 읽게 되었어. 김수련이 책읽는 게 재밌구나 알게 되었고 스스로 도서관을 가게 되었어. 많은 감정을 중학교에서 느끼게 해줘서 고마워.

김서진이 〈소년이 온다〉에서 찾은 '돌아오지 못한 그 소년'의 이야기

5·18…… 솔직히 우리에게는 너무 생소했어. 하지만, 그래도 이 책을 읽음으로써 5·18을 알 수 있었기에 다행이라고 생각해. 그 여름에 소년은 돌아오지 못했어. 그러나 우리가 기억하는 한 그 소년은 우리 곁에 있고 다시 돌아올거야. 그러니까, 어떠한 일이 있더라도 그 소년을 기억해 줘.

지해인이 〈소년이 온다〉를 읽고 ＊＊＊에게 하는 팩트 폭력

나옹. 〈소년이 온다〉에서 중요하게 다룬 것은 양심이었어. 평소에 양심 없는 행동을 밥 먹듯이 하는 너에게 정말 좋은 책이었던 것 같아. 이제 반성하고 열심히 살자, ＊＊아.

책을 혐오하는 나옹의 〈소년이 온다〉를 읽은 후 양심고백

처음 책을 펴는 순간 읽기 싫었어. '나'로 시작하는 것이 아닌 다짜고짜 '너'라는 시점과 함께 삽화도 없을뿐더러 난해했던 내용. 이 세 가지에 평소 책을 별로 좋아하지 않는 나의 성격까지 더해져 9쪽까지 읽었지만 책을 덮었어. 그리곤 갈등했어. 읽을까 말까. 음…… 다음에 이어질 내용은 생략.

황선주가 〈소년이 온다〉에서 만난 사람들 이야기

〈소년이 온다〉를 만나서 참 다행이야. 인문학동아리가 아니었으면 역사 소설 같은 건 읽지 않았을 테고, 그럼 5·18에 관심을 가질 생각조차 못했겠지. 문학 기행으로 광주에 가기도 했는데, 내가 밟고 있던 땅, 눈이 시릴 듯이 푸른 하늘을 당시의 사람들과 공유하는 느낌이 들어서 왜인지 모르게 소름이 돋았어. 우리가 지금 당연시하고 있는 권리들이 어쩌면 그때의 사람들에게는 상상조차 못했을 것이라고 생각하니 죄송스럽고, 감사해.

정재은이 〈소년이 온다〉에서 찾은 5월 광주의 이야기

이 책을 읽지 않았다면 그저 안타깝고 슬픈 역사로만 남았을 광주 민주화 항쟁. 이 책을 통해서 본 광주의 이야기는 내가 생각했던 것보다 더 고통스럽고 끔찍했으며 슬픈 이야기였지. 역사책 몇 장으로만 서술되는 이야기를 보다 생생하게 읽을 수 있어 좋았어. 소년도 그 외의 다른 사람들도 잊지 못할 것 같아.

이현지가 세상을 더 넓게 보게 도와준 책, 〈소년이 온다〉

원래는 책을 읽다가 조금이라도 재미가 없으면 바로 덮어버리는 안 좋은 습관이 있었어. 이 책을 읽으면서 조금 어려운 부분이나 재미없는 부분도 계속 읽게 되면서 대부분의 책들을 다 끝까지 읽게 될 수 있었어. 이렇게 꼼꼼히 책을 읽게 되면서 더 다양한 것을 알게 되고 더 다양한 생각을 할 수 있게 되었어.

이원정의 굳은살이 된, 〈소년이 온다〉

굳은살은 좋아하든지, 좋아하지 않든지 계속하여 어떤 행동을 반복하면 생긴다고 생각해. 그리고 굳은살이 생기면 그 부분은 더 이상 아프지 않게 되지. 나에게 〈소년이 온다〉라는 책은 굳은살과 같아. 읽기 힘들었고, 어려웠지만 계속하여 읽다보니 더 이상 힘들지 않았어. 그 힘든 순간 덕분에 내용을 완벽하게 이해하게 되었어. 앞으로도 나에게 성장통은 주지만 많은 것을 알려주는 책이 많았으면 좋겠어.

책을 잘 읽지 않은 전지현이 읽게 된 〈소년이 온다〉

나는 이 구절에 대해 생각이 많았어. 학살자 전두환은 타도하라. 학살자라는 단어가 붙을 만큼 끔찍한 일을 저지른 것일까? 하지만 책을 읽어보니 그날들의 일은 생각보다 많이 잔인했어.

역사에 대해 무지했던 박세향을 바꾼 2017년!

2017년 한 해 동안 역사와 관련된 많은 소설을 읽고 모의재판, 낭독극, 라운드 테이블 방식의 소설수다, 문학기행 등 다양한 활동을 하다 보니 우리나라 근현대사를 많이 알게 되고 관심을 가지게 되었어. 하나의 역사적 사실을 가지고 깊게 파고들고 우리의 방식으로 재해석하면서 역사를 그저 과거에 있었던 일로만 치부하지 않게 되고 우리가 꼭 알고 배우고 기억해야 할 소중한 보물이라는 생각을 가지게 되었어.

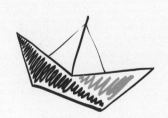

2

여기 그리고 '1987'의 그날들

「1987」 개봉일에 맞추어 함께 영화를 보는 것으로 한해 인문학 동아리 활동을 마무리하였다. 「1987」은 누구보다도 뜨거웠던 당시 민주화 운동에 몸담았던 그들의 심정을 2017년의 우리가 감히 짐작할 수 있게 만드는, 1987년과 2017년을 이어주는 영화이다. 언론을 통제하는 국가 권력의 모습, 국민을 위해 일해야 할 공직자가 사리사욕과 권력을 위해 국민을 억압하고 탄압하는 모습, 평범한 한 대학생이 삼촌과 자신이 좋아하는 선배가 겪는 일로 인해 서서히 변해가는 모습, 박종철 고문치사 사건, 이한열 열사의 죽음 등이 담겨 있다. 나는 이한열이 최루탄에 머리를 맞고 떨어뜨린 한 짝의 '운동화'에 눈길이 갔다. 그 운동화를 보자마자 인문학 강의에서 들었던 〈L의 운동화〉라는 소설이 떠올랐기 때문이다. 이한열의 운동화는 그 자체로도 1987년의 역사를 대변해주는 존재이다. 끝끝내 주인에게 돌아가지 못한 그 신발은 우리에게 무슨 이야기를 전하고 싶었던 것일까?

영화를 보며 모두가 한 목소리로 불의에 맞서는 사람들의 모습에 감탄하기도 했고, 감히 공감할 수 없는 장면들에 마음 아파하기도 하였다. 조용히 눈물을 흘리거나 훌쩍이는 사람들도 있었다. 내가 1987년의 상황 속에 있었다면 그들처럼 용기를 낼 수 있었을지 고민이 되었다. 기록 속에서 박제되어 있는 것이 역사가 아니라 우리가 살고 있는 바로 여기, 일상이 하나하나 역사의 순간임을 기억해야 한다. 그렇다면 이 한권의 책에 담은 우리의 기록들도 역사의 한 부분이 될 수 있지 않을까?

1학년 조가은, 황선주

참고자료

김은진, 〈푸른 늑대의 파수꾼〉, 창비, 2017

안소영, 〈갑신년의 세 친구〉, 창비, 2016

이현, 〈그 여름의 서울〉, 창비, 2016

한강, 〈소년이 온다〉, 창비, 2016

김숨, 〈L의 운동화〉, 민음사, 2017

송용진, 〈쑹내관의 재미있는 한국사 기행〉, 프레임, 2013

김형종 외, 〈역사 2〉, (주) 금성출판사, 2017

정선영 외, 〈역사 2〉, (주) 미래엔, 2017

김구태 외, 〈부산의 재발견〉, 부산시교육청, 2017

민주공원, 〈부산 지역 민주주의 현장탐방 워크북〉

부산시 서구청 창조도시과, 〈부산서구휴먼스토리 투어〉

〈광주의 오월을 걷자〉, 전남대학교 문화전문대학원 장소마케팅연구센터, 2013

물꼬방, 〈여름 연수 자료집-교사가 지치지 않는 독서교육〉, 2017

김미경, 〈연극 형식을 빌린 국어 수업〉, 나라말, 2007

이영선, 〈함께 보는 한국근현대사〉, 서해문집, 2004

네이버 지식백과